인물 과학사 2
세계의 과학자들

인물 과학사

2

세계의 과학자들

| 박성래 지음 |

cum libro
책과함께

역사의 주인공은 사람이고, 사람에 대해 생각해보는 일은 정말 재미있다. 나는 과학기술의 역사도 그런 줄거리에서 살펴볼 때 더욱 흥미롭게 이해할 수 있다고 생각한다. 그래서 많은 인물들을 찾아내고 소개하려고 노력했다. 반세기 동안 공부란 걸 하며 틈틈이 그런 과학자와 기술자에 대해 연구를 해서 소개했고, 그 많은 경우가 이번에 두 권의 책으로 정리되었다. 이 책에서 소개하고 있는 63인과《인물 과학사 1—한국의 과학자들》에서 소개한 92명, 도합 155명의 과학기술자는 내 평생의 공부 효과를 보여주는 셈이기도 하다.

나는 이 글을 쓰면서 여러 가지 조사를 했지만, 독자들에게 쓸데없는 부담을 주기 싫어서 '참고문헌'을 달지는 않았다. 주(註)를 달지 않았지만 내용에 부실한 대목이 있지는 않다고 자부한다. 거짓이나 과장은 하지 않았고 성실하게 원래의 자료를 바탕으로 역사적 사실을 그대로 정리해 전달하려 노력했다. 또 많은 경우 인터넷에서 취재해 보충했다는 점도 밝혀둔다. 말하자면 '술이부작(述而不作)'의 자세로 숨겨진 자료를 많이 찾아 소개하고 설명해보려 노력했다.

오히려 흠을 잡자면 이 책의 인물 소개에는 '위대한' 인물은 거의 없으리라는 점일지 모른다. 이미 독자들이 갖고 있던 위인의 모습을 내 글이 지워주지 말았으면 좋겠다는 역설적인 바람도 전하고 싶다. 나에게는 사람을 너무 위대한 존재로 보지 않으려는 성벽(性癖)이 있어서 그리된 점이니 독자들이 이해해주기를 바란다.

이 책에서는 '세계의 과학자들'에 대해 다루고 있지만 사실 '한국 과학사'와 연관지어 동아시아 과학사를 훑어보는 내용으로 되어 있다. 인물 선정에서부터 '한국 과학사'의 관점에서 주목할 만한 인물들을 골랐다. 세계 과학자들 가운데 우리 과학기술사에 관련이 있거나 일부 유명한 인물의 경우, 우리나라에 언제 어떻게 처음 알려졌는지에 대해 소개했다. 여기에 소개한 인물들은 대강 세 갈래로 나눠 볼 수 있는데 근대 과학의 성립에 관여한 수많은 서양인(특히 선교사들)과 일본인 그리고 일부 한국의 전통 과학 성립에 영향을 준 중국인들이다.

서양인의 경우 뉴턴처럼 워낙 중요하고 유명한 인물일 경우는 그 사람이 우리 역사에 어떤 이름으로 언제 처음 등장하고 있는가에 주목했다. 다윈의 경우 워낙 유명한 세계 과학자이지만 한국 과학사에 있어서도 중요한 영향을 미친 인물이다. 따라서 뉴턴과 다윈의 업적을 열거하는 것에 그치지 않고 될 수 있으면 우리 역사 속에서의 그들의 위치를 설명하려 했다. 하지만 이 책에서 다루는 서양인들 가운데에는 근대에 들어와 이 땅에서 일한 서양 선교사들이 더 많이 등장한다. 그들이 세계적으로 대단한 업적을 남긴 과학자일리야 없으나 우리 역사에서 차지하는 비중으로 치자면 그보다 훨씬 중요한 역할을 맡았기 때문이다.

일본인의 경우 우리 근대 과학과 깊은 관련이 있다. 근대 과학은 개화기에 들어 조금씩 알려지기 시작해 일제시대에 더욱 본격적으로 수용되었다. 당연히 일본인 과학기술자가 우리 현대사의 시작 대목에서 중요한 몫을 차지하기 마련이었다. 그런 맥락에서 우리와 관련 깊은 일본인 과학기술자가 여러 명 등장한다. 일제시대 우리나라에 와서 청소년을 가르치거나 과학기술 기관에서 활동했던 인물들이 많았기 때문이다. 지금까지 '일제 잔재 청산' 문제로 이런 과학사의 문제가 등한시 되어 왔음을 고려할 때 앞으로 더욱 주목해야 할 부분이다.

중국인의 경우 우리 전통 과학에 중요한 역할을 한 과학기술인을 골라 소개하려 노력했다. 조선시대까지 우리나라는 중국과의 교류가 절대적이었고, 자연히 중국의 과학기술서를 통해 앞선 과학기술을 익히는 수가 많았다. 따라서 나도 이 책에서 그와 관련 있는 인물들을 중심으로 소개했으며 여기에 근대화 과정에서 우리 역사와 직간접적으로 관련된 인물도 몇 명 소개했다.

이 책을 여기저기 읽어가면 동아시아의 과학사를 대강 짐작하는 데에도 도움되리라 생각한다. 그리고 동아시아 과학사를 대강 살필 수 있다면 바로 그것이 우리 근대사를 꿰뚫어보는 눈을 만들어주는 데에도 도움이 된다는 것이 내 믿음이다. 당연히 책을 앞에서부터 차례로 읽을 필요 없이 필요에 따라 인물을 골라 읽어도 좋을 것이다. 거칠게 나누기는 했지만 인물의 주요 업적을 중심으로 분야별로 읽어 나가거나 연대순, 나라순에 따라 찾아가며 읽어도 좋을 것이다. 책 뒤에 있는 부록 연표를 참고하면 좋을 것이다.

돌이켜보니 이 책은 오랜 기간 나의 아내(이미혜)와 아이들에게는 고초를 주고 혼자 좋아서 일했던 회한의 열매라는 느낌이 들기도 한다. 나로서는 알고 싶은 욕구에서 이런저런 인물들에 대해 책과 인터넷을 뒤져가며 내 나름 흥미 있는 이야깃거리를 얻어내고 그걸 글로 쓰며 즐거웠지만 말이다. 이 자리를 빌려 나의 아내와 아들 박병호, 며느리 고혜원, 딸 박가영과 사위 이원에게 미안하다는 말을 전하고 싶다. 또 그들이 나의 손주들(이주상, 박성규, 이주영, 박성연, 이주원)에게 나보다는 더 좋은 아빠 엄마가 되어 주었으면 좋겠다. 물론 손주들이 이 책을 읽어준다면 더 좋겠다.

또 이 책을 만들어 준 도서출판 책과함께와 출판에 앞장서준 KAIST의 신동원 교수에게도 고마움을 전한다. 이 책의 내용 대부분은 지난 20년 동안 한국과학기술단체총연합회의 월간지 《과학과 기술》에 연재되었던 글이 주축이다. 그런 연재를 해주었던 《과학과 기술》 관계자에게도 감사한 마음을 떠올리게도 된다. 내 글을 읽는 모든 분들에게 그저 감사하다는 말씀을 전하고 싶다.

2011년 10월 분당에서

박성래

3부 의학

4부 기술·발명

천문학

당나라 때 명성 떨친 천문학자 중국의 일행 一行 683~727

우리나라에서 가장 이름 있는 풍수지리의 대가는 단연 도선(道詵, 827 ~898)을 꼽을 수 있을 것이다. 신라 말의 승려였던 도선은 우리나라에서 풍수지리를 처음 시작했다고 할 수 있을 만한 인물로 꼽힐 정도로 널리 알려져 있다. 걸핏하면 도선이 썼다고 전해지는 비밀스런 기록이 후세의 중요한 고전으로 새로 나타나고 또 인정될 지경이다. 말하자면 《도선비기(道詵秘記)》 같은 이름으로 알려지는 책이 그런 것들이다. 또 도선은 바로 왕건의 새 왕조 개창을 예언하고 왕건에게 앞으로 지켜야 할 지침까지 내려준 것으로 전한다.

그런데 바로 이렇게 유명한 도선의 일생에 대한 옛 자료를 읽노라면, 그가 당나라 때 중국의 유명한 천문학자 일행(一行, 683~727)을 찾아가 공부했다는 기록이 보인다. 그가 당나라에 가서 일행에게서 직접 풍수지리를 배우고 돌아왔다는 전설이 우리 역사에 남아 있는 것이다. 하지만 얼핏 생각해보더라도 이는 말이 되지 않는다. 도선이 전라도 영광에서 태어났을 때인 827년에 일행은 죽은 지 꼭 100년이 되기 때문이다. 게다가 도선이 중국에 다녀왔다는 증거는 잘 보이지 않는다. 이래저래 도선과 일행은 별 관련이 없다고 판단할 수가 있다. 그런데도 이런 전설이 우리나라에 남아 있다는 사실 자체가 일행이라는 당나라의 천문학자 이름이 우리 역사에도 제법 유명했음을 보여준다고 생각된다.

당나라 6대 임금 현종이 발탁

하지만 중국 역사에서 일행은 대단한 천문학자이다. 원래 일행은 법명이고 그의 본명은 장수(張遂)이다. 원래 중국의 옛 문헌에는 '위주(魏州)의 창락(昌樂) 사람'이라 적혀 있는데, 지금으로 치면 허난성[河南省]의 난러현[南樂縣]이라고 한다.

부유한 관리 집안이었지만 아버지대에는 이미 퇴락하여 가난해졌고, 출가하여 허난성에 있는 쑹산[嵩山]에서 숨어 살며 수도했으며 천문, 수학, 오행 등을 연구한 것으로 전해진다. 705년쯤에는 이미 그의 이름이 알려지기 시작한 것으로 보인다. 당시 실권자였던 측천무후의 이복오빠 무원경의 아들인 무삼사(武三思)가 그를 만나기를 원했지만, 그는 이를 피하여 11년간 쑹산에 숨어 살았다고 전해진다. 그러는 사이 그는 당시 선종(禪宗)의 북종(北宗)을 대표하던 보적선사(普寂禪師)에게 가르침을 받아 불교에 대한 그의 연구도 깊어졌다. 그러다 당의 예종

이 즉위하여 그를 초청했는데 도선은 이를 사양하여 나아가지 않았다고 한다.

하지만 그 후의 현종은 숨어 있는 일행을 더 이상 숨어 살지 못하게 반강제로 끌어내 서울로 데려오고 말았다. 717년의 일이었다. 그의 숙부를 시켜 그를 산에서 데려다가 서울 창안(長安)에 오게 한 다음 그를 광태전(光太殿)에 머물게 하면서 수시로 천자의 자문에 응하게 했던 것이다. 바로 양귀비의 애인으로 유명한 중국 당나라의 6대 임금 현종의 이야기인 것이다. 그러는 사이 720년에는 인도 승려에 의해 다시 밀교(密教) 경전이 들어왔고 일행은 이를 배우게 되었다. 이 과정에서 그는 인도 문화 전반에 대해 깊은 이해를 가지게 되었으며 인도 천문학에도 깊은 조예를 가지게 되었을 것으로 보인다.

그가 태어나기 전에 이미 중국에는 인도로부터 불교와 불교 천문학이 제법 들어와 있었고, 657년에는 인도 천문학을 바탕으로 한《구집력(九執曆)》이 만들어진 일도 있었다. 원둘레가 360도로 계산된다는 사실을 처음 중국에 전해준 것도 바로《구집력》을 통해서 였다. 물론 중국의 전통 천문학에서는 원둘레는 365도와 4분의 1도가 된다.

721년까지 사용하던 인덕력(麟德曆) 방식으로 계산한 일식 예보가 계속 잘 맞지 않게 되자, 임금은 일행에게 새 역법을 만들라고 명했다. 천문기구 제작기술자이며 당대의 화가이기도 했던 양영찬(梁令瓚)이 발명했다는 황도유의(黃道遊儀)라는 개량된 관측기구를 이용하여, 일행은 천문 관측을 새롭고 더 정확하게 실시할 수가 있게 되었다.

그는 또한 혼상(渾象)도 제작한 것으로 밝혀져 있다. 물을 부어 바퀴를 돌려주어 하루 한 번씩 자전하게 만들었다는 이 혼상은 이미 그보다 훨씬 전에 장형(張衡)이 제작한 것으로 기록에 전해지는 수운혼상(水運渾象) 또는 수운의상(水運儀象)의 발전된 모양이었을 것으로 보인다. 여러 층의 장치에다가 달과 별과 태양의 운동을 나타나게 만들어서 이들이 모두 저절로 자연현상 그대로를 재현하면서 움직이게 만든 것이다. 중국 역사에서는 이런 자동 물시계 겸 자동 천문시계라 할 수 있는 장치가 역사 속에서 여러 번 제작된 기록이 보이는데, 이것도 그 가운데 하나임이 분명하다.

자동 천문시계 등 제작

물론 이를 흉내내어 세종 때 조선에서도 장영실(蔣英實)이 자격루(自擊漏)를 만들고, 옥루(玉漏)라는 훨씬 정교한 천문 장치를 나타낸 물시계를 만들었다. 세종 때에 만들었던 수많은 이런 천문기상 관련 장치들 가운데에는 혼상도 있었다. 당나라의 일행이 만든 혼상은 인형이 나타나 종과 북을 치는 자동 시보장치였다고 설명되어 있지만, 세종 때의 혼상은 그것과는 좀 달라 별들의 위치를 그대로 둥근 모형 위에 나타나게 하고, 그 모형이 하루 한 번 물의 힘으로 자전하여 지금 이 순간 북두칠성은 어디 보이는지를 나타내주게 만든 장치였다.

　일행은 실제 천문 관측에도 탁월한 공헌을 남기고 있다. 예를 들면 그는 황도유의 등 관측 장치를 사용하여 그때까지 800년 동안 의심 없이 사용되어 왔던 중국 기본성좌 28수(宿)의 별들의 거도(距度) 값을 새로 관측해 사용하기 시작했다. 한나라 이후 그냥 대강의 값을 써오던 관행을 버리고 28수 기본성좌들의 위치를 가장 정확한 새로운 값을 관측해 사용하기 시작한 것이다.

특히 724년 시작한 전국 규모의 천문측량은 세계에 자랑할 만한 것이었다. 여기에는 새로 측량기구 '복구(覆矩)'를 발명하여 사용한 것으로 밝혀져 있다. 전국적 표본측량을 실시했는데, 비록 실제 골라진 장소는 12개뿐이었지만, 바이칼호에서 베트남 중부지역까지 남북으로 중국 땅 전체 이상을 대상으로 하고 있다. 당나라의 남북을, 끝에서 끝까지 조사한 셈이었다.

특히 중요한 값은 각 지역에서의 북극고도(北極高度), 그리고 2지 2분(二至二分: 동지, 하지, 춘분, 추분)의 태양이 남중(南中)했을 때의 그림자 길이 측정 등이 들어 있었다. 북극고도란 지금으로 치면 위도 값을 가리킨다. 우리나라에서도 세종이 당시 천문학자 이순지(李純之)에게 서울의 북극고도를 물었던 기록이 남아 있다.

이 가운데에도 태사감(太史監) 남궁열(南宮說)이 측량을 맡았던 4개 직선 남북 지역의 측량 결과는 아주 중요한 발견을 가능하게 해주었다. 그전까지 중국 사람들은 기계적으로 '남북이 1000리 떨어지면 그림자는 1치 달라진다'던 옛말을 덮어 놓고 믿어 왔던 것인데, 이 관측으로 그것이 수정되었기 때문이다.

그 결과를 종합하여 일행은 남북 두 지점이 351리 80보 떨어져 있을 때 북극고도는 1도 차이가 난다고 밝힌 것이다. 당시의 도량형이 대체로 1리는 300보, 1보는 5척, 원둘레[周天]는 365와 4분의 1도였다는 사실을 참고하여 계산해보면, 북극고도 1도 차이가 오늘날의 단위로는 129.22킬로미터에 해당하게 된다.

이는 지구 자오선의 1도 길이를 의미한다. 지금 그 값이 111.2킬로미터이니까, 지금 값에 비하자면 상당히 차이가 있는 것이지만, 이것이 인류역사상 최초로 자오선의 길이를 측량한 경우라는 점을 중국 과학사학자들은 강조하고 있다.

세계 최초로 자오선 측량

일행은 세계 역사상 처음으로 지구의 자오선을 측량한 과학자라고 중국 과학사에서 자랑하고 있다. 그는 또 태양의 실제 속도가 계절에 따라 달라지는 점을 관측하고 또 이를 반영하는 역법을 만들었다. 또 이를 보다 정확하게 계산하기 위한 방법으로 부등 간격의 2차 내삽법(內揷法)[1]을 고안해 이용했다. 보간법(補間法)이라 알려진 이 방식은 3차 변화 이상의 복잡한 경우에서 상당히 정확한 값을 얻는 방식이다.

이런 준비과정을 거쳐 725년 일행은 새 역법을 만들기 시작했다. 그리고 그 대강이 727년 '대연력(大衍曆)' 7편의 초고로 나오게 되었다. 그러나 바로 그 초고를 완성한 다음 그는 45세의 나이로 세상을 떠나고 말았다. 대연력은 그의 제자들에 의해 완성되어 729년부터 29년간 중국에서 시행되었다. '대연(大衍)'이란 이름을 붙인 것은 그가 이를 《주역(周易)》에 나오는 '대연의 수'에 관련지어 설명했기 때문에 붙인 이름일 뿐 그 이상의 의미는 없다.

일행은 죽은 후 대혜선사(大慧禪師)라는 시호가 내려졌다. 45세로 죽은 그는 평생에 《대연론》 3권, 《섭조복장》 10권, 《천일태일경》, 《태일국둔갑경》, 《석씨계록》 각 1권씩의 저술을 남겼다. 하지만 그 상세한 내용이 전해지지는 않는 것으로 보인다. 또 이름만으로도 그의 저술은 천문학만이 아니라 불교, 특히 불교 가운데에도 밀교적인 분야와 연결되었으리라는 느낌을 주기도 한다.

일행의 개인 생활에 대해서는 별로 알려진 것이 없다. 그가 임금의 자문을 맡고 있을 때 공주의 결혼을 너무 거창하게 하려하자 이를 반대하여 전례를 들어 설명해 임금의 동의를 얻어낼 만큼 강직한 충고자였다는 기록이 보일 뿐이다. 또 일찍 출가하여 그가 절에 들어가려는데, 안에서 스님의 계산을 가르치며 하는 소리가 들렸다고 한다. '오늘 멀리서 제자가 와서 내 계산술을 배울 것'이라 예언하면서, 앞 개울의 물이 거꾸로 흐를 것이라고 예언하기도 했다는 것이다. 그 말을 듣고 일행이 달려들어가 머리를 땅에 대고 절하며 그에게서 그 술법을 배웠더니 정말로 개울물이 거꾸로 흘렀다는 것이다.

이 기록은 당대의 도가 사상가들의 글에 나오는데 그들은 일행을 낙하굉(落下閎)이 예언한 '800년 뒤의 경인(經人)'이라 말하고 있다. 한나라 때의 낙하굉은 그의 역법을 완성하면서 800년 후에 하루가 틀리게 될 때 이를 바로 잡을 경인이 나올 것을 예언했고, 그가 바로 일행이라는 것이다. 일행은 당나라 때 위대한 천문학자로 중국 역사를 장식하고 있다. 하지만 우리나라의 도선이 그로부터 직접 무엇을 배웠다는 전설은 그냥 전설일 뿐이다.

---

[1] 내삽법(內揷法): 둘 이상의 변숫값에 대한 함숫값을 알고 그것들 사이의 임의의 변숫값에 대한 함숫값이나 그 근삿값을 구하는 방법

1000년 전 양력 주장한 중국의
심괄 沈括 1031~1095

우리나라에서도 옛 사람들에게는 제법 잘 알려졌던 중국 송나라 때의
과학자 심괄(沈括, 1031~1095)은 1000년 전에 양력을 주장한 학자이다.
나는 오래 전부터 지금 세계가 함께 쓰고 있는 양력은 잘못된 역법이
고, 음력이야말로 순전히 과학적으로 만들어진 역법이라는 사실을 강
조해왔다. 양력은 7, 8월이 연속 31일씩이고, 2월이 유난히 짧아 28일
(윤년 29일)이다. 게다가 양력의 새해 시작하는 날은 천문학적으로 아무
의미가 없는 날이다. 그래서 나는 양력의 이런 잘못이 서양 역사 때문
이라는 사실을 지적하고 설날을 되찾는 데 열성을 기울인 때도 있었다.
그 덕택에 1989년부터 '설'을 되찾고 사흘씩 놀게까지 되었다는 것을
기억하는 독자도 있을 것이다.

'박성래 역법'과 내용 일치

물론 그래 봤자 이제 와서 양력을 버리고 음력으로 돌아갈 수가 없다는 것은 잘 안다. 세상이 이미 양력만 쓰고 있고 양력이 간편하기 때문에 이제 와서 새삼스레 음력으로 돌아가게 될 이치가 없기 때문이다. 그래서 주장하고 나선 것이 '박성래 역법(朴星來曆法)'이다. 지금과 조금 달리 양력 새해 시작을 지금의 춘분 날짜로 잡고, 모든 달의 길이를 30일 또는 31일로만 하자는 주장이다. 지금 달력으로 춘분은 3월 21일인데 나는 이 날을 1월 1일로 삼자고 주장한다. 그리고 홀수 달은 30일로 하고 짝수 달은 31일, 연말의 12월만은 평년 30일, 윤년 31일로 하면 된다.

그런데 이런 주장을 하는 글을 쓴 직후에 나는 중국 과학사 책을 읽다가 그만 나보다 꼭 1000년 전에 이미 송나라의 심괄이 거의 같은 주장을 했다는 사실을 발견하게 되었다. 그야말로 김빠지는 일이기는 했지만, 또 한편으로는 여간 반가운 일이 아니었다. 1000년 전에 나와 비슷한 생각을 가진 학자가 있었으니 이 아니 반가운 일인가!

물론 지금이야 그의 이름을 아는 사람이 거의 없게 되었지만, 그가 살던 11세기까지만 본다면 심괄만큼 대단한 업적을 남긴 과학자도 세계에 드물 것이 분명하다. 그때는 아직 서양에는 과학자라고 할 만한 인물이 나오기 전이었고, 중국 문화가 세계를 주도하고 있었다 할만하니까 말이다.

심괄은 중국 남부의 경치 좋기로 이름난 항저우(杭州) 출신이다. 그의 아버지는 지방관리였던 심주(沈周)였고, 어머니는 허씨였다. 그 자신도 한때는 벼슬자리에 올라 군기감의 판사를 맡은 적도 있다. 또 왕안석(王安石)이 변법(變法)운동을 일으켜 송나라의 개혁을 주도했을 때에는 재정과 경제 관계를 담당하는 자리인 권삼사사(權三司使)라는 직위에 있기도 했다. 하지만 심괄은 관리로서 훌륭한 인물로 세상에 이름을 남긴 것은 아니다. 《송사(宋史)》에 "널리 배우고 글에 능하여 천문, 지리, 음악과 역법, 의약과 복산(卜算)에 두루 통하지 못하는 것이 없었다. 또한 이들 모든 분야에 대해 그의 글을 남겼다"라고 적혀 있다. 이 역사책에 의하면 그는 생전에 22종에 걸쳐 모두 155권의 책을 남겼다. 물론 그 가운데 가장 그의 이름을 널리 알리게 된 대표작은 《몽계필담(夢溪筆談)》 26권과 그에 보충해 나온 《보필담》 3권, 《속필담》 1권 등이다.

격적술과 회원술의 창시자

'과학자'로서의 심괄은 그야말로 여러 방면에서 많은 것을 처음으로 주장하거나 발견했던 것으로 보인다. 예를 들면 수학에서 그는 격적술(隔積術)과 회원술(會圓術)의 창시자라고 꼽힌다. 격적술이란 사이를 두어 쌓는 것들의 합계를 구하는 방법을 나타내는데 말하자면 사과를 가로 10개, 세로 8개를 놓은 다음 그 위에 다시 층층을 만들어 사과를 쌓으면 점점 위로 갈수록 사과 수가 적어진다. 이 경우의 사과 총수를 구하는 문제를 생각하면 된다. 즉 등차급수의 합을 구하는 문제라고 할 수 있다. 회원술이란 활 모양의 둥그스름한 궤도의 길이를 구하는 방법을 말하는데, 그의 직후에 원나라의 천문학자 곽수경(郭守敬)은 바로 이 방법을 써서 그의 천문학을 완성했다.

물리학 분야에서는 세계 역사상 처음으로 지구 자기의 편각(偏角) 현상을 지적한 것으로 유명하다. 서양보다는 이에 관한 한 4세기를 앞섰다고 알려져 있다. 또 심괄은 오목거울의 이치를 이미 알고 있었고, 또한 마경(魔鏡)의 원리를 설명하려고 애썼다.

이 이상한 거울은 중국 한나라 때부터 이미 나오기 시작하여 수, 당 시기까지 생산되었는데, 겉으로 보기에는 멀쩡한 보통 거울 같지만, 사실은 이 거울에 햇빛을 비춰 벽에 비치면 거울이 비쳐주는 밝은 태양 모양 안에는 부처 모습 또는 어떤 다른 모양이 나타나거나 하는 이상한 거울을 말한다. 이 마경은 일본에서도 생산되었고 이에 대한 토론도 있었던 것을 알 수 있다. 그러나 아직 우리나라 역사에서는 이에 대한 기록은 보이지 않는다.

그는 또 산 위의 조개피를 보고 그것은 원래 그 산이 바닷속에 있었던 때문이라면서 지구의 표면이 오랫동안 변화하여 지금과 같은 상태가 되었을 가능성을 말했다. 그는 지구 표면의 구조나 그 위의 생물에 대해 관심이 많아 실제로 관찰 여행도 많이 한 것으로 알려져 있다. 예를 들면 그는 1075년 송과 요나라가 분쟁에 말려들자 요나라에 사신으로 파견된 일이 있는데, 그 기간 동안에는 여행하면서도 그 지역의 지리와 생물에 대해 관찰하고 또 기록해 남긴 것으로 보인다. 그가 뒷날 밀랍을 녹여 사용해서 입체지도 제작에도 크게 성과를 올린 것은 이런 관찰과도 관계가 있을 것으로 보인다. 그 후 주희[朱熹, 주자(朱子)]가 진흙과 아교를 써서 역시 입체 지도를 만든 것으로 전한다. 이들은 세계의 지도사에도 확실한 업적으로 남는다.

심괄은 특히 천문학에 큰 공을 남겼는데, 스스로 천문 관측도 했다고 평가받는다. 그는 동양 사람으로는 처음으로 원래 달은 빛을 내지 못하는데, 태양의 빛을 반사하여 빛나는 것이라고 선언했다. 1074년에 그는 3가지 천문관련 장치를 만들어 임금에게 바친 것으로도 널리 알려져 있다. 심괄은 또한 북극성과 실제의 북극 사이에는 약간의 거리가 있음을 알고, 이를 관측을 통해 3도로 밝힌 일도 있다.

춘분을 새해 첫날로 주장

이렇게 심괄은 중국 과학사뿐만 아니라 세계 과학사에 뚜렷이 그 이름을 남긴 인물이라 할 수 있다. 하지만 내 개인적으로는 심괄은 춘분을 새해 시작으로 하는 양력을 처음으로 주장한 인물로 더 중요하다. 나는 오랫동안 양력에 잘못된 부분이 많다는 점을 말하며 음력의 장점에 대해 소개했다. 실제로 많은 한국인들이 음력 설을 설로 쇠고 있는데도 불구하고 정부는 양력을 과학적 역법이고 세계가 함께 쓰는 역법이라 인정하여 음력 설은 없애고, 양력 1월 1일을 3일 연휴로 한 적도 있다. 이 정도로 한국 사람들은 별 생각없이 음력은 잘못된 역법이고 양력이 가장 과학적인 역법인 줄 오해하고 있었던 것이다.

물론 이는 잘못된 생각이다. 이미 앞에서 소개한 것처럼 양력은 2월이 이상하게 짧고, 7, 8월은 연속 31일이 되는 것부터가 불합리한데, 그 까닭은 그 두 달이 로마 황제 율리우스 시저와 아우구스투스가 태어난 달이기 때문이다. 율리우스를 영어로 줄리어스(Julius)라 하고, 그래서 그 달 이름이 영어로 July, 그리고 다음 달은 아우구스투스(Augustus) 때문에 August가 되었다는 것만 보아도 알만 하지 않은가?

또 양력 1월 1일은 어떤 자연현상에 맞춰 정한 새해 시작이 아니라, 기독교 사회에서 가장 중요한 부활절을 고정시키다가 생긴 찌꺼기 날이다. 그런데도 우리는 양력 1월 1일을 '설'이라 부르고, 그때 3일을 쉬면서 음력 설은 없애려 했던 셈이다. 물론 뒤에는 '민속의 날'이란 어정쩡한 이름으로 하루 휴일을 만들기는 했지만 말이다. 그래서 나는 열심히 설을 되찾으려 했고, 드디어 1989년 그 일에 성공했다.

하지만 음력에는 아무 잘못도 없고, 음력은 해의 운동(24절기)과 달의 운동(날짜)을 함께 나타낸 고급 역법이라 할 수 있다. 이에 비해 양력은 태양 운동만 나타낸 간단한 역법이라 할 수 있다. 당연히 양력은 계절을 잘 맞추게 되어 있지만, 새해 시작하는 날이라거나 달의 길이가 멋대로라는 점 등이 잘못이다. 하지만 이제 와서 간단한 양력을 다시 버리고 음력을 쓰게 될 이치는 없어 보인다. 그러므로 나는 양력의 잘못된 부분만은 고쳐서 세계가 함께 쓰는 새로운 양력을 만들어야 한다고 주장하는 것이다. 그리고 그런 새로운 양력을 나는 1995년부터 '박성래 양력'이라 부르기 시작했던 것이다.

이미 심괄이 나와 거의 같은 주장을 하고 있었다. 심괄은 '십이기력(十二氣曆)'이란 역법을 주장했는데, 바로 춘분(春分)을 새해 시작으로 하는 양력을 말한다. 내가 말하는 '박성래 역법'과 거의 똑같다.

그는 이런 주장을 하면서 "뒷날 언젠가 내 주장을 채택하는 사람이 있을 것(異時必有用 子之說者)"이라 예언했다. 1851년 중국에서 새로운 세상을 약속하며 나섰던 홍수전(洪秀全)의 태평천국(太平天國)이 그의 역법을 실제로 채택했다. 그리고 1995년 이래 한국에서는 내가 심괄의 역법을 주장하고 있으니, 그의 예언은 틀림없이 적중한 셈이다.

수시력 만든 중국 원나라 때의 천문학자
곽수경 郭守敬 1231~1316

우리나라에서 가장 유명했던 중국의 천문학자로는 원나라의 곽수경(郭守敬, 1231~1316)을 들 수 있다. 원나라라면 물론 송나라 다음으로 중국을 차지했던 몽골 왕국을 가리킨다. 몽골족이 지배층이기는 했지만, 학문적으로나 문화적으로 그 아래 활동한 사람들은 그전부터 베이징에서 활약하던 한족(漢族)이었고, 곽수경 역시 한족의 한 사람이었다.

1281년 수시력의 창시자

곽수경이 중국에서 몽골족 아래 천문학자로 활동하던 바로 그 시기에 우리나라 역시 몽골의 지배를 받았다. 고려 후기의 몽골 지배기간 동안 우리 역사는 임금의 이름이 '충(忠)'자 돌림으로 붙여졌다. 충렬왕, 충선왕, 충숙왕 등의 이름이 그것이다. 그런데 바로 이 시기가 천문학에서는 그야말로 황금기였다고 할 수 있다. 그가 만든 '수시력(授時曆)'이란 이름의 역법(曆法)은 바로 당시까지 중국이 만든 가장 발달한 역법이었다고 평가된다.

조선 초 우리 선조들은 바로 이 역법을 우리나라에 맞도록 수정·보완하여 조선 초기 역법 수준을 세계적인 수준으로 높일 수 있었다. 그래서 《세종실록》에는 그의 이름이 몇 차례 등장한다. 그리고 그 후의 우리 기록에 그의 이름은 중국 천문학자로서 또는 수리기술자(水利技術者)로서 여러 차례 등장하고 있는 것이다.

세종 19년 4월 15일(갑술)에는 일성정시의(日星定時儀)를 비롯한 여러 가지 천문기구들을 만든 기록이 있는데, 그 가운데 곽수경의 이름도 나온다. 또 조금 뒤에는 곽수경의 이름이 산술에 정통하여 산천의 높낮음을 모두 알았다고 소개되어 있기도 하다. 그의 수리기술을 지적한 것임을 알 수 있다. 그 후에도 줄곧 조선시대의 우리 학자들은 그의 이름을 뛰어난 천문학자이며 수학자 또는 수리기술자로 잘 알고 있었다.

곽수경은 자를 약사(若思)라 했는데, 원래 지금의 허베이성[河北省] 싱타이[邢台] 사람이다. 그의 일생은 세 시기로 나눠 설명하는 것이 편리하다. 1231년에 태어난 그는 1250년까지, 즉 20대까지는 공부에 전념한 시기였다. 그리고 1251~1275년은 주로 수리기술자로 활약했고, 1276년부터 은퇴한 1303년까지는 천문학자로 활약했다고 할 수 있는 것이다. 대체로 13세기를 4등분 하여 생각해볼 때 그는 제2의 4반세기를 공부하는 데 소비하고, 제3의 4반세기를 수리학에, 그리고 마지막

제4의 4반세기를 위대한 천문학자로 활동했던 셈이다.

대개 누구라도 그런 수가 많겠지만, 곽수경은 1250년 공부를 마치고 집에 돌아올 때까지 몇명의 선생을 찾아가 공부를 한 것으로 밝혀져 있다. 1246년 그가 15세까지는 이미 물시계를 스스로 만들어보기도 하고, 혼천의(渾天儀)를 만들어 실제로 하늘을 관측해보기도 했다. 1247년 그는 당시 대학자로 천문, 수학, 지리에 특히 밝았던 유병충(劉秉忠)에게 찾아가 공부했고, 여기서 그는 뒷날 함께 천문학의 업적을 쌓게 되었던 왕순(王恂, 1231~1281)을 만나기도 했다.

1250년쯤 고향으로 돌아왔던 곽수경은 1251년에는 고향에서 수리기술자로 활약하기 시작했다. 아마 그로부터 10년쯤은 수리기술에 전념하고 있었던 것으로 보인다. 그리고 1260년에 그는 그곳의 지방관서에 물시계를 만들어 제공한 일도 있다. 곽수경은 그 후 15년 이상을 원나라의 중앙정부로 진출하여 수리기술자로 크게 활동하기 시작했다.

곽수경이 천문기술자로 성장하게 된 직접적 계기는 바로 이때 시작된 것이었다. 그는 당시 원나라가 새로 만들고 있던 역법을 어려서 만났던 왕순과 함께 하게 되었던 것이다. 곽수경과 동갑이었던 왕순은 당시 새로 만들었던 태사국의 책임자로 임명되었던 것이다. 그리고 3년 뒤에는 왕순이 태사령(太史令), 곽수경이 동지태사원사(同知太史院事)라는 직함을 갖게 되었다.

바로 이 자격으로 그는 당시 중국의 천문학을 세계 최고 수준으로 끌어 올리는 데 결정적 역할을 하게 되었던 셈이다. 왕순과 곽수경 두 사람의 역할을 비교하자면, 왕순이 주로 수학적 천문 계산 등에 전념한 데 비해, 곽수경은 주로 천문기구를 고안해 만들고 그것으로 천체운동

등을 관측하는 일에 큰 공적을 세웠다.

특히 이들은 다른 천문학자들의 도움 아래 1281년 '수시력'을 완성할 수 있었다. 그런데 '수시력'을 뒷받침할 많은 수학적 또는 관측천문학적 자료가 매우 부족한 가운데 우선 역법은 완성되었다. 당연히 이를 뒷받침하는 여러 가지 관측과 이론적 정리가 필요한 상황이었다. 그러나 그런 가운데 이미 그의 가장 중요한 동료였던 왕순이 그해에 죽었고, 다른 동료 천문학자들도 죽거나 은퇴했다. 실제로 '수시력'의 후속 단계를 완성해줄 사람은 곽수경 밖에 없게 되었다. 그의 이름이 '수시력'의 대표자로 후세에 전해지는 까닭이 여기에 있다.

세종 때 곽수경의 관측기구 모방

특히 그는 여러 가지 천문기구들과 물시계 등을 만들고 창안한 것으로 유명하다. 물론 이와 관련된 책도 숱하게 써서 남겼다. 그의 이름이 우리 역사에는 천문기구의 발명가로 잘 알려져 있다. 그는 평생에 최소한 22가지의 천문기구 등을 창안했다고 알려져 있다. 그 가운데에는 그가 꼭 발명하지 않은 것도 여럿이어서, 그가 처음 만든 것은 그리 많지 않다. 하지만 곽수경이 보다 합리적인 기구로 개량해 놓았던 것만은 확실하다. 그 가운데 우리나라에서도 모방해 만들었던 기구들만 들어보아도 5~6가지는 되는 것으로 보인다. 특히 세종대에 경복궁 경회루 연못 둘레에 세워 두었던 관측기구 등은 모두 곽수경의 것을 본뜬 것이 확실하다.

세종대의 관측기구들이 제작된 것은 대략 1430년대로 보인다. 그러니까 곽수경이 그것들을 만든 지 약 1세기 남짓 뒤의 일이다. 그 사이 중국의 문헌 여기저기에 기록되어 남아 있는 것을 참고하여 조선의 천문학자, 기술자들이 이를 만들어냈던 것이다. 당시 중국 사람들은 이런 기술을 가르쳐주지 않게 되어 있었다. 특히 천문학에 관한 정보란 국가 기밀에 속하는 것이어서 더욱 얻어 오기 어려운 일이었다. 당연히 세종대에 우리나라 사람들이 곽수경의 천문학을 배워오는 데에는 당시 우리나라의 대표적 천문학자였던 이순지(李純之), 김담(金淡), 장영실(蔣英實) 등 수많은 사람들의 노력이 있었던 것은 물론이다.

세종대에 경회루 둘레에 세웠던 천문 관련 기구로는 우선 간의(簡儀)를 들 수 있다. 원래 하늘의 별들을 관측하는 장치는 혼천의가 기본인데, 혼천의는 여러 개의 테를 중심에 집중시켜 놓아서 실제 관측에 여간 불편한 것이 아니었다. 바로 이 불편을 없애기 위해 고안해낸 것이 간의인데, 이것은 원래 아랍 사람들의 개량을 참고하여 곽수경이 만든 것으로 알려져 있다. 세종대 우리 천문학자들이 그것을 다시 흉내내어 만든 것으로 보인다. 세종대에는 경회루 연못 북쪽에 가로 6미터, 세로 10미터, 높이 7미터 정도의 돌대를 만들고 그 둘레를 쇠사슬로 둘러 난간을 만들고, 그 가운데 테의 지름이 2미터 되는 간의를 세운 것이었다. 지금은 남아 있지 않아서 그 모습을 짐작하기 쉽지 않지만, 중국 난징[南京] 쯔진산[紫金山] 천문대에는 뒷날 청나라 때 간의가 남아 있어서 그런대로 그 대강을 짐작하게 해준다.

또 바로 그 옆에 세웠던 동표(銅表) 또한 곽수경의 고표(高表)를 그대로 따라 만든 것으로 보인다, 동표란 옛날부터 동양 천문학에서 기본적 기구로 사용되었던 규표(圭表)를 5배나 크게 개량한 것이다. 원래

간의
곽수경이 제작한 간의의 모조품으로 현재 난징의 쯔진산 천문대에 전시 중이다.

규표란 해의 그림자 길이를 재는 장치로, '규(圭)'란 말은 그림자가 떨어지는 곳에 그려 놓은 눈금을 말한다. 또 '표(表)'란 해시계를 가리키기도 하는데 기둥을 세워 두어 해 그림자 길이를 재는 장치를 이른 말이다. 그러니까 규표란 해의 그림자 길이를 재기 위해 세워둔 기둥과 그 눈금을 함께 부른 말이다.

이 장치로 특히 동짓날 해의 높이(高度)를 여러 해 동안 측정해야만, 그 위치에서의 역법 계산이 가능해지는 것이다. 우리 역사에서도 분명히 규표는 일찍부터 사용되었을 것이지만, 그런 장치가 있었다는 기록은 조선 초의 세종 때까지 보이지 않는다.

세종 때 처음 기록으로 남은 이 동표는 구리 기둥을 만들었기 때문에

'구리 규표'라는 뜻에서 '동표'란 이름을 갖게 되었다. 높이는 중국 곽수경의 것과 마찬가지로 40자나 되었다고 하니, 약 10미터 가까운 아주 높직한 것이었다. 10미터나 되는 기둥 꼭대기의 가로막대는 그림자가 땅에 닿기 전에 사라져 버린다.

당연히 그림자를 재려는 원래 목적을 달성할 도리가 없다. 그래서 고안해낸 새로운 장치가 눈금 부분에 이동식 어둠 상자를 달아 두는 방식이었다. 이 어둠상자의 한쪽 벽에는 항상 해의 영상이 둥그렇게 나타나고, 이 상자를 이동해가면 가로막대 그림자가 떨어지는 곳에 검정 가로줄이 해의 영상을 가로질러 나타나기 시작한다. 그 검정 줄이 해의 영상 한가운데를 지나게 하여, 그 지점의 눈금을 읽으면 아주 정확한 그림자 길이를 잴 수 있다.

이 장치는 곽수경의 고표에 있는 것을 세종대에 흉내내 만든 것이 분명하다. 이 영부(影符)라는 장치는 대단히 일찍부터 인간이 카메라를 사용하고 있었음을 보여주는 중요한 예가 된다. 나는 이 장치를 '세종의 카메라'라고 불러 청소년들에게 이런 사실을 널리 알려주자고 주장하고 있다.

장영실 물시계도 영향

그 밖에도 경회루 둘레에는 여러 장치가 있었다. 동표에 이어서는 혼천의와 혼상(渾象)도 있었으며, 연못의 반대편인 남쪽에는 장영실이 만든 유명한 물시계 자격루(自擊漏)도 있었다. 또 동쪽에는 역시 장영실이 만든 일종의 혼천시계라 할 수 있는 옥루(玉漏)도 있었다. 이 밖에도 세종대에는 여러 가지 물시계와 일성정시의 등도 많았다. 이들 역시 중국의 것을 참고하여 만든 것은 분명하지만, 어느 정도 중국의 것을 모방했던가는 아직 연구가 부족하다. 앞으로 연구해보면 곽수경의 영향은 우리 역사에 더 큰 것으로 드러날지도 모르는 일이다.

게다가 세종대 천문학의 최고봉을 이룬 '칠정산(七政算)'이란 바로 곽수경의 '수시력'을 조선에 맞게 수정·보완한 위대한 업적이다. 세종대 우리 천문학은 바로 원나라의 곽수경을 대표로 한 천문학을 배워 흡수하는 데 성공한 이야기이다. 곽수경이란 중국의 천문학자는 우리 세종대의 뛰어난 천문학 성취를 말할 때마다 그냥 넘어갈 수 없는 중요한 인물이라 할 수 있다.

지동설의 주창자 폴란드의
니콜라스 코페르니쿠스
Nicolas Copernicus 1473~1543

최한기의 《지구전요》에 '가백니'라는 이름으로 소개

니콜라스 코페르니쿠스(Nicolas Copernicus, 1473~1543)는 우주의 중심이 태양이고 이 태양을 중심으로 지구가 돈다는 지동설을 주장한 과학자로 널리 알려져 있다. 그런데 그의 이름과 지동설은 언제 우리나라에 알려졌을까? 그리고 지동설은 우리 선조들에게 어떻게 받아들여지고 어떤 영향을 주었을까? 내가 코페르니쿠스를 주목하는 이유는 그가 서양의 천문학자이며 동시에 우리 과학사의 한 부분을 장식한 인물이기도 하기 때문이다.

지금으로부터 160년 전 실학자 최한기(崔漢綺)의 《지구전요(地球典

要)》(1857)에서 코페르니쿠스의 이름이 처음 발견되었다. 주로 세계 각국의 당시 현황을 소개하는 내용을 담은 이 책에는 그 첫 대목에 서양인들이 지닌 우주관과 더불어, 코페르니쿠스와 그의 지동설이 소개되어 있다. 순한문으로 된 이 책에는 '가백니(歌白尼)'라는 이름이 등장하는데, 이는 중국식으로 '커퍼니'라고 발음되므로 이 이름이 바로 코페르니쿠스를 가리킨다는 것을 알 수 있다. 최한기는 이 책에서 코페르니쿠스의 지동설을 다음과 같이 소개하고 있다. 또한 당시 알려져 있던 프톨레마이오스의 우주관, 티코의 우주관, 머르센의 우주관, 코페르니쿠스의 우주관을 소개하고 있는데, 이는 그림으로도 설명되어 있다. 그는 이 4가지 우주관 가운데 특히 코페르니쿠스의 주장에 학자들이 동조하고 있다면서, 이에 대해 3가지 이유를 들어 자세하게 설명하고 있다.

또 장지연(張志淵)이 쓴 조그만 백과전서라 할 수 있는 《만국사물기원역사(萬國事物紀原歷史)》(1909)도 지동설을 간단하게 소개하고 있다. 이 책은 서양에서는 코페르니쿠스가 16세기에 처음으로 지동설을 주장했지만, 동양에서는 그보다 먼저 이 주장이 제기되었다는 내용을 담고 있다. 국한문 혼용체로 된 이 책에서도 코페르니쿠스의 이름이 '가백니'로 씌여 있는데, 최한기의 표기와 음은 같지만 '가(哥)'자가 다르다. 이를 통해 장지연 역시 중국 책에서 그 내용을 베꼈다는 것을 짐작할 수 있다. 또한 이 책에서 장지연은 지구의 일동(日動)과 연동(年動)을 구별해 놓고, 이를 자전(自轉)과 공전(公轉)이란 말로 표현하고 있다. 이보다 훨씬 앞선 1883년 11월 《한성순보》 2호에는 지구의 운동에 관한 글이 실렸는데 자전과 환일에 대한 내용이었다.

기원전 3세기 자전과 공전 언급

코페르니쿠스는 1473년 2월 19일 폴란드의 비스틀라 강변에 있는 토룬 마을에서 상인의 아들로 태어났다. 18세에 폴란드의 명문 대학인 크라코프대학에 들어가 수학, 철학 등을 공부했고 1495년에 이탈리아로 유학을 가서 10년 동안 법학과 천문학을 공부했다. 철학과 수학, 신학에 정통한 그는 한때 의학도 공부했다. 그는 아버지를 일찍 여의고 귀족인 외숙부 집에서 풍요롭게 살았다고 전해진다.

코페르니쿠스가 처음으로 지동설을 주장했다고 알려져 있지만 엄밀히 말해서 이는 잘못 알려진 것이다. 코페르니쿠스는 이탈리아에서 공부하는 동안 플루타크 영웅전 등을 읽으며 거기에 소개된 고대 그리스 시대의 지동설에 눈을 뜨게 되었다. 이미 기원전 3세기에 그리스의 아리스탈코스와 헤라클리데스 등은 지구의 자전과 공전을 언급한 바 있었다. 코페르니쿠스는 이런 기록을 통하여 지구의 운동을 자신 있게 주장할 수 있게 된 것이다.

그는 크라코프대학에 다닐 때 이미 톨레미의 천동설과 당시의 알폰소 항성 목록 사이에 일치하지 않는 부분이 있다는 사실을 알고 있었다. 당시의 천문학은 교회력(Ecclesiastical Calendar)을 바로잡고 항해력(Nautical Almanac)을 개량해야 하는 두 가지 커다란 과제를 안고 있었다.

그레고리 13세 1년 355일로 결정

로마 시대에 개정되어 1000년 이상 사용해온 '율리우스력(Julian Calendar)'

은 실제와 크게 어긋나 부활절을 정하는 기준 날짜인 춘분이 4세기에 비해 10일이나 차이가 나는 상황이었다. 325년에는 3월 21일이었던 춘분이 1582년 3월 11일로 당겨졌던 것이다. 결국 교황 그레고리 13세의 결정에 의해 1582년 10월 5일 금요일은 10월 15일 금요일로 변경되었고, 그해의 1년은 355일로 10일이나 단축되었다. 바로 이것이 지금까지 세계적으로 사용되고 있는 양력인 그레고리력(Gregorian Calendar)이다. 당시 코페르니쿠스는 이 교회력의 개량을 위한 의견에 자문을 받기도 했다.

한편 항해력은 수십 년 동안 활발하게 진행된 유럽인들의 대륙 발견 탐험으로 인해 그 필요성이 더욱 절실해지고 있었다. 육지가 전혀 보이지 않는 먼 바다를 떠도는 항해자들은 시간과 천체 위치를 정확하게 알아야 자신의 위치를 계산해낼 수 있기 때문이다. 대서양과 태평양을 횡단하는 항해자들에게 정확한 항해력은 절대적으로 필요한 필수품이 된 것이다. 그러나 고대의 프톨레마이오스 우주관을 바탕으로 계산된 항해력이 잘 맞지 않아 항해자들은 위험한 처지에 놓여 있었고, 천문학자들 역시 이에 만족하지 못했다.

이런 상황에서 코페르니쿠스는 1543년, 지동설을 주장하는《천구의 회전에 대하여(De Revolutionibus Orbium Coelestium, On the Revolutions of the Celestial Orbs)》라는 책을 발표했다. 이탈리아 유학을 마치고 귀국한 후 고향에서 교회 간부로 활동하던 그는 지식 있는 신부들에게 지동설에 관한 간단한 책을 보여주기도 했다. 또한 의사로서 활동하면서 프라우엔부르크 성당 옥상에 천문대를 세우고 자신이 만든 측각기(測角器)를 이용하여 천체를 관측하기도 했다. 그가 천문학자로서의 자격이

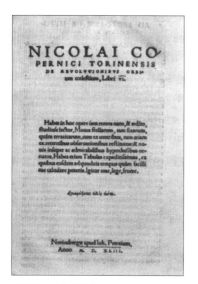

《천구의 회전에 대하여》(1543)

있다고 판단한 동료 성직자들은 지동설을 그리 이상하게 여기지 않았던 것으로 보인다.

"천문학도 모르는 멍청한 인간"

그러나 신교 측에서는 당시 크게 이름을 떨치던 종교개혁의 주동자 마르틴 루터(Martin Luther, 1483~1546)가 그의 지동설에 대해 '천문학도 모르는 멍청한 자가 천문학 체계를 뒤집어 놓으려 한다'며 비웃었다. 《천구의 회전에 대하여》의 서문을 쓴 루터파의 한 신학자는 코페르니쿠스의 지동설은 지구가 정말로 움직인다기보다는 이렇게 가정하면 더 정확한 항해력을 만들 수 있기 때문에 도입된 수학적 도구에 불과하다고 적어 놓았다. 그러나 후세 학자들은 코페르니쿠스가 이 부분을 알지 못한다고 생각한다. 그가 숨을 거두기 직전 이 책을 처음 본 뒤 바로 세상을 떠난 것으로 알려져 있기 때문이다.

이 책의 서문에는 저자 코페르니쿠스가 "누가 이 아름다운 신전을 비춰주는 촛불을 다른 곳으로 옮기려 하는가?"라고 적어놓았다. 신전이란 하나님이 만든 우주를 가리키고, 촛불이란 바로 태양을 가리킨다. 촛불을 신전 한가운데 놓은 것은 하나님의 당연한 선택이며, 마찬가지로 우주를 비춰주는 태양은 그 중심에 있어야 한다는 말이다. 코페르니쿠스는 우주 구조를 지나치게 복잡하게 해석하는 프톨레마이오스의 지구중심설에 비해 자신의 태양중심설은 훨씬 간단한 원리를 제시한다고 주장했지만, 실제로 그의 우주관 역시 그리 간단하지는 않았다. 톨레미 우주관으로는 화성이 거꾸로 움직이는(역행) 현상을 설명하기 어려웠지만, 코페르니쿠스의 체계로는 쉽게 설명될 수 있었다. 하지만 천체는 모두 원궤도로 움직인다고 주장했기 때문에 그 불규칙성을 설명하기 위해 수많은 주전원(epicycle)을 붙여야 하는 번거로움을 피할 수가 없었다. 그리고 이것은 훗날 요하네스 케플러의 타원궤도설에 의해 간단히 해결되었다.

코페르니쿠스의 우주관은 처음에 심각한 비난을 받지 않았지만, 지지자가 늘어남에 따라 그 영향력이 점차 커지기 시작했다. 결국 가톨릭교회는 지동설이 인간 중심적 세계관을 무너뜨린다는 이유로 탄압하기 시작했다. 저자인 코페르니쿠스가 죽고 오랜 시간이 지난 1616년부터 《천구의 회전에 대하여》는 금서가 되었다. 그러나 바로 이런 힘든 과정이 있었기에 코페르니쿠스의 업적은 과학사에 길이 빛나는 것이 아닐까?

지동설 주장하다 화형당한 이탈리아의
조르다노 브루노
Giordano Bruno 1548~1600

우리나라 개화기 교과서 《윤리학 교과서(倫理學敎科書)》(1906)에 이런 대목이 있다.

富婁老는 이탈리아의 학자이니 당시의 거짓 학문을 통렬하게 비판하다가 불태워 죽임을 당하게 되자 태연하게 법관에게 말하기를 '너희들이 나를 사형 선고하는 것이 내가 사형을 당하는 것보다 더 무서운 일'이라 했다. 葛里禮五는 이탈리아의 이학자이니 지동설을 처음 주장함으로써 교회 지도자들의 반대와 압제를 받아 옥중에 갇혔으나 자신이 진리라고 믿는 바를 끝까지 바꾸지 않아 지금까지 학자들 사이에 미담이 되고 있다.

원래 교과서에 실린 글은 거의 모든 단어가 한자로 쓰여 있고, 표현도 옛날식 한글이어서 알아보기 쉽지 않다. 여기에는 한글로 풀어 옮겨 적은 것이다. 그러면 한자로 남겨둔 두 단어 富婁老(부루노)와 葛里禮五(갈리예오)는 무엇인가? 그 발음만 써 놓아도 아마 많은 독자가 조르다노 브루노(Giordano Bruno, 1548~1600)와 갈릴레오 갈릴레이(Galileo Galilei, 1564~1643)란 것을 짐작할 것 같다. 과학사에 등장하는 대표적인 두 인물이다. 이 글을 통해 당시에는 갈릴레이가 자신의 주장을 굽히지 않고 박해받았다고 알려졌음을 알 수 있다. 또 사실은 최근까지도 많은 사람들은 그가 처음에 지동설을 굽히지 않고 책을 써서 교황청에 저항했다는 측면을 들어 그렇게 생각하기도 했다.

이탈리아의 천문학자로 이단사상가

브루노는 갈릴레이와 비슷하게 뛰어난 과학자로 여겨졌던 것을 알 수 있다. 하지만 엄밀하게 따져보자면 그는 과학자라고 부르기보다는 신학자라고 하는 편이 옳을지 모른다. 물론 보기에 따라서는 천문학자라 부를 수도 있고, 실제로 《브리타니카 백과사전(Encyclopaedia Britannica)》에는 그를 이탈리아의 철학자, 천문학자, 수학자이며 또한 이단사상가로서 근대 과학을 예고한 인물이라고 설명하고 있다. 1548년 나폴리 근처의 놀라라는 곳에서 태어난 그는 1600년 2월 17일에 로마에서 화형당하여 죽었으니 52세를 살다 갔다.

가톨릭 세력이 세상을 휘두르던 시절, 서양에서는 자주 이단자를 장작더미 위에 올려 놓고 불에 태워 죽이는 형벌을 시행한 일이 있다. 그렇게 죽어간 사람들 가운데에는 이상한 주장을 하다가 희생당한 이른 바 마녀(魔女, witch)들이 있고, 바로 그런 여성을 마구잡이로 붙잡아 처형한 일들을 역사에서는 '마녀 사냥(witch hunt)'이라 부른다. 브루노 역시 바로 비슷한 이유로 희생된 경우라 할 수 있다.

그의 원래 이름은 필리포 브루노이며 아버지는 직업군인이었는데, 세례 받을 때 이름이 필리포였다. 1562년 로마에 가서 공부를 시작했는데, 3년 뒤에는 나폴리에 있는 도미니코파 수도원에서 공부하면서 이름을 조르다노로 고쳤고, 1572년에 사제 서품을 받고 신학 공부를 계속했다. 그때부터 이미 그의 사상은 이단적 경향을 보이기 시작하여, 금서를 읽고 그리스도의 영성을 부인하는 사상에 대해서도 말하고는 했다. 그에 대한 심문이 시작되자 브루노는 1576년 2월 로마로 달아났는데, 거기서 엉뚱하게도 그는 살인자로 몰리기도 했으며 다시 4월에 로마를 떠났다. 도미니코 교단도 떠나 이탈리아 북부를 방황하던 그는 1578년에는 제네바로 옮겨 책 교정 작업을 하며 살아가기 시작했다. 그리고는 바로 개신교로 개종했지만, 개신교 역시 가톨릭 못지않게 사상을 억압한다는 사실을 깨닫고 비판적이 되었다. 결국 개신교(칼뱅파)는 그를 체포하여 파문했고 국외 추방을 명했다. 프랑스로 간 그는 1581년에는 파리에서 철학 교수가 되기도 했다.

개신교 개종, 파리·런던 등 전전

파리는 그에게 훨씬 자유로운 도시였다. 그는 교수 생활을 하면서 1582년에는 〈세 가지 기억술(mnemotechnical)〉에 관한 글을 발표했고,

이탈리아어로 쓴 희곡 《횃불 든 사람》을 써서 당시 나폴리 사회의 도덕적·사회적 부패를 신랄하게 꼬집었다. 1583년에 그는 프랑스의 국왕 앙리 3세의 소개 편지를 들고 런던으로 가서 프랑스 대사를 만났다. 그리고 바로 옥스퍼드에 가서 그해 여름 동안 몇 차례의 강연을 했는데, 이 강연에서 그는 지동설을 주장하게 된다. 반발이 심해지자 그는 런던으로 돌아가 프랑스 대사의 친구로 머물면서 영국의 정치가들과도 친분을 쌓기 시작했다.

그러는 가운데 그는 신학 연구와 우주관 연구에 힘써 1584년에는 《무한한 우주와 그 속의 세계들》을 썼는데, 여기에서 당시까지 지배적이던 아리스토텔레스 물리학을 비판하고 있다. 이어 여러 권의 책을 써서 신학 체계를 비판하고 기독교 교리 속의 미신적인 요소를 지적하기도 했다. 1585년 10월 프랑스로 돌아간 그는 이미 그곳 분위기가 그 전처럼 자유롭지 못한 것을 깨달았다. 하지만 그는 여전히 마음대로 그의 주장을 말했고 그것은 논쟁과 싸움을 일으켰다. 그런 가운데 그는 가톨릭의 대학자와 논쟁을 하게 되었고, 1586년 5월에는 《소요파의 자연관과 세계상에 관한 120가지 비판》을 발표하여 아리스토텔레스를 대놓고 비판했다. 그리고는 독일 대학을 여기저기 다니면서 활동하고, 또 여러 편의 논문을 발표하여 그 나름의 신학과 자연관을 설명하려 했다. 그러나 이런 노력은 신교까지 자극하여 헬름슈타트에서는 그곳 루터교가 그를 파문한 일도 벌어졌다.

1591년 8월 그는 이탈리아로 돌아와 대학의 교수 자리를 찾았다. 마침 파도바대학의 수학 교수 자리가 비었는데, 그는 이 자리를 얻으려고 파도바대학으로 가서 기하학 강의 등을 했으나, 그 수학 교수 자리를 얻을 수는 없었다. 그리고 이듬해인 1592년 그 자리는 갈릴레이에게 주어졌다. 베네치아로 돌아온 그를 기다리는 것은 몬체니고의 고발이었다. 원래 그를 독일에서 이탈리아로 초청했던 몬체니고는 그가 기대했던 것처럼 기억술 강의도 시원치 않고, 게다가 독일로 돌아가 다른 책을 내겠다고 하자, 1592년 5월 베네치아 이단심문소에 브루노를 이단자로 고발해버린 것이다. 그의 이단 사상은 우주는 무한하고 그 우주 저쪽에는 지구와 비슷한 다른 세상도 있을 수 있다는 주장이었다.

물론 그는 이단이라 단정되었던 코페르니쿠스의 지동설을 지지하여 지구는 세상의 중심에 있지 않다고 생각했다. 베네치아에서의 그에 대한 심판은 비교적 우호적으로 진행되는 듯했다. 하지만 로마 교황청이 그를 직접 심판하기로 나서 1593년 1월 27일 로마 심문소 감옥에 가두면서 사태는 달라졌다. 그는 기를 쓰고 그의 주장이 결코 기독교의 신이나 우주 창조를 부정하거나 해치는 잘못된 생각이 아니라고 설명했다. 하지만 교황청의 조사자들은 그에게 끈질기게 그의 주장을 정식으로 취소하라고 요구했다.

그는 교황청을 설득하기에 실패하자 결국 자신은 아무 것도 취소할 수 없고 무엇을 취소해야 할지도 모른다고 말하고 말았다. 그러자 교황 클레멘트 8세는 브루노가 '고칠 수 없는 완고한 이단자'라고 판정하고 말았다. 1600년 2월 8일 그에게 사형 언도가 내려졌고, 2월 17일 캄포 데 피오리에서 입에 재갈을 물린채 화형이 집행되었다.

지동설 주장하다 이단자로 처형

그의 영향은 19세기에는 유럽의 자유주의 사상을 크게 자극한 것으로 평가된다. 그러나 한편으로 그는 많은 미신적 요소를 강조하고 고집이 강했다는 등은 비판을 받기도 했다. 왜 6년이나 재판이 진행되지 않은 채 그가 감옥에 갇혀 있었는지는 아직 밝혀지지 않은 듯하다. 아마 가톨릭의 공식 입장은 그가 지동설을 주장하고 우주 무한을 주장해서 처형된 것은 아닌 모양이다. 그는 신학상의 오류 때문에 사형당한 것이라는 주장이다. 그 오류 가운데에는 그리스도는 신이 아니라 단지 뛰어난 재능을 가진 마술사이고 성령은 세계의 영혼이며 악마도 구제될 수 있다는 생각 등이라는 것이다. 그는 죽음의 자리에 나가며 "내가 죽어가면서 받는 공포보다는 당신들이 나를 사형에 언도하며 받는 공포가 더 두려울 것"이라고 말했다.

바로 이 말이 구한말 교과서에 실린 앞에 인용한 내용이다. 브루노를 굴복할 줄 모르는 위대한 인물로 부각시키는 해석은 지금도 널리 퍼져 있다. 최근에 잘 나가고 있는 대중적인 세계사 책에는 '신념을 지킬 것이냐 생명을 지킬 것이냐'는 문제에 대해 서로 다른 대답을 한 두 인물로 브루노와 갈릴레이를 예로 들고 있기도 하다. '지동설과 범신론을 주장하는 이단자'라는 죄목에 완강하게 저항하다 화형에 처해진 브루노와 달리 갈릴레이는 고문과 협박을 견디지 못해 마침내 그들이 원하는 대로 지동설 포기를 수락했다는 것이다. 교회의 협박에 굴하지 않고 신념을 지키다 죽은 브루노와 교회와 타협하고 목숨을 지킨 갈릴레이의 대비를 강조한 것이다.

하지만 "역사는 나와 나 아닌 것의 싸움[아(我)와 비아(非我)의 투쟁(鬪爭)]"이라 정의한 것으로 유명한 일제시대의 대표적 역사학자 신채호(申采浩, 1880~1936)는 《조선사총론》에서 다음과 같이 말했다. "300년 전에 지원설(地圓說)을 창도한 조선 학자의 주장이 있지만, 이를 후루노의 지원설과 같은 역사적 가치로 쳐줄 수 없다"고 선언한 것이다. 여기 등장하는 신채호가 '후루노'라 부른 인물이 바로 브루노인 것은 분명하다. 여기서 단재 신채호가 말하려는 생각은 브루노의 지구가 둥글다는 생각은 그에 영향 받아 유럽에서는 지구 탐험이 크게 일어나고 아메리카 신대륙 발견을 가져왔지만, 우리나라 학자들의 지원설은 그런 역사적 효과를 가져온 일이 없다는 것이다.

물론 이런 신채호의 해석은 아주 당연한 올바른 평가이다. 비록 신채호가 '지동설'이라 할 것을 '지원설'이라 한 것은 잘못이고, 또 지동설을 처음 주장한 사람이 브루노인 것으로 말한 것도 잘못된 정보이다. 그러나 바로 이런 글을 신채호가 일제시대에 쓰고 있다는 사실만으로도 브루노의 이름이 이미 우리나라에는 유명했음을 말하는 듯하다. 1906년의 《윤리학 교과서》에서 보이기 시작한 그의 이름이 일제시대까지 널리 알려져 있었던 것으로 보인다.

중국에 서양과학 소개한
이탈리아 선교사 마테오 리치

Matteo Ricci 1552~1610

중국에서 30년간 선교 활동

200여 년 전 중국을 방문했던 우리나라의 연암(燕巖) 박지원(朴趾源, 1737~1805)은 《열하일기(熱河日記)》라는 책으로 그의 여행기록을 남겼다. 1780년 중국에 갔던 그는 그곳에 있는 서양 선교사들의 무덤을 구경했고, 이 책의 마지막 대목에는 '이마두의 무덤(利瑪竇塚)'이라는 글이 나온다.

이마두란 이탈리아 출신의 선교사로 중국에 들어와 서양 과학기술을 처음으로 소개한 대표적 인물이다. 물론 선교사로서 기독교를 전하기 위해 활동했고, 과학기술을 보급한 것은 말하자면 부산물이었다.

원래 그의 이름은 마테오 리치(Matteo Ricci, 1552~1610)였으니까 리치라는 성에서 첫 글자 '리(利)'가 생기고, 이름 마테오를 중국말로 표기하여 '마토우'라 하게 된 것이다. 그의 이름이 중국에서는 '리마토우'가되지만, 우리 발음으로는 이마두가 된다.

당연히 그의 이름은 당시 우리나라 지식층에게도 대단히 잘 알려졌다. 그래서 박지원은 베이징의 여러 가지 견문을 기록하면서, 이 선교사 무덤에 대해 쓰고 있는 것이다. 이 글에 의하면 이마두 말고도 그무덤에는 70명 정도의 서양 선교사 무덤이 있다고 한다. 박지원의 기록에 의하면 리치의 묘비에는 '야소회사 이공지묘(耶蘇會士 利公之墓)'라는 제목이 써 있고, 설명은 다음과 같았다고 한다.

이(利)선생은 이름이 마두(瑪竇)로 서양의 이탈리아[意大里亞] 사람으로 어려서부터 참된 수양을 하여, 1581년[명 만력 신사(明萬曆辛巳)] 항해하여 중국에 들어와 기독교를 펼쳤으며, 1600년[만력 경자(萬曆庚子)]에 서울에 들어왔고, 1610년[만력 경술(萬曆庚戌)]에 죽었다. 향년이 59세였는데 예수회에 있은 지 42년이다.

박지원은 이 글 옆에는 서양 글자로도 기록되어 있다고 말하고 있지만, 그 내용에 대해서는 아무 설명이 없다. 1780년의 조선의 학자에게 서양 글자는 아직 관심 밖의 일이었을 것이다. 사실은 박지원이 보고 기록한 이 서양 선교사들의 무덤은 나도 찾아간 적이 있다. 베이징에 갔을 때 일부러 시간을 내어 찾아갔건만, 나는 그동안 이 사실을 까맣게 잊고 있었고, 그때 본 기억이 그저 희미할 뿐이다.

로마대학에서 과학·신학 전공

마테오 리치는 직업적 과학자는 물론 아니다. 하지만 동아시아의 과학사에서 그의 이름은 곧 과학자로 통할 수가 있을 만큼 중요한 인물이다. 리치는 교회학교에서 공부하다가 19살 때 예수회에 들어갔고, 로마대학에 진학하여 1572년부터 5년 동안 과학과 신학을 공부했다. 특히 당대 최고의 수학자라는 클라비우스의 지도 아래 수학과 천문학 등을 공부한 것이 그가 뒤에 중국에서 활동하는 데 결정적인 도움이 되었다.

마테오 리치의 묘비
야소회사 이공지묘(耶蘇會士 利公之墓)라는 제목과 함께 마테오 리치에 관한 짧은 내용이 적혀 있다.

1577년 그는 당시 동아시아 포교의 책임을 맡고 있던 포르투갈의 예수회로 찾아가 중국으로 가기를 자원했고, 그의 소망이 받아들여져 1578년에는 인도 고아에 도착했다. 그리고 1582년에 드디어 마카오에 들어갈 수 있게 되었다. 여기서 그는 중국어를 배우며 중국 문화에 익숙해지면서 중국에서의 선교사 생활을 준비하게 된다. 그 후 그는 활동 범위를 조금씩 확대하여 광둥, 난징으로 진출했다가 1601년 초부터는 베이징에 정착하여 활동할 것을 허락받게 되었다. 그때의 중국 임금이 그가 바친 자명종을 특히 좋아해서 그런 허락을 내렸다고도 전한다.

여하튼 이때부터 그의 과학자로서의 생활이 본격적으로 전개되었다. 그가 남긴 가장 대표적인 업적으로는 우선 서양의 기하학을 동아시아에 처음 전했다는 점을 들 수 있다. 그가 서광계(徐光啓)의 도움을 얻어 번역해낸 《기하원본(幾何原本)》(1606)은 중국과 한국에는 거의 없던 분야를 열어준 일이어서 많은 사람들의 환영을 받았다. 19세기 초의 우리나라 학자 이규경(李圭景, 1788~?)은 이 책에 대해 상세하게 소개한 글을 남겼다. 이규경에 의하면 이 책이 우리나라에 처음 들어온 것은 18세기 초의 일이라고 한다. 그리고 이 책은 배우기가 어려워 여러 사람들에게 애를 먹였다는 말이 적혀 있다. 리치는 이 책 말고도 여러 가지 수학책을 남겼다. 《동문산지(同文算指)》, 《구고의(勾股義)》, 《측량법의(測量法義)》 등이 여기 속한다.

《동문산지》 등 수학책 서술

천문학 분야에서는 그는 중세 서양의 우주관을 중국과 한국에 전한 것으로 기억될 것이다. 아직 지동설이 서양 사회에서 받아들여지고 있지 않을 때 리치는 중국에 왔다. 지구가 하루 한 번 자전하면서 태양 둘레를 1년에 한 번 공전한다는 생각은 1543년 폴란드의 코페르니쿠스가 다시 주장하여 서양에서 논의되기 시작하고 있었다. 하지만 지구의 움직임을 인정할 수 없었던 기독교 사회에서 그것은 이단적 사상일 뿐이었다. 또 아직 코페르니쿠스의 주장이 유럽에서 주목받지 못하고 있을 때 리치는 동양으로 떠나왔던 것이다. 오히려 지동설은 서양의 본바닥에서도 리치가 죽은 1610년 이후에서야 활발한 논의가 시작되었으니, 리치는 지동설을 알지도 못하고 중국에 왔을 수도 있다.

여하간 리치가 가지고 있던 우주관은 우주의 중심에 지구가 자리 잡고, 그 둘레를 여러 겹의 하늘이 서로 다른 행성이나 해와 달을 거느리고 돌고 있다는 그런 모양이었다. 물론 중심에 자리 잡은 지구는 움직이지 않았다. 사람들은 지구 둘레에 9겹 또는 12겹의 하늘이 있다고 주장했는데, 당시 서양 사람들이 누구나 인정했던 사실은 지구 둘레에 달, 수성, 금성, 태양, 화성, 목성, 토성 등의 여러 천체들이 돌고, 다시 그 제일 바깥에는 별들을 달고 있는 하늘이 돌고 있다는 생각이었다. 이런 천체들은 서로 다른 하늘을 가지고 있고, 그 하늘은 마치 수정처럼 투명하여 다른 별들을 지상에서 잘 볼 수 있게 해 준다. 달에는 달을 떠받들고 있는 하늘이 있고, 수성, 금성, 태양 …… 등에도 각기 하늘이 따로 있다는 것이다. 이런 하늘을 천구(天球, heavenly sphere)라 불렀는데, 지구 둘레는 이런 천구가 9개 또는 12개라는 것이다. 이런 생각은 우리나라에도 전해져 18세기 초 이익(李瀷)의 글에 보면 9중천(重天) 또는 12중천이란 말이 보인다.

이에 앞서 실학자 이수광도 서양의 '천형도(天形圖)'라는 것을 보고 9중천설을 알게 된 것으로 전해진다. 이것이 무엇인지 아직 밝혀져 있지 않지만, 어쩌면 리치가 그린 여러 개의 세계지도 가운데 어디에 있던 우주를 설명하는 그림을 가리키는 것으로 보인다. 사실 리치의 서양 우주관 소개는 엉뚱하게도 그가 쓴 기독교 교리서 《천주실의(天主實義)》를 통해서도 잘 소개되고 있다. 기독교를 설명하기 위해서는 우주란 어떻게 생겼고, 그 속에 존재하는 생물들은 또 어떤 구성을 하고 있는지 기독교의 입장에서 설명할 수밖에 없기 때문이다. 그래서 이 책에는 9중천설도 상세하게 설명되어 있다. 《천주실의》를 읽은 중국인들은 천주교를 믿는 일에는 열성이 아니었지만, 거기 담겨 있는 신기한 우주관에는 주목하지 않을 수가 없었다. 우리나라 지식층에게도 그것은 마찬가지였다.

12가지 세계지도 만들어 보급

그는 또 중국에 처음으로 서양식 해시계와 자명종, 혼천의, 천구의, 지구의, 간평의 등 여러 가지 천문기구들을 전해주었다. 지리상의 새로운 지식도 그에 의해 처음으로 동아시아에 전해졌다. 사실 리치가 베이징에 자리 잡고 세계지도를 그려 퍼뜨리기 전에는 우리나라 사람들은 아무도 유럽이란 지역에 대해 이렇다 할 지식도 갖고 있지 못했던 것을 알 수 있다. 서남아시아에서 아프리카를 거쳐 유럽까지의 지역이 전혀 모르는 땅이었고, 남반구의 세계를 알 까닭은 더욱 없었다. 리치는 중국에 서양 지도를 가지고 들어왔고, 중국에 있는 동안 적어도 12가지 세계지도를 스스로 만들어 보급했다.

1603년 베이징에 사신으로 갔던 우리나라 학자들은 〈구라파국여지도〉라는 세계지도를 가지고 왔고, 그것을 이수광이 봤다는 기록이 남아 있다. 그런데 이 지도는 거의 틀림없이 그전 해에 리치가 베이징에서 만든 지도를 가리키는 것으로 보인다. 또 그가 만든 지도 하나가 〈양의현람도(兩儀玄覽圖)〉인데, 지금 숭실대학교 박물관에는 바로 이 지도 하나가 전해지고 있다. 아마 세계적인 보물이 아닐까 생각된다.

처음 중국에 왔을 때 리치는 불교 승려의 복장을 하고 기독교 포교에 나섰다. 하지만 불교가 중국 지식층에게 그리 좋은 수단이 아니라고 판단되자 바로 유교를 배우고 유학자 복장을 하고 선교 사업에 나섰다.

그러면서 교육받은 중국인들을 포섭하기에 힘써서 서광계 같은 학자를 협력자로 얻기도 했다. 이지조(李之藻, 1565~1629) 역시 말년에 가톨릭 신자가 되었고, 리치와 협력하여 많은 서양 과학기술서를 번역해냈다.

리치는 교황청에 보낸 그의 편지에서 "지금의 중국이 세계 전부라면, 나는 세계 최고의 수학자이며 자연철학자"라고 써 놓은 일이 있다. 그만큼 그는 수학과 과학에 능통해 있었고, 그의 실력은 당시 중국 지식층에 비해 탁월한 점도 있었던 것이다. 그는 이런 수학과 과학 실력을 이용하여 중국인들을 기독교로 끌어들이는 데 어느 정도 성공하고 있었다. 그래서 그는 더 훌륭한 과학자를 중국에 파견해 달라고 교황청에 탄원하기도 했다. 또 이런 노력으로 중국의 가톨릭 신도는 크게 늘어가고 있었다. 1584년 첫 중국인 세례자가 나온 이후 10년쯤 뒤에는 100명을 넘었다고 전한다. 그리고 리치가 베이징에 자리 잡은 지 5년 뒤인 1606년에는 중국인 가톨릭 신자는 1000명을 넘었다는 통계가 있다.

이렇게 선교사 리치의 기독교 포교 사업은 어느 정도 성과를 얻고 있었다. 하지만 그가 진정으로 남긴 업적은 동아시아에 서양의 과학지식을 처음으로 전한 데에 있다. 그의 책을 통해 조선의 지식층은 처음으로 사람이 사는 땅덩이가 둥글다는 사실을 확신하게 되었다. 또 그는 서양의 4원소설을 전해주었고 9중천설도 알려주었다. 그리고 세계 각지의 민족 그리고 국가들을 소개했으며, 특히 조선의 지식층이 서양에 대해 알게 된 계기가 되었다. 1883년 시작된 우리나라 첫 신문《한성순보》의 첫 기사는 〈지구론(地球論)〉이란 제목을 달고 있는데, 지구라는 사실을 처음 증명한 사람이 리치라고까지 쓰고 있다. 지금 우리들에게

는 대단한 인물로 기억되지 않지만, 우리 선조들에게 그는 가장 유명
한 과학자였다.

근대 과학의 창시자 이탈리아의
갈릴레오 갈릴레이
Galileo Galilei 1564~1642

갈릴레오 갈릴레이(Galileo Galilei, 1564~1642)는 근대 과학의 창시자로 유명하다. 그는 근대 역학을 처음으로 자리 잡아준 근대 물리학의 아버지이다. 피사에서 포목장의 아들로 태어난 갈릴레이는 한때 수도원에 들어가 교육을 받아 수도승이 될 수도 있었지만 아버지의 반대로 수도원을 떠나 피사대학에서 의학을 주로 공부했다.

그의 과학사에 남는 유명한 일화는 바로 이때부터 시작된다. 갈릴레이는 그가 다니던 성당 천장에 늘어져 있는 램프가 진동하는 것을 보고 단진동의 원리를 발견했다. 그는 또한 뒷날 피사의 사탑에서 무거운 물건과 훨씬 가벼운 물건을 함께 떨어뜨리는 실험을 해서 '낙하의 법칙'을 처음 발견했다고도 알려져 있다.

《한성순보》에 최초로 소개

갈릴레이는 우리나라에 언제부터 알려져 있었던 것일까? 우리나라 최초의 근대 신문으로 창간된 《한성순보》에는 몇 차례 그의 이름이 보인다. 1883년 11월 10일자의 《한성순보》(2호)에는 〈지구운동에 대하여〉라는 글이 있는데 그 가운데 망원경을 발명한 갈릴레이 이야기가 나온다. 물론 순한자로 쓰였던 당시의 이 신문에 그의 이름이나 기사제목이 한글로 쓰여 있지는 않다. 제목은 〈논지구운전(論地球運轉)〉이라 되어 있고 갈릴레이 이름은 '가리가(嘉利珂)'로 되어 있다.

지구의 자전·공전조차 당시 우리 조상들에게는 거의 알려지지 않은 새로운 소식이었다. 이 글은 바로 그런 내용을 국내에 소개한 거의 초기 기사에 해당하는데 이 글에서 처음 나오는 사람 이름이 바로 갈릴레이인 것이다. 이 글은 지구가 자전과 공전의 두 가지 운동을 해서 낮과 밤이 생기고 또 사철의 계절변화도 일어난다는 내용으로 시작한다. 그런데 서양 사람들도 처음에는 이를 잘 모른 채였으나 명나라 가정(嘉靖) 20년에 서양의 천문학자 갈릴레이가 처음으로 망원경을 발명하자 모든 것이 환하게 밝혀졌다. 1100만 리나 떨어진 해와 달과 다섯 행성들의 모양이 마치 손바닥 안에 있는 것처럼 잘 보이게 되어 이제 하늘은 둥글고 땅은 평평하다는 등의 옛날 주장은 근거를 잃게 되었다. 이 신문에서는 그가 책을 써서 지구의 운동을 주장하자 사람들은 지동설을 허무맹랑한 생각이라 비난했고 관계 당국은 그를 잡아 가두기까지 했다고 쓰여 있다.

그런데 명나라 가정 20년(1541)은 갈릴레이가 세상에 태어나기 23년

전이다. 이 자료는 당시 중국의 과학을 소개하는 잡지의 글을 베낀 것으로 보이는데 원문에 착오가 있었거나 베끼다가 실수를 한 것으로 보인다. 1541년이라면 아직 지동설이 코페르니쿠스에 의해 《천구의 회전에 대하여》라는 책으로 나온 1543년보다도 2년이 앞선다. 갈릴레이가 그의 유명한 《천문대화》를 써서 이단심문소에 갇히고 재판을 받은 때는 1633년 이후의 일이었다.

이래저래 처음 갈릴레이를 소개하는 장면은 상처 투성이었던 셈이다. 같은 신문 14호(1884년 2월 11일자)에는 서양 과학의 역사가 대강 소개된 글이 있는데 여기서는 갈릴레이 이름이 '과리유(窠里留)'로 쓰여 있기도 하다. 다음 15호에도 그의 이름이 같은 글자로 표기되어 나온다.

하지만 그전까지 중국에서는 이미 '가리략(加利略)' 등의 많은 표기 방법이 사용되어 왔고 그것이 그때그때 우리나라에도 전파되었기 때문에 당시 우리 조상들에게는 여간 혼란스러운 일이 아니었을 것이다. 중국 사람들에게는 그 발음이 서로 비슷하니까 괜찮겠지만 우리말로는 크게 다를 수도 있기 때문이다.

지동설 창시자로 잘못 소개

갈릴레이가 마치 지동설의 창시자처럼 소개된 것 역시 잘못된 것이다. 그는 지동설을 처음 내세운 과학자라기보다는 망원경을 만들어 처음으로 우주를 관측하여 지동설을 지지해주는 여러 가지 증거들을 발견해준 것은 사실이었다. 그리고 지동설을 지지하는 중요한 책을 써서 앞에 말한 것처럼 탄압을 받은 것도 사실이었다.

그러나 약 10년 뒤에 쓰인 유길준(兪吉濬, 1856~1916)의 《서유견문(西遊見聞)》에는 여전히 갈릴레이가 여러 해의 연구 끝에 지구의 운동을 처음 주장하여 사람들의 지식을 넓혀주었다고 쓰여 있다. 그의 이름은 '갈일인오(葛逸人傲)'라고 한자로 쓰고 다시 '칼닐늬오'라고 한글 토가 달려 있다. 우리나라 최초의 미국 유학생이었던 유길준은 갑신정변이 일어나자 바로 귀국하여 1885년부터 당시 훈련대장이던 한규설의 집에 연금된 상태에서 이 책을 썼다. 책을 다 쓴 것은 1898년이고 책으로 발행된 것은 1895년이었다.

그런데 유길준은 서양 학술의 내력을 소개한 이 글에서 갈릴레이에 앞서 이미 1200년대에 영국의 베이컨이 망원경을 만들었다고도 써 놓았다. 그리고 갈릴레이가 지동설을 주장한 것은 1606년이었다고도 썼다. 망원경이야말로 갈릴레이가 1609년쯤 만들어 처음으로 하늘을 관찰했고 지동설은 그에 반세기는 앞서 코페르니쿠스가 주장한 것으로 잘 알려져 있다. 이것만 보아도 1세기 전의 우리 선조들 지식이 얼마나 엉성했던가를 알 수 있다.

유길준의 글이 책으로 나온 1895년에는 처음으로 학부 발행의 국정 교과서가 나왔는데 그 가운데 《국민소학독본(國民小學讀本)》(1895) 10과에는 〈시계〉라는 글이 있고 그 속에 갈릴레이가 소개되어 있다. 《서유견문》과 마찬가지로 국한문 혼용체로 쓴 이 글에서 지은이는 원래 시계에는 모래시계, 물시계 등이 있었는데 이학대가(理學大家) '갈릴레이'가 흔들이를 발명한 이래 사람마다 간단한 시계를 갖게 되었다고 소개하고 있다. 한 사찰에 등이 걸려 흔들리는 것을 보고 연구하여 '정진(定振)'의 이치를 발견하여 그것이 시계로 이용되었다는 것이다. 이 사실은 갈릴레이의 의과대학 재학 시절의 유명한 일화로 피사성당에서 램프 흔들리는 것을 보고 흔들이의 등시성(等時性)을 발견했다는 바로 그 이야기이다.

이번에는 다시 10년쯤 뒤로 내려와 보자. 1905년 〈시일야방성대곡(是日也放聲大哭)〉이라는 사설을 써서 을사조약을 통곡했던 《황성신문》의 장지연(張志淵)은 융회 3년(1909) 《만국사물기원역사(萬國事物紀原歷史)》란 책을 내놓았는데 그 가운데 갈릴레이는 몇 가지 항목에서 소개되어 있다. 이탈리아의 천문학자 갈릴레이는 망원경으로 태양의 흑점을 발견했고 달 표면이 울퉁불퉁한 산이 겹쳐 있음도 알게 되었다는 것이다. 또 갈릴레이는 1583년 흔들이의 발명으로 시계 발달에 공을 세웠다고도 쓰여 있다. 다른 항목에서는 갈릴레이가 17세기 초에 망원경을 발명했다고도 쓰여 있다. 이 글들에서 그 이름은 '가리륵가(家利勒柯)'라는 한자로 쓰여 있다.

이상 1세기 전쯤 근대 서양 과학이 처음 이 땅에 알려지기 시작할 때 갈릴레이의 이름은 아직 그 과학사상의 진정한 공헌으로는 평가받고 있지 못했다는 사실을 알 수가 있다. 물론 이상 우리 선조들이 100년 전 알고 있던 정보가 대강 맞기는 하지만 그보다 더 중요한 그의 공헌은 근대 역학을 완성했다는 사실이다. 갈릴레이의 공을 3가지로 나누어 살펴보자면 다음과 같다.

첫째, 그는 1609년 망원경으로 처음 우주를 관찰하여 새로운 많은 것을 발견했다. 앞에 말한 태양의 흑점이나 달의 표면이 완전히 평평한 모습이 아니라는 사실도 그때 알려졌다. 그뿐만 아니라 그는 망원경으로 목성의 달과 토성의 띠도 발견했다. 이런 증거들은 지동설을

갈릴레이가 발명한 망원경

지지해주는 방향으로 해석될 수밖에 없었다.

《천문대화》 저술로 재판받아

바로 그런 것들을 바탕으로 1633년 그가 쓴 《천문대화(天文對話)》는 지동설을 지지한 것으로 판단되어 이단으로 재판을 받게 되었다. 그는 이 재판의 극적 효과 때문에 역사상 가장 유명하다. 그의 두 번째 공은 바로 지식인의 탄압을 보여주는 데에 탁월한 공을 세운 점이다. 그러나 과학상의 공으로 가장 중요한 세 번째는 유죄판결을 받은 70대 노인 갈릴레이가 고향에 연금된 채 쓴 책이라 하겠다. 보통 《역학대화(力學對話)》로 불리는 '두 가지 새로운 과학의 논의'가 그것이다. 1638년 나온 이 책에서 갈릴레이는 근대 역학의 이론을 밝혀 설명해 놓고 있다. 그때부터 사람들은 왜 무거운 것과 가벼운 것이 같이 떨어질 수밖에 없는지 알게 되었고 대포알이 나는 길을 계산할 수 있게 되었다.

지금 갈릴레이의 이름을 모를 사람은 없다. 그러나 그 이름을 알고 있으면서도 우리는 아직 그의 역사적 공헌을 제대로 알고 있지 못한 것 같다. 아직도 그를 이단심문소에 세웠던 그 유명한 《천문대화》가 이 땅에서는 번역조차 된 일이 없을 정도이니 말이다.

서양 천문학 중국에 전파한
독일의 선교사 아담 샬

Johann Adam Schall von Bell 1591~1666

"한 아담은 우리 인간을 천당에서 쫓아내더니, 이제 다른 아담이 우리를 중국에서 몰아낸다."

17세기 마카오 지역 서양 선교사들의 농담이다. 하지만 이 농담은 그저 가벼운 우스갯소리가 아니라, 당시의 심각한 상황을 대변한 말이기도 하다. 중국에 서양 선교사들이 자리 잡기 시작한 것은 1500년대 중반의 일이지만, 실제로 그들이 중요한 영향을 미치며 중국의 심장부에서 기독교 선교 활동을 시작한 것은 마테오 리치(Matteo Ricci, 1552~1610)가 베이징에 자리 잡은 1601년 이후의 일이다.

그리고 그 마테오 리치가 포교에 상당히 성공한 가운데 1610년 죽자 그 뒤를 이어 여러 선교사들이 활동했는데, 그 대표적 인물이 바로 독일 쾰른 출신의 예수회 선교사 요한 아담 샬 폰벨[Johann Adam Schall von Bell, 탕약망(蕩若望), 1591~1666]이었다.

앞의 글은 바로 이 사람, 아담 샬이 서양 선교사들을 중국에서 추방당하게 하고 있다는 말이다. 마테오 리치가 죽은 지 반세기 뒤인 1660년대의 일이었다. 기독교가 퍼지는 것을 시기하던 당시 일부 중국 지식인들의 반발과 중상모략으로 일대 위기에 몰려 아담 샬 등 선교사들은 능지처참의 위기로 몰리며 감옥에 갇혔고, 곧 서양 선교사 추방령이 내릴 것이란 위기감이 선교사 사회에 퍼졌다.

아담이 하느님의 말을 듣지 않고 사과를 훔쳐 먹어 인간을 낙원에서 추방당하게 한 것처럼, 다른 아담이 이번에는 중국에서 선교사들을 추방당하게 할 판이었던 것이다. 하지만 지진이 잇따르는 천변 덕택으로 임금은 대사령을 내렸고 선교사들 역시 해방되었다. 그는 중국에서 추방당하지 않은 채 천수를 다하고 1666년 베이징에서 저 세상으로 떠났다. 그리고 그의 이름은 중국과 우리나라에 당대의 최고 가는 천문학자로 기억되기에 이른다.

한자 이름은 탕약망

그의 원래 이름은 요한 아담 샬 폰벨로 우리나라 역사책에는 주로 아담 샬 또는 탕약망이라 기록되어 있다.

이익의 《성호사설(星湖僿說)》에는 〈탕약망(蘊若望)의 시헌력(時憲曆)에 대한 논평〉이 남아 있다. 이익이라면 한국사에서는 실학자로 유명한 18세기 대표적 인물이다. 그런데 잘 읽어 보노라면 이익은 '탕약망

(아담 샬)'이 어느 나라 사람인지는 밝히지 않고 있다.

마치 중국 사람인 것으로 착각하기 십상이다. 여하튼 '탕약망'이란 이름은 우리 역사에도 시헌력으로 유명하다는 것만은 분명하다. 하지만 사실 아담 샬은 소현세자가 중국에 억류되어 있던 동안 사귀었던 인물로도 널리 알려져 있다.

특히 소현세자는 그로부터 많은 서양 문물을 받아들여 왔고, 사실은 그 때문에 암살당한 것이라 해석되고 있기도 하다. 소현세자라면 물론 인조의 세자를 가리킨다. 병자호란으로 조선이 여진족의 후금(後金)에게 굴복한 다음 볼모로 보냈던 몇 사람 가운데 한 사람이다. 1637년 만주로 떠났던 소현세자는 1644년 후금이 중국 본토의 명나라를 물리치고 베이징을 장악하자 그 다음해인 1645년 2월 조선으로 돌아왔다.

그동안 소현세자는 후금이 베이징을 장악한 1644년 9월 베이징에 들어갔다가 11월 베이징을 출발해 귀국할 때까지 몇 달 동안 중국에서 활동 중이던 아담 샬을 만날 수 있었던 것이다.

그 몇 달 동안 소현세자는 천주교에 상당히 깊이 빠져 있었던 것으로 보인다. 어쩌면 조선을 천주교로 바꾸려는 생각을 가지고 있었던 것으로 보이는 편지를 아담 샬 등에게 보내기도 했다. 소현세자는 귀국 길에 중국의 환관 5명과 궁녀들을 데리고 왔는데 이들이 바로 천주교도였다.

이상하게도 세자는 귀국한 지 70일만인 4월 26일 며칠 앓다가 갑자기 죽었고, 결국 인조의 뒤를 이어 임금이 된 사람은 그의 아우로 함께 볼모로 중국에 갔다가 돌아온 봉림대군이었다. 그가 바로 효종인 것은 잘 알려진 일이다. 소현세자가 귀국 길에 아담 샬로부터 많은 서양 과학기술 관련 물건을 얻어 왔는데, 이들은 모두 불태워 없앴던 것으로 보인다.

천문역산학에 관한 서적과 기구들이 아마 그때 들여왔던 예수의 상등과 함께 불더미에 넣어졌던 것으로 보인다. 우리 역사에서 과학기술이 발달할 수 있었던 작은 계기가 다시 사라진 것을 알 수 있다. 물론 천주교가 퍼질 기회를 잃게 된 점도 있다.

가톨릭 신부로 중국 파견

아담 샬은 17세기 중후반 동안 중국에 서양 과학을 전해준 대표적 과학자였고, 특히 그의 이름은 우리 역사에는 당시 서양의 대표적 천문학자로 잘 알려져 있다. 원래 독일 귀족 출신이라는 그는 1608년 로마로 가서 그곳의 독일학교에 입학했다. 그리고 1611년에는 예수회에 입회했으니, 당시 가톨릭 선교 단체인 예수회가 동양의 포교에 특히 적극적으로 나서고 있을 시절이었다.

1613년 그는 로마신학교(대학)에 들어가 4년 동안 성직자로서의 교육을 받았고 1617년 드디어 신부가 되어 중국으로 향했다. 아담 샬이 포르투갈의 리스본 항구를 떠나 중국으로 향한 것은 1618년 4월 16일이었는데, 그의 일행에는 요하네스 테렌츠[Joannes Terrenz, 등옥함(鄧玉函)]와 자크 로[Jacques Rho, 나아곡(羅雅谷)] 등도 있었고, 이들 일행 2명을 인도해 중국으로 향한 대표자는 니콜라스 트리고[Nicolas Trigault, 김니각(金尼閣)]였다. 이들 모두 당대에 크게 활약한 당시 중국 예수회의 대표적 신부들이었다. 1619년 7월 마카오에 도착한 아담 샬은 중국어 학습에 열중하면서 포교에도 힘쓰기 시작했다. 그리고 활동 범위를 넓혀나간 그는 1623년 1월 베이징에 도착하여 포교 활동을 시작했다.

그리고 이때부터 아담 샬은 중국인들의 주목을 받기 시작한다. 베이징에 들어간 바로 그해 가을 그리고 2년 뒤인 1625년 가을에 그는 일식을 정확하게 예보하여 중국 지식층의 찬탄을 받았다. 이미 서양 천문학이 전통적인 중국 천문 계산보다 우월하다는 사실이 여러 차례 드러나기 시작하고 있었다.

특히 그가 1627년부터 지방에 근무하고 있을 동안 1629년 5월 초하루의 일식을 서양 선교사들만이 아주 정확하게 예보한 사건이 일어났다. 이 기회를 이용하여 서광계(徐光啓) 등 당대의 서양 천문학 지지자들은 천문관서에 서양 방식 담당부서를 따로 설치할 것을 주장했다. 이 주장 덕분에 중국 천문대인 흠천감(欽天監)에는 처음으로 서국(西局)이 생겨났다. 그리고 이를 계기로 서양 천문학자 겸 예수회 선교사인 롱고발디, 테렌츠 등이 역법을 고치기에 나서게 되었다. 천문 계산 방식을 전통적 중국식에서 서양 근대 천문학 지식을 바탕으로 새로 계산하는 길을 열기 시작한 것이다.

바로 그 이듬해인 1630년 테렌츠가 죽자, 아담 샬은 그의 자리를 메우기 위해 시골에서 3년만에 베이징으로 올라와 그 자리를 담당하게 되었다. 그 후 1634년까지 4차에 걸쳐 도합 135권에 달하는 서양 천문학과 수학 서적 등이 중국어로 번역되었다. 그러나 이런 대규모의 서양 천문학 수입이 진행되는 동안 그에 대한 반대 여론 역시 점차 강해졌다.

특히 큰 후원자였던 서광계는 1633년 죽었고 1634년 서국에 대립하는 동국(東局)이 흠천감에 설치되었다. 하지만 1643년 봄 일식 예보는 또 한번 서양 천문학이 더 우수하다는 사실을 증명해주었다. 명나라의 마지막 임금 숭정제는 서양 천문학을 근거로 한 역법을 정식으로 채택할 것을 결정하기에 이르렀다. 그래서 반포한 것이 서양 천문역학서인 《숭정역서(崇禎曆書)》였다.

새 역법 시헌력 중국에서 채택

하지만 그때는 명나라가 마지막 숨결을 고르고 있던 혼란한 시기였다. 그리고 1636년 청나라를 칭하기 시작한 후금이 1644년 베이징을 점령한 그런 시기였다. 역법을 고치기에 열중할 수 있는 시간은 아니었음을 알 수 있다. 결국 이 역법이 제대로 실행된 것은 새 왕조 청나라에 의해서였다. 역서 이름은 《숭정역서》에서 《서양신법역서》라 고쳐졌고, 이를 근거로 만든 새 역법을 '시헌력(時憲曆)'이라 불러 1645년부터 채택되었다. 그리고 조선왕조 역시 중국을 따라 1653년부터 그동안 사용하던 역법을 '시헌력'으로 바꾸게 된다. 서양 천문학의 영향 아래 서양 선교사들이 만든 역법이 효종 때 조선에도 들어와 우리나라에 맞게 수정되어 채택되었음을 뜻한다.

물론 김육(金堉) 등이 주창하여 1653년 조선왕조가 채택한 '시헌력'은 서양 역법이라 하여 양력이란 뜻은 전혀 아니다. 음력은 마찬가지지만 그때까지의 천문계산법과는 다른 서양 천문학의 새로운 지식이 그 계산의 바탕을 이루고 있었음을 뜻한다. 특히 아담 샬은 '시헌력' 실시와 함께 흠천감의 우두머리 흠천감정(欽天監正)이 되었다. 그리고 그 후 서양 선교사 천문학자들이 수백 년 동안을 중국의 중앙천문대인 흠천감의 책임자가 되었다.

중국은 천문학이 나라의 중심 사상을 좌우하는 중요한 분야였다. 그렇게 중요한 천문학의 수장을 외국 사람에게 맡긴다는 것이 중국인들에게는 참기 어려운 일이기도 했을 것이다. 13살의 어린 나이로 섭정 없이 나라를 다스린 순치제는 아담 샬을 좋아하여 서양 천문학도 배우고 그에게 여러 가지 특혜도 베풀었다.

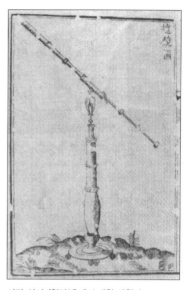

아담 샬이 《원경설》에 소개한 망원경

하지만 1661년 그가 죽고 강희제가 그 뒤를 잇자 서양 종교와 천문학에 대한 반대가 빗발치기 시작했다. 아담 샬이 처형당하고 선교사들이 축출당할 위기에 처하게 된 것은 바로 이 전환기의 일이었다. 특히 반대파인 양광선(楊光先) 등 보수파 사대부들은 좋은 핑계를 들어 1664년 아담 샬 등을 공격하고 나섰다. 왕자의 장례 날짜를 고르는데, 그 책임자였던 흠천감의 아담 샬이 일부러 나쁜 날을 장례일로 정했다는 것이다. 1665년 드디어 74세의 아담 샬은 능지처참의 참혹한 형을 받도록 언도되었다. 그러나 그가 그 위기를 벗어날 수 있게 된 것은 그때 계속 일어난 지진 때문이었다. 그해 4월 지진과 함께 궁중에는 화재까지 발생하자 태황태후(순치제의 어머니)는 대사령을 내리도록 했고, 그 덕분에 아담 샬과 신부들이 목숨을 건질 수 있게 된 것이다. 그는 겨우 1년을 더 연금 상태 속에 살다가 이듬해 75세의 일생을 마쳤다.

아담 샬은 중국에서의 일생 동안 수십 가지 책을 남겼다. 이 책들은 중국에 당시 서양의 천문학, 역산학, 수학, 금속학 등을 소개하는 데 큰 기여를 했다. 이 중 망원경에 대한 간단한 책《원경설》(1626)은 그가 처음으로 동양에 망원경을 소개한 것이다. 비록 지금 우리들에게는 그와 조선과의 관계가 소현세자와의 개인적 관계만으로 알려진 셈이지만, 그의 책 역시 적지 않게 우리 역사에 흔적을 남겼을 것으로 보인다.

한국 천문학사와 깊은 인연 가진 일본의 시부카와 하루미

澁川春海 1639~1715

1643년 조선통신사의 일행으로 일본을 방문했던 박안기(朴安期, 1608 ~?)는 일본의 천문학자에게 무엇인가를 가르쳐주었고 그것을 바탕으로 일본에서는 일본 최초의 역법을 만들게 되었다. 박안기가 만난 일본인 천문학자는 오카노이 겐테이[岡野井玄貞]인데 그는 당시 일본의 서울 교토[京都]에서 활동하던 천문학자였다. 그런데 박안기를 일본에서 여러 차례 만나 역법의 지식을 전수받은 사람은 오카노이 겐테이였지만, 그 지식을 바탕으로 '일본인이 만든 일본 최초의 역법'을 완성해서 일본 과학사에 그 이름을 남긴 사람은 그의 제자 시부카와 하루미[澁川春海, 1639~1715]였다.

조선통신사 일행으로 도일

시부카와 하루미는 일본 역사에서 여러 가지 이름으로 알려져 있다. 일본 역사에서 그는 야스이 산테쓰[安井算哲] 또는 야스이 하루미[保井春海]로도 알려져 있고 그 밖에 다른 이름도 전한다. 그의 아버지는 도쿠가와[德川] 막부의 바둑 전문가였으며 교토에서 장남으로 태어났다. 그는 14세까지 아버지를 이어 바둑에 전념하고 있었지만 이쯤부터 그의 관심은 어려서부터 흥미 있어 했던 수학과 천문학으로 기울기 시작했던 것으로 보인다. 15세 때부터 그는 당시의 대학자로 일본 사상사의 거물인 야마사키 안자이[山崎闇齋]의 문하에서 유학을 공부하기 시작했고, 또 18세 때부터는 앞에 말한 오카노이 겐테이 등에게서 천문학을 배우게 되었다.

그가 배운 천문학과 역산학 분야는 수시력(授時曆)이었다고 알려져 있다. 18세라면 1657년을 가리키는데 이쯤부터 수시력을 공부하기 시작한 그는 그 공부를 바탕으로 일본 여러 지방을 돌아다니며 각 지방의 위도를 측정했다. 수시력이란 중국에서 원나라 때 곽수경(郭守敬) 등이 1280년에 완성한 천문계산법으로 그때까지 나온 전 세계의 어느 방법보다 더 정확한 역법이라 알려져 있다. 1643년 조선통신사의 독축관(讀祝官)이라는 직함을 가지고 일본을 방문했던 박안기가 도쿄에 있는 열흘 동안에 오카노이 겐테이는 여러 차례 그를 찾아가 만나 수시력의 어떤 수수께끼를 배워 얻었던 것이다. 그런 사실이 바로 시부카와 하루미의 글을 통해 후세에 알려져 있다.

그리고 그 지식을 바탕으로 시부카와 하루미는 1659년까지 여러 지방의 위도 측정을 하고 다닌 것이다. 위도 측정은 천문학에서도 중요한 자료지만 지도 그리는 데에도 절대적으로 필요한 정보임은 물론이다. 당시 위도를 측정한다는 것은 북극의 높이를 측정하는 방식으로 진행되었다. 그 방식은 우리나라에서도 조선시대에 사용되던 방식이었고 시부카와 하루미가 일본의 각 지방 위도를 측정하는 데에도 그 방법이 사용되었다. 북극이 지평선 위에 몇도 올라가 있는가를 측정하면 그것이 바로 그 위치에서의 북위(北緯) 몇 도라는 것을 알 수 있기 때문이다.

아닌게 아니라 그는 이렇게 일본 여러 지방의 위도를 측정하고 나서는 그 실력을 이용하여 1670년까지 몇 가지 다른 업적을 남기는데 그 가운데에는 일본 지도 제작, 지구의와 혼천의라는 천문 관측기구를 만든 것 등이 있다. 30세에 이미 그는 일본 일류의 천문학자이며 지리학자가 되어 있었던 셈이다. 그가 이때 만든 지구의에는 우리나라도 그려져 있는데 실제보다 크게 그려져 있는 느낌이다. 또 천구의도 만들었는데 그것은 둥근 공 위에 중요한 별들을 표시하고 그 위에 행성들을 그려 나타낸 장치였다.

조선 천문도 바탕으로 제작

더욱 중요한 것은 이 시기에 그가 만든 것 가운데 '천상열차지도(天象列次之圖)'라는 천문도가 있다는 사실이다. 이 천문도는 지금도 남아 있는데 아랫부분에 있는 설명에 의하면 그가 본 천문도 가운데 "홍무 28년 조선에서 새긴 천상도(天象圖)가 가장 정밀하다"는 것이다. 그래서 시부카와 하루미는 이 조선 천문도를 바탕으로 필요한 부분을 수정하여 1670년 3월에 이 천문도를 만들었다는 것이다. 그가 말하는 천문도란 조선 태조 때 1395년(홍무 28)에 만든 '천상열차분야지도'를 가리킨다. 우리나라에서 지금 국보 228호로 지정되어 있는 '천상열차분야지도'가 어떻게 시부카와 하루미에게 알려졌던가는 아직 밝혀져 있지 않다. 또 그의 천문도가 얼마나 우리 것과 비슷한가도 비교 연구된 일이 아직은 없다.

우리 '천상열차분야지도' 영향

이어서 그는 1677년에는 또 다른 천문도를 만들었는데 그 이름은 '천문분야지도'라 되어 있다. 1670년의 '천상열차지도'와 1677년의 '천문분야지도'는 마치 우리나라의 '천상열차분야지도'를 둘로 나눈 듯한 이름을 갖고 있는 것이 주목되는데 아직 그들 사이의 비교가 되어 있지 않다. 다만 당장 말할 수 있는 특이한 사실은 시부카와 하루미는 1677년의 천문도에서 '분야'라는 개념을 중국의 각 지방을 나눠 배정하는 방식을 활용하여 일본의 각 지방을 '분야'로 배정하고 있다는 사실이다. 말하자면 그는 일본을 중국과 대등한 '천하'로 보겠다는 생각을 이처럼 나타낸 것으로 보인다.

시부카와 하루미가 남긴 업적의 또 한 가지로는 1677년의 '일본장력(日本長曆)'을 들 수 있다. 그의 일본 역사 연구는 역사상 일본에서는 어떤 역법이 어떻게 사용되었던가를 밝혀 고대 사건들의 날짜를 확인하려는 노력이었다. 그는 역사 사건에 기록된 날짜와 간지(干支) 등을 정

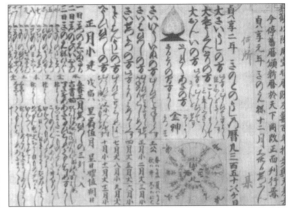

시부카와 하루미의 정향력(왼쪽)**과 정향력의 역주**(오른쪽)

리하고 그것들을 중국이나 한국의 역사와도 비교해보고 또 중국, 한국, 일본 역사에 기록되어 남아 있는 일식, 월식 등의 천문기록들을 비교 연구하여 역사상의 역법을 확인하고 잘못된 기록들은 바로잡는 노력을 했던 것이다. 실제로 이런 문제는 아직 한국의 역사에서는 시도된 일이 없는 분야라 할 수 있다. 즉 우리나라의《삼국사기》,《삼국유사》,《고려사》등에는 날짜가 분명하지 않은 기록이 많고 그 가운데 어느 기록은 날짜를 확인도 하고 또 잘못된 기록을 바로잡을 수도 있을 것으로 보이지만 아직 연구된 일이 없다. 일본에서는 이미 시부카와 하루미가 이런 연구를 해 놓았던 것이다.

그리고 마지막으로 가장 중요한 그의 업적은 바로 그의 정향력의 시행이다. 그때까지 일본은 당나라 때의 중국 역법을 그대로 사용하고 있었기 때문에 820여 년이 지난 이 시기에는 동지가 실제보다 2일이나 늦게 되는 모순을 간직하고 있었다. 물론 모든 절기가 2일씩 늦어지고 있었다. 이를 바로잡는 일은 제왕의 가장 중요한 의무라면서 그는 수시력을 채택하고자 건의했다. 그러면서 그는 1675년까지의 일식, 월식을 미리 계산하여 수시력으로 계산한 결과가 가장 정확한 것을 보여주려 했던 것이다.

한국의 천문학사와 깊은 인연

그런데 그의 계산 가운데 1675년 5월 초하루의 일식예보가 틀린 것이다. 수시력으로는 일식이 있을 수 없는 듯하지만 오히려 선명력으로는 일식예보가 나왔고 그것이 정확했던 것이었다. 그 까닭을 연구한 그는 드디어 그것이 중국과 일본의 이차(里差)를 제대로 반영하지 못했기 때문임을 알게 되었다. 즉 중국의 계산법을 그대로 일본에 쓸 수 없었던 셈이다. 이 부분을 수정하여 그가 완성한 것을 그는 '대화력(大和曆)'이라 불렀고 그는 다시 이 역법을 채용하자고 건의하고 나섰다. 그 역법이 1684년 정부가 정해준 이름 '정향력(貞享曆)'으로 채택되었던 것이다.

천문학자로서 명성을 얻은 그는 새 역법의 채택과 함께 막부의 천문방(天文方)으로 임명되어 정부의 공식 천문학자의 자리를 대대로 세습하게 되었다. 일본의 대표적 전통 천문학자 시부카와 하루미는 분명히 우리 천문학사와도 깊은 관련을 가진 인물이었다. 아직 그 관계를 연구해 놓지 못했다는 사실이 안타까운 일이다.

천왕성 발견한 영국의 천문학자
윌리엄 허셜
William Herschel 1738~1822

중국 문헌 속의 서양 과학자

1966년 중국에서 나온 《자연과학 발전사 강요(自然科學發展史綱要)》라는 책을 읽다 보면 '혁헐이(赫歇耳)'란 이름이 보인다. 그런데 그것은 영국 천문학자 윌리엄 프레더릭 허셜(William Frederick Herschel, 1738~1822)을 가리킨 것임을 알 수 있다. 중국인들이 허셜의 이름을 '후실륵(侯失勒)'에서 '혁헐이'로 바꿔버린 것이다. 아마 다른 책에는 또 다른 표현으로 허셜의 이름을 표기했을지도 모른다. 중국인들에게야 어차피 비슷하게 발음되니까 상관없을지 몰라도 겨우 중국어를 읽는 처지에는 여간 고역이 아니다.

지금은 고인이 된 철학자 박종홍(朴鍾鴻, 1903~1976)이 재미있는 실수를 한 적이 있다. 아마 첫째는 중국어를 모르기 때문에 일어난 실수였다고 생각된다. 우리나라의 실학자 최한기(崔漢綺, 1803~1877)가 '중국 학자 후실륵'에게 천문학에 관하여 많은 영향을 주었다고 주장한 것이다. 나는 당시 미국 유학 중이었는데 이 글을 읽고 후실륵이란 중국 인물에 대해 찾아보기 시작했다. 그리고 내가 알아낸 사실은 '중국 학자 후실륵'은 사실은 중국 학자가 아니라 영국의 천문학자 허셸을 중국어로 표기한 이름이라는 것이었다. 최한기가 책을 처음 쓴 것은 1836년의 일이다. 영국의 천문학자 허셸이 최한기의 책을 읽어 영향을 받았을 리가 전혀 없는 일이다.

　박종홍의 오해는 아주 간단한 데에서 시작된다. 후실륵이 1858년 베이징에서 펴낸 《담천(談天)》이라는 책에는 최한기의 책에도 나오는 용어들이 더러 보이는데, 바로 그런 사실에서 최한기가 후실륵에게 영향을 주었다고 결론지은 것이다. 박종홍은 이 《담천》이라는 책이 중국인 후실륵이 쓴 것으로 오해했다. 그러니까 조선 학자가 한자로 쓴 책을 중국 학자 후실록이 읽고 영향을 받았을 것이라고 상상한 것이었다. '후실륵'이란 이름이 서양 사람일 수도 있다는 것을 미처 생각하지 못한 데서 일어난 오해라 할 것이다. 그런데 여기 문제가 되는 최한기의 책을 잘 읽어 보면, 후실륵이 최한기의 책을 읽고 영향을 받은 것이 아니라 거꾸로 최한기가 후실륵의 책을 읽고 영향을 받았다는 사실이 밝혀져 있다.

　최한기는 허셸의 《담천》을 읽고 이를 바탕으로 당시의 서양 천문학을 국내에 소개하고 있다. 1867년에 최한기가 쓴 《성기운화(星氣運化)》

라는 책이 바로 그것인데, 이 책 서문에 보면 '후실륵 유렴(候失勒 維廉)'이란 이름이 보인다. 당시 '윌리엄 허셸'을 한자로 표기한 것임을 누구라도 짐작할 수 있다. 그런데 '윌리엄 허셸'이라는 이름으로 우리에게 유명한 천문학자는 사실 아버지 윌리암 허셸이고, 《담천》이라는 책을 쓴 사람은 그의 하나뿐인 아들로 역시 대단한 천문학자였던 존 프레더릭 윌리엄 허셸(John Frederick William Herschel, 1792~1871)이다.

세계 최대의 망원경 만들어

허셸은 원래 독일의 음악가였지만 영국으로 이민을 가서 천문학자로 성공한 인물이다. 그는 특히 당대 세계 최고의 망원경을 여러 개 만든 인물이고, 또 그 망원경으로 천왕성을 처음 발견한 천문학자로 역사에 길이 남은 인물이다. 또 그는 이 천문학의 길에서 12살 아래 여동생 캐롤라인 허셸(Caroline Herschel, 1750~1848)의 극진한 도움을 받았던 것으로도 유명하다. 물론 한국 역사와 관련해서는 그의 아들이 지은 천문학 책이 최한기에 의해 우리나라에도 소개되었다는 사실을 들 수 있다.

독일 하노버에서 궁정악대원의 5형제 가운데 둘째로 태어난 허셸은 14세 때 아버지를 따라 역시 궁정악대에 들어가 오보에 연주를 맡게 되었다. 그러나 1756~1763년 오스트리아와 프로이센 사이에 슐레지엔 영유권을 놓고 일어난 이른바 '7년전쟁'에서 아버지와 형제들이 죽자, 그는 전란을 피해 1757년 영국으로 망명했다. 처음 영국의 리즈(Leeds)에 정착했다가 뒤에는 더럼(Durham)으로 옮겨 군악대 대장이 되어 음악가로 활동하던 그는 그 후에도 장소를 바꿔가면서 음악 선생,

허셸의 망원경

오르간 연주자, 작곡가, 지휘자로 활동하며 생계를 꾸려갈 뿐이었다.

영국 이민 10년이 되는 1766년, 그는 바스의 교회에서 오르간 주자로 취직하면서 그 후 16년 동안 비교적 안정된 생활을 할 수가 있게 된 것으로 보인다. 물론 이 기간에도 가정교사 생활로 생활비를 보충해 가야했다. 이렇게 어느 정도 생활이 안정된 시기에서야 그가 어릴 때부터 갖고 있던 천문학에 대한 꿈을 실현시켜 가기 시작했다. 특히 1772년 고향에서 데리고 온 여동생 캐롤라인은 그의 천문학 연구에는 없어서는 안될 절대적인 동지가 되었다. 그들 오누이가 처음 만든 대형 망원경은 1774년 완성되었는데, 반사경 지름이 1.8미터나 되는 것으로 이미 당대 세계 최대의 것이었다.

1775년에 그는 이 대형 망원경을 뒷마당에 세우고 밤을 낮 삼아 관측에 열중했다. 거의 매일 밤을 초저녁부터 밤을 새우다시피 하늘을 관찰하고 그것을 캐롤라인이 기록했다. 캐롤라인이 충실한 조수 노릇을 담당하지 않았다면 그는 아무것도 이룰 수가 없었을 것이다. 추운 겨울밤에도 관측은 계속되었는데 추워서 잉크가 얼어 붙으려 할 정도의 날씨에도 그들은 굴하지 않고 관측에 열심이었다. 또 캐롤라인은 얼어붙으려는 잉크를 체온으로 녹여가며 기록을 남겼다고도 전한다.

이런 고생의 결과가 1781년 천왕성의 발견이었다. 우리나라에서 홍대용(洪大容, 1730~1783)이 역시 천문학에 대단한 관심을 가져서 여러 가지 천문기구를 만들고, 또 우주는 무한하고 그 가운데는 사람과 비슷한 존재가 있을지도 모른다고 말하던 바로 같은 때였다. 홍대용은 중국에 갔다가 망원경을 구경하고, 그것을 하나 구해보려 했지만 사오지는 못했던 것으로 보인다. 하지만 같은 때에 영국에서 허셀은 여동생과 함께 청동으로 구워 만든 오목거울을 갈고 또 갈아 보다 더 잘 반사하는 반사경을 만들어 이것으로 반사망원경을 만들었다.

그런데 수성, 금성, 지구, 화성, 목성, 토성의 6개 행성 이외에 다른 행성이 있다는 사실은 당시로서는 전혀 뜻밖의 일이었다. 태고 시절부터 인간은 이미 동양과 서양을 불문하고, 이 세상에 움직이는 천체가 7개 있다는 사실을 다 알고 있었다. 그래서 그 7개의 별들이 7요(七曜)라 불리고. 뒤에는 요일(曜日)로 정착하기도 한 것이다. 물론 이 가운데 달은 지구의 위성이라는 사실이 밝혀졌고, 나머지 5개 별은 태양 둘레를 돌고 지구가 또한 태양을 돈다는 사실은 17세기에 들어와서야 확립된 일이다. 그러나 아주 옛날부터 이들 5개 행성과 해와 달은 잘 알려져 있었다는 말이다. 그래서 허셀이 살던 시대의 사람들은 태양을 중심으로 6개의 행성이 돌고 있다는 사실은 잘 알고 있었지만, 그 밖을 도는 또 다른 행성이 있으리라고는 미처 생각하지 못하고 있었다.

그런데 허셀은 당대 최대의 망원경을 만들어 하늘을 꾸준히 관찰하더니 엉뚱하게도 또 하나의 행성을 발견해냈던 것이다. 세상이 깜짝 놀란 대사건이었다. 그 후 망원경은 더욱 발달했으며 해왕성과 명왕성이 발견되어 태양계는 더 많은 행성 가족을 거느리고 있음이 밝혀졌다. 바로 그 시작이 허셀에 의한 것이었던 셈이다.

별들로 형성된 은하수도 확인

이를 더 확대하여 허셜의 망원경은 쌍성(또는 이중성)의 발견과 연구에 성과를 올렸다. 특히 태양 근처에는 수많은 별들이 쌍을 만들어 서로를 돌고 있는 것처럼 보이는데 이 정체를 파악하게 된 것이다. 1782년까지 그는 모두 269개의 쌍성을 기록했고, 1785년의 목록에는 모두 434개로 늘었으며, 1821년의 목록에는 848개까지 확대됐을 정도로 그는 이 연구에 열심이었다. 그 결과 뉴턴의 만유인력의 법칙은 태양계 밖 우주 저쪽의 천체들 사이에서도 틀림없이 작용한다는 사실이 밝혀졌다.

그는 또 은하수가 수많은 별들로 이루어졌다는 사실을 다시 확인했고, 특히 처음으로 태양계가 바로 이 은하수의 한 부분이라는 사실을 밝혀냈다. 이미 지구는 태양계의 중심이 아니라 태양을 도는 1개의 행성에 지나지 않는다는 사실이 밝혀져 있었다. 그런데 이번에는 허셜의 연구로 태양계란 우주의 한 덩어리 섬에 지나지 않는 우리 은하계의 한구석을 차지할 뿐이라는 사실이 밝혀진 셈이다. 어느 의미에서는 허셜의 발견은 인간의 위치를 더욱더 작고 하잘 것 없는 것으로 만들었다고도 할 수 있다.

허셜이 남긴 천문학상의 공헌을 헤아리자면 끝이 없다. 그는 목성의 자전 주기를 밝혔고, 천왕성의 달 두 개를 찾아내기도 했다. 원래 천왕성을 발견했을 때 그는 그 이름을 '조지의 별(George's Star)'이라 불렀는데, 당시 영국 왕 조지 3세를 위한 제스처였다. 실제로 조지 3세는 이를 기뻐하여 그의 망원경 제조에 4000파운드나 되는 보조를 해주었고, 이 돈으로 그는 반사경 1미터에 초점거리 12미터나 되는 당시 세계 최대의 망원경을 만들기도 했다.

그는 천왕성 발견을 영국왕립학회에 보고하여 당장 회원으로 추대되었고, 조지 3세는 그를 '궁정 천문학자'로 임명하여 연금을 주기까지 했다. 1801년 그는 파리를 방문하여 집권자 나폴레옹, 그리고 그와 가깝던 수학자 피에르 라플라스(Pierre Laplace, 1749~1827) 등을 만나기도 했다. 가난한 음악가로서 겨우 30대 중반의 어중간한 나이에 천문학에 빠져들었던 허셸은 당대 세계 최고의 천문학자로 이름을 후세에 남기게 된 것이다.

《해국도지》로 서양 기술 전해준 중국의 위원

魏源 1794~1857

우리 근대사를 읽다 보면 꼭 만날 수밖에 없는 중국 학자 한 사람이 위원(魏源, 1794~1857)이다. 그는 어느 모로 보나 중국의 전통적인 학자로 보이지만, 우리 역사와 관련된 부분만 보자면 그가 바로 서양 기술을 처음으로 우리나라에 전해준 대표적 기술자라 할 수 있다. 그가 쓴 《해국도지(海國圖志)》라는 책이 대원군 시기와 그 이후까지 우리 선조들에게는 서양 기술의 교과서처럼 활용되었기 때문이다.

《해국도지》는 서양 기술의 교과서

원래 《해국도지》는 제목 그대로 세계 여러 나라에 대한 정세를 알려주기 위해 쓴 책이다. 각국의 지리와 역사 제도 등을 소개한 그림(도)과 설명(지)으로 구성되어 있다. 당시의 모든 나라에 대해 상세한 소개가 기록되어 있고 지도도 많이 그려져 있다. 하지만 이 방대한 자료 가운데에는 조금은 엉뚱하게도 서양의 대포와 군함, 그리고 서양의 역법, 망원경 만드는 방법, 서양 천문학까지 여러 가지 과학 내용이 들어 있다.

위원은 1793년 후난성 사오양현[邵陽縣] 출신으로, 원래 이름이 위원달(魏遠達)이고 호를 양도(良圖), 자는 묵심(墨深), 묵생(墨生), 한사(漢士) 등이라 했다. 원래 할아버지 때부터 꽤 잘사는 집안으로 농사와 상업을 겸하고 있었으나, 아버지 위방로(魏邦魯, 1768~1831)대에 와서 가세가 기울었던 것으로 전한다.

위원은 후난성에서 1845년에 진사가 되었다. 50세가 넘었으니까 아주 늦게서야 과거에 붙은 셈이라고 할까? 젊어서 임칙서(林則徐) 등 개혁파 고관의 막우(幕友)로서 활약했고, 이런 연고로 그는 아편전쟁에도 참가했으며, 말년에는 태평천국의 운동군과도 싸웠다. 그가 가깝게 지냈던 임칙서는 1840년부터 2년 동안 계속된 아편전쟁에서 영국 상인의 아편 2만 상자를 압수해 불태운 유명한 사건을 일으켰던 중국 측의 총책임자였다. 그는 아편전쟁에 참가하여 당시의 세계 사정에 익숙해진 다음에는 나라를 막고 지키자는 생각을 하는 사람들과는 전혀 반대로 서양을 배워야만 서양을 이길 수 있다고 주장하고 나섰다. '서양의 잘하는 부분을 배워 서양을 이기자(師夷之長技以制夷)'는 그의 주장은 그 후 널리 퍼져 '서양을 배워 서양을 이기자' 또는 '오랑캐로서 오랑캐를 이기자(以夷制夷)'는 구호로 자리 잡게 된 것이다. 그의 이런 목표는 이미 그의 《해국도지》 서문에 분명하게 밝혀져 있다.

원래 위원의《해국도지》는 그의 동료이며 후원자였던 임칙서가 주관해서 써 놓았던 다른 책을 확대 개편해 만든 책이다. 그 책은 이름이《사주지(四洲志)》였는데, 원래 런던에서 1836년에 발행된《세계지리대전(Cyclopedia of Geography, by Murray)》을 중심으로 옮겨낸 책이었다. 9만 자나 되는 작품이었는데 이 책을 다시 수정하고 보충해낸 것이《해국도지》이다.《해국도지》는 1842년에 처음 인쇄되어 나왔는데 50권으로 구성되었고, 글자 수만 50만 자이니《사주지》의 5배로 확장판이라고 할 수 있다. 이 책이 1847년에는 60권으로 더 늘어났고, 1852년에는 100권으로 늘어 초판의 두 배나 되는 분량이 되었다. 글자 수만도 90만 자짜리 책이 되었다. 지금 한글로 번역해서 책으로 낸다면 아마 5권은 넘을 정도의 분량이다.

그는 처음에 한학(漢學)과 송학(宋學)을 공부했으며 춘추공양학(春秋公羊學)을 자신의 학문적 기반으로 삼았다고 전해진다. 그래서《시고미(詩古微)》,《서고미(書古微)》,《공양고미(公羊古微)》,《춘추번로주(春秋繁露注)》등 경학적 저서를 남기기도 한 한학자였다. 하지만 그의 대표작은 당연히《해국도지》였다.

세계 지리·역사 상세히 소개

《해국도지》는 당시의 세계 지리와 역사, 정세, 물산 등이 다양하게 소개된 부분이 중심을 이루고 있다. 100권 가운데 권3부터 권4까지가 지도로 되어 있는데 우리나라도 3장으로 나뉘어 지도가 그려져 있다. 권5부터 권70까지가 세계 각국의 사정 등을 소개한 중심부분이라 할 수 있다. 하지만 나머지 30권 이상을 차지하는 부분은 무엇인가? 많은 분량을 차지하는 것이 지구천문론(地球天文論)인데 자그마치 5권(권96~권100)이나 된다. 내용 가운데에는 일식과 월식, 바닷물의 밀물과 썰물현상, 해시계, 서양 역법 등 온갖 지구의 과학적 현상과 천문 현상들이 설명되어 있다.

서양의 기선(汽船)은 화륜선(火輪船)이란 제목으로 85권에 실려 있고, 서양식 화포에 관한 내용도 길게 8권(권86~93)이나 차지하고 있다. 당시 서양의 대포와 군함이 가장 큰 관심사였다는 사실을 알 수가 있다. 특히 이 가운데 92권과 93권은 수뢰포(水雷砲)를 설명하고 있는데, 대원군은 이 부분을 참고해서 수뢰포를 만들어보기도 했던 것이다. 당시 만들어보았던 것들 가운데에는 기선과 다른 화포 등도 있었는데, 주로 이 책을 참고했다는 것이 밝혀져 있다.

《해국도지》가 우리나라에 미친 영향에 대해서는 이미 사학자 이광린(李光麟)이 논문을 발표한 일이 있다. 또 나도 대원군 때의 과학기술에 대해 논문을 발표하여 이 부분을 밝혀 보려고 힘쓴 적이 있다. 예를 들면 대원군 때의 김기두(金箕斗)는 여러 가지 서양식 기계 제작에 기록을 남겼는데, 고종 초에 흥선대원군의 명을 받아 강윤(姜潤) 등과 더불어 군용품으로 면제배갑(綿製背甲)·포군(砲軍) 철모·학우조비선(鶴羽造飛船)·목탄증기갑함(木炭蒸汽甲艦)·수뢰포(水雷砲) 등의 군기(軍器)를 제조했다고 밝혀져 있다. 1880년(고종 17)에 별군관(別軍官)으로서 수신사에 김홍집(金弘集)의 수행원이 되어 일본에 파견되었던 일도 있고, 그 후 일본에서 기선을 수입한 기록도 보인다. 또 이 시기의 대표적 사상가로 수많은 책을 남긴 최한기(崔漢綺)는 1857년 《지구전요(地求典

要)》를 남겼는데, 이 책이야말로 바로 위원의 《해국도지》를 주로 참고해 만든 책이다. 《해국도지》는 제법 여러 권이 수입되어 많은 조선의 지식층에 읽혀졌던 것이 분명하다. 하기는 일본 사람들은 이 책을 더욱 중시하여 역시 수많은 책을 중국에서 수입했을 뿐 아니라, 아예 일본에서 이를 다시 출판해내기도 했는데, 그것도 20종류가 넘는다고 밝혀져 있다. 우리나라에서는 그렇게 다시 출판된 일은 없는 것 같으니, 이 책의 절대적 영향은 우리나라보다는 일본에서 오히려 더 컸다고 해도 좋을 듯하다. 일본은 이 책 말고도 이미 이 시대, 즉 19세기 중반에 많은 서양 사정을 소개하는 책들이 일본인에 의해 쓰이고 있었다. 전체적으로 보면 중국에서는 겨우 위원의 《해국도지》가 가장 먼저 서양 사정을 소개한 책이라 할 수 있을 정도인데 비해, 일본에서는 훨씬 전부터 그런 책들이 나와 있었다. 다만 《해국도지》만큼 큰 규모의 책은 거의 없었던 것 같다. 그래서 일본인들은 이 책을 여러 차례 출판했던 것이다.

1845년 초판본 50권 들여와

우리나라에서는 1845년 처음으로 이 책의 초판본 50권짜리가 전해져 들어온 것으로 밝혀져 있다. 1844년 중국에 사신[동지사(冬至使)의 부사(副使)]으로 갔던 권대긍(權大肯)이 이듬해 3월 귀국하면서 구해온 것으로 기록은 전한다. 그러니까 아직 100권짜리로 확대되기 전의 50권짜리임을 알 수 있다. 또 《오주연문장전산고(五洲衍文長箋散稿)》를 남긴 이규경은 이 책의 한 대목에서 《해국도지》가 당시 영의정 조인영과 최한기의 집에 있었다고 전하고 있다. 아마 이규경은 이 글을 1850년쯤 또는 그 직후에 썼을 것으로 보이는데, 그 당시 《해국도지》가 아직 이 땅에는 그리 많이 보급되지는 않았다고 생각할 수 있다.

바로 이 시기에 쓴 추사(秋史) 김정희의 편지에는 《해국도지》의 중요성을 강조한 대목이 보인다. 1850년쯤부터는 조선의 지도층 인사들 사이에서는 서양 세력의 위협을 심각하게 걱정하면서 이를 방어할 준비에 대해 여러 가지 논의가 시작되었음을 알 수 있다. 그리고 이런 생각을 갖도록 자극해준 가장 대표적인 책이 그 직전 중국에서 나온 위원의 《해국도지》였던 것을 확인하게 된다. 그리고 바로 이 책에 그려진 그림과 설명을 참고하여 대원군 시대에는 수뢰포와 기선 같은 서양식 병기를 흉내내 만들어보기도 했다. 수뢰포는 물속에서 사용하여 적선을 파괴할 수 있는 어뢰 같은 폭발물인데, 훈련대장 신관회[申觀浩, 뒤에 이름을 신헌(申櫶)으로 고침, 1810~1884]가 중심이 되어 제작했던 것으로 밝혀졌다. 또 기선도 만들어 한강에서 시운전해보았는데, 석탄을 구하지 못한 채 숯을 때서 기선을 움직여 보았으나 그 효과는 아주 좋지 않았던 모양이다.

여하튼 쇄국(鎖國)한 것으로만 널리 알려진 대원군 때 이런 노력이 있었다는 사실만으로도 위원이 우리 역사에 끼친 영향은 가히 짐작할 수 있다. 언젠가는 당시의 화륜선이나 수뢰포 등 서양식 무기를 《해국도지》를 참고하여 제작해 우리 박물관에 전시해야할 것이다.

조선에 과학 알린 미국의
윌리엄 마틴
William Martin 1827~1916

우리가 살고 있는 땅덩이가 둥글고 그 지구가 자전과 공전을 한다는 사실을 처음 조선에 알려준 사람은 정위량(丁韙良, 1827~1916)이라고 한다. 우리 역사의 첫 근대 신문인 《한성순보》 2호(1883년 11월 10일)에 실린 〈지구운동에 대하여(論地球運轉)〉이라는 글에는 지구의 운동을 상세히 설명하고 있는데, 이것이 정위량이 쓴 글에 나온다는 것이다.

서양 과학을 소개한 《격물입문》 저술

정위량은 중국에서 만든 한자식 이름으로 원래 이름은 윌리엄 알렉산더 파슨스 마틴(William Alexander Parsons Martin, 1827~1916)이다. 미국

장로교 선교사인 그는 1850년 중국에 와서 1916년 죽을 때까지 66년이란 긴 시간을 중국에서 살았다. 그 사이 4년은 미국에 돌아가 공부를 한 일도 있어 엄밀하게는 62년이라고 하지만, 이만하면 19세기 후반을 대표하는 서양의 중국통이었음을 알 수 있다.

그런 사람이 어느 책에 지구의 운동을 설명하는 글을 썼기에 《한성순보》가 그를 마치 과학자인 듯이 소개하고 있는 것일까? 《한성순보》가 말하는 마틴의 글은 바로 그가 저술한 《격물입문(格物入門)》을 가리킨다. 그는 기독교 선교사로 중국에 왔지만, 실제로는 과학자로 또는 영어 교육자로 더 크게 활약했고 그렇게 중국 역사를 장식했다. 그는 당시 서양을 배우는 대표적 기관인 동문관과 경사대학당의 외국인 책임자(총장 또는 부총장)로 거의 30년을 일했다.

그가 당시 서양 과학의 대강을 소개하는 《격물입문》을 쓴 것은 1866년이다. 이 책은 물리, 화학, 천문, 기상 분야를 망라하는 기초과학지식을 문답 형식으로 다루고 있다. 이 책이 한국 역사에서 중요하다는 것은 《한성순보》에 기사가 나기 1년 전, 지석영이 임금에게 올린 '개화상소'에서 알 수가 있다. 1882년(고종 19) 8월 23일자 《고종실록》을 보면 그 내용을 알 수 있다.

우리나라에 처음으로 우두를 보급한 것으로 유명한 지석영은 우리 국민들이 세상 돌아가는 사정에 너무 무지하다고 지적하고, 그런 사정을 극복하여 세계 대세에 동참하기 위해서는 이런 책들을 적극 보급하자고 고종에게 상소했다. 그가 중요하다고 소개한 책은 외국인들이 지은 《만국공법(萬國公法)》, 《조선책략(朝鮮策略)》, 《보법전기(普法戰紀)》, 《박물신편(博物新編)》, 《격물입문》, 《격치휘편(格致彙編)》 등과 조선인의 저술로 김옥균의 《기화근사(箕和近事)》, 박영교의 《지구도경(地球圖經)》, 안종수의 《농정신편(農政新編)》, 김경수의 《공보초략(公報抄略)》 등이 들어 있다. 그는 이 책들을 적극 보급하기를 주장했다.

지석영의 '개화상소'에서 《격물입문》 적극 보급 주장

이 상소문에서 지석영이 추천한 책 《격물입문》이 바로 마틴의 책이고, 여기서 그는 지구의 운동을 소개하고 있는 것이다. 물론 지구의 운동을 처음 소개한 것은 이미 그보다 20여 년 전에 나온 최한기의 《지구전요》(1857)를 꼽을 수 있다. 하지만 훨씬 뒤에 《한성순보》를 통해 더 많은 사람들이 지구의 운동 등 그 밖의 많은 과학지식을 얻게 된 것은 분명하다. 그래서 1882년 지석영의 상소문은 오늘 한국 근대사를 가르칠 때 빠짐없이 등장하는 중요한 역사 사실이 되어 있다.

지석영이 상소문에서 추천한 도서 가운데 첫 번째로 언급한 《만국공법》 역시 마틴의 책이다. 국내에 처음으로 국제관계의 법적 구조를 소개한 이 책은 원래 마틴이 하버드대학교의 법학교수였던 헨리 휘튼(Henry Wheaton)의 《국제법의 요소(Elements of International Law)》(1836)를 번역해낸 책이다. 《국제법의 요소》는 20년간 유럽에서 미국의 외교관으로 활동하다가 1847년 하버드대학교의 국제법 교수로 귀국한 휘튼의 대표작인데, 마틴은 1862년 상하이에 있을 때 이 책을 번역하기 시작해 미국 외교관 등의 지원 아래 1864년 출판했다. 《만국공법》은 4권 12장 231절로 구성되었는데, 청나라 정부의 외교부라 할 수 있는 총리아문은 그 유용성을 인정해 300부를 찍어 각 관서에 비치하게 했고, 다음 해에는 일본에서도 간행되었다. 조선에도 적지 않게 수입된 것으로 보이며, 지금 서울대학교 규장각에도 한 부 소장되어 있다. 이 책은 영어 'democracy'를 중국 최초로 '민주'란 표현으로 사용했다.

중국에서 60여 년간 선교사·교수 등으로 활동

원래 미국 인디애나주의 목사 아들로 태어난 그는 1846년 인디애나대학교에 들어가 과학을 공부하고 대학을 졸업한 후에는 잠시 고등학교 교사로 지내다가 바로 인디애나주에 있는 신학대학에 진학해 1849년에는 장로교 목사가 됐다. 그는 교회의 파견으로 1850년 4월 홍콩에 도착했다. 그가 중국에서 선교사로 일할 결심을 하게 된 것은 인디애나대학교에 다닐 때 총장이었던 앤드루 와일리(Andrew Wylie)의 영향이었던 것으로 전해진다.

중국에 온 그는 처음 저장성 닝보[寧波]에서 꼭 10년 동안 선교사로 일하며 중국 문화를 익히고 중국어를 배웠다. 그는 일부러 선교사의 집을 떠나 중국인 사이에 들어가 살면서 말을 익힌 결과 중국어를 잘 배웠을 뿐 아니라 저장성 지방의 방언까지 잘할 수 있게 되었다. 1858년 중국과 미국이 톈진조약을 체결할 때는 미국 공사의 통역과 조약문안 작성을 주도할 정도였다. 이듬해 그는 미국 영사와 함께 베이징을 여행하고 일본도 구경할 기회를 얻는다.

그가 미국에 돌아갈 기회를 얻은 것은 그 직후였다. 1860년 미국으로 돌아갔던 그는 3년 뒤에 박사학위를 받고 중국으로 돌아왔다. 이번에는 베이징에서 활동하게 된 그는 곧 1864년 동문관의 영어 교수가 되었고, 1869년에는 총교습으로 승진되었다. 1898년 12월 31일 경사대학당이 문을 열자 당대 최고 실력자인 이홍장의 추천으로 그는 수임총교습이란 자리에 임명되기도 했다. 말하자면 베이징대학교의 초대 총장에 해당하는 2품 자리였다. 1902년에는 장지동의 초청으로 우창대학당의 국제법 교수가 되었으나, 1908년 은퇴하여 1911년부터는 교회일을 하다가 1916년 12월 17일 사망하여 베이징의 서직문 밖 외국인묘소에 묻혔다.

마틴은 목사가 되기 전에는 인디애나대학교에서 주로 자연과학을 공부했고, 그래서 그는 중국에 오자 비교적 일찍《격물입문》이란 과학개론서를 지어 출판했던 것을 짐작할 수 있다. 그런데 이 책이 우리 역사에서는 지석영이 아주 중요한 책으로 추천한 바가 있지만, 당시 중국에서는 그리 큰 반응을 얻지는 못했던 것 같다. 당시 중국인들은 이 책에는 새로운 것이 별로 없고, 문장도 시원치 못하다고 꼬집었다는 기록이 보인다. 특히 19세기 말 중국인 최고의 지성으로 꼽히는 양계초는《서양책 읽기》에서 이 책은 "꼭 읽을 필요는 없다"고 논평했다.

국제법 책도 번역, 조선 지식층에 큰 영향

그러나《격물입문》은 조선 지식층에 적지 않은 영향을 주었던 것으로 보인다. 그럼에도 불구하고 과학보다는 그가 쓴 국제법이 중국이나 조선에서 더 큰 관심을 끈 것은 사실이다. 마틴은《만국공법》을 번역해 소개한 것 말고도《공법회통》이란 또 하나의 국제법 책도 번역해냈는데, 스위스의 법학자로 하이델베르크대학교 교수였던 블룬칠리의 국

《천도소원》 표지(왼쪽)와 서문(오른쪽)

제법 책을 옮긴 것이다. 이 책은 1896년 조선 정부의 학부에서도 간행했는데, 1880년 중국어판에 있는 마틴의 서문, 1896년 조선의 학부 편집국장 이경직의 서문이 함께 들어 있다. 1897년 9월 25일 《고종실록》을 보면 당시 조선 고위 관리들이 이 책 내용을 놓고 토론하는 장면도 보이는데, 그 결과로 머뭇거리던 고종의 황제 칭호가 정당하다는 판단을 내렸던 것으로 보인다.

일찍이 중국어에 통달한 마틴은 사서오경을 읽고, 기독교 서적으로 《천도소원(天道溯原)》을 지었는데, 중국에서 여러 차례 출판되었고, 일어와 조선어로도 번역되었다고 한다. 또 일찍이 《요한복음》과 《마태복음》도 번역한 일이 있다. 그는 평생 수많은 책을 남겼다. 앞서 소개한 국제법과 기독교 서적 말고는 대개 중국을 소개한 책이다. 또 그에게는 자서전으로 《화갑기억(花甲記憶)》이 있다.

'중국 측우기가 세계 최초'라고
억지 주장한 중국의 주커전

竺可槙 1890~1974

우리나라의 측우기는 중국의 발명품으로 둔갑하여 소개되고 있다. 그렇게 된 가장 큰 이유는 중국의 대표적인 기상학자 주커전[竺可槙, 1890~1974] 때문이다. 그는 저장성 사오싱[紹興] 출신으로 1905년 상하이에서 공부를 시작하여 1910년에는 2차 미국 국비유학 장학생 시험에 합격해 일리노이대학교에 유학했다. 1913년 농학을 공부하여 학위를 받은 후, 하버드대학교로 옮겨 1918년 기상학으로 박사학위를 받았다. 박사학위를 받은 즉시 귀국한 그는, 이제 막 근대 과학을 개발하기 시작한 중국의 전국에 걸쳐 기상관측소를 세우고 기상학을 국내에 소개·보급하는 데 뛰어난 공을 남겼다.

중국에 기상학·지리학·광물학 등 도입

'중국 기상학의 아버지' 주커전이 중국에 남긴 발자취는 절대적이다. 하지만 그가 한국 과학사에 남긴 흔적 역시 앞으로 오랫동안 지우기 어려울 것으로 보인다. 중국 역사에서는 자랑스런 과학자이지만 한국 역사에는 유감스런 인물이 아닐 수 없다. 1905년 15세 때 상하이에 간 그는 청종학당[澄衷學堂], 푸단공학[復旦公學]에서 공부하고, 1909년에는 당산로광학당[堂山路鑛學堂]에 들어가 토목공학을 공부했는데 모두 1등을 했다. 1910년 중국 정부가 시행한 유학생 선발 시험에 합격한 그는 8월 미국에 건너가 일리노이대학교를 거쳐 하버드대학교로 옮겨 1918년에 박사학위를 받았다.

박사학위를 받은 후 바로 귀국한 그는 우창[武昌]고등사범학교 교수가 되어 지리학과 기상학을 가르치기 시작했다. 1920년 난징[南京]고등사범학교로 옮겼고 1921년 이 학교가 둥난[東南]대학으로 바뀌자 지리학과로 갔으며 지학과로 바뀌면서 주임을 맡았다. 지학통론, 기상학 등을 강의하면서, 당시 강의 내용을 《기상학강의》로 출간했다. 특히 그는 그동안 기상관측의 중요성을 강조해 둥난대학에 있으면서 난징기상관측소를 세웠다. 또 그의 대학에 암석 표본실, 광물 실험실을 만들기도 했다.

1925년 초 상하이로 간 그는 중국 유수의 출판사 상무인서관[商務印書館]에서 출판 편집 일을 하기도 했으나, 곧 톈진[天津]의 난카이[南開]대학으로 자리를 옮겼다. 그리고 1년만에 난징으로 돌아가는데, 그가 있던 대학이 제4중산대학으로 바뀌면서 그를 초청했기 때문이다. 1928년 중앙연구원장 채원배(蔡元培, 1868~1940)는 그에게 난징에 기상연구소를 세우게 하고, 이듬해부터 그는 중앙연구원 기상연구소장이 된다. 그가 소장으로 있는 동안 난징의 북극각 정상에 기상대를 세운 것을 시작으로 태산, 아미산, 시짱[西藏]의 라싸(拉薩) 등에 기상대를 세웠다. 전국적 기상예보의 기초가 마련된 것이다. 또 기상전문 인력의 양성과 전문학술지를 만드는 데에도 크게 기여했다. 그 결과 중국의 태풍, 계절풍, 기후 변화 등을 연구하는 기초가 마련된 셈이었다.

태평양과학회의에 참가하는 등 국제 활동에도 가담한 그는 1932년에는 천문 용어 위원으로도 일했다. 그리고 1936년 4월 저장대학교 총장이 되면서 중국의 중심 과학자로 그의 활동 범위를 넓혀갔다. 중국에 현대 과학 특히 기상학과 지리학, 광물학 등을 도입한 그는 1936년부터 1949년까지 저장대학교 총장으로 대학을 발전시켜, 중국 과학사 분야에서 유명한 학자인 영국의 조지프 니덤으로부터 '동방의 케임브리지대학교'라는 격찬을 받기도 했다. 그는 중국 중앙연구원 원사가 되었으며, 1919년 마오쩌둥이 중국을 통일하자 중앙과학원 부원장으로 자연과학사 위원회 주임이 되었다. 중국 과학사에도 개혁적이고 대표적 인물로 부상한 것이다.

1926년 발표 논문에 '중국 측우기가 세계 최초'라고 주장

이런 그의 높은 위상 때문에 측우기가 중국의 것이란 그의 주장은 더욱 설득력을 얻으며 중국 학계에 퍼져 나갔다. 니덤은 그의 대표작《중국의 과학과 문명》3권(1959)에서 일본 학자 와다 유지[和田雄治,

1859~1918]의 소개로 이탈리아보다 2세기 전에 조선에서 사용했던 측우기에 대해 잘 알게 되었지만, "측우기는 한국의 발명이 아니라, 그 기원이 훨씬 전 중국으로 거슬러 올라간다"고 평가한다. 그리고 그 근거로 1247년 송나라 때의 수학책《수서구장(數書九章)》에 들어 있는 '천지측우(天池測雨)'를 들고 있다. 니덤은 1986년 조선 세종 때의 서운관(書雲觀)과 천문 기구에 대한 책도 썼는데, 여기서도 세종대의 측우기가 세계 최초는 아니라고 단언하고 13세기에 이미 중국에 강우량 측정 장치가 있었다고 했다. 그 근거로 주커전의 논문〈논기우금도여한재(論祈雨禁屠與旱災)〉《동방잡지》, 1926)를 들고 있다. 바로 주커전 때문에 니덤이 우리 측우기를 인정하지 않게 되었음을 알게 해준다.

하지만 주커전이 측우기를 알게 된 것은 이 논문보다 훨씬 전인 그의 하버드대학교 박사과정 때의 일이었다. 미국에서 공부하던 때에 그는 중국 유학생들이 내는 잡지《과학》에 몇 번 중국 기상학사 자료에 대해 논문을 발표했는데, 그 가운데 하나가〈조선고대의 측우기〉《과학(科學)》 2권 5기, 1916. 5. 25)이다. 얼마 전까지만 해도 나는 주커전의 우리 측우기 찬탈이 이때 이미 시작된 줄로 짐작했다. 하지만 그 논문을 읽어 보고 그렇지는 않음을 확인하게 되었다. 1916년의 논문은 그저 일본인 학자 와다 유지가 1910년에 쓴 측우기 논문을 중국어로 소개한 정도에 지나지 않았다. 아주 간단한 이 글에서 조선 세종 때의 측우기가 세계 최초라고 소개했던 주커전은 10년 뒤인 1926년에는 조선의 측우기가 세계 최초가 아니라 중국이 먼저였다고 주장하고 나선 것이다. 주커전은 26세 때 미국에서 쓴 논문과는 달리, 36세 때에는 자신 있게 측우기보다 앞서 중국에서 강우량 측정을 했다고 나선 것이다. 그러나 잘 살펴보면 1926년의 논문에서도 주커전이 측우기를 중국의 것이라 단정한 것은 아니다. 그 논문 내용을 보면 엉성하기 짝이 없다.

우리나라 고대의 우량 관측 방법은 아주 정밀했다. …… 조선에는 우량기가 있는데, 세종 7년 시작되었으니 명나라 인종(仁宗) 홍희 1년이고, 성조(成祖)가 죽은 다음 해(1425)가 된다. 그 제도에 대해서는 조선의 《문헌비고》에 보이는데 길이 1척 5촌, 원지름 7촌이다. 명나라의 성조는 우량 관측에 매우 관심이 많았으므로, 당시 조선의 측우기는 필시 중국에서 전해진 것임을 의심할 수 없는 일이다. 그 기구 자체가 지금 전해지지 않음은 애석한 일이다. 다만 우량기가 중국 발명임을 확정해주는 것으로 만족할 수밖에 없다. 대개 서양 각국은 17세기 중엽에 이르러서야 비로소 이 기구를 갖기 시작했다.

현대 중국 과학사학계에 절대적인 영향 끼쳐

그의 논문 어디에도 중국에 우리 측우기 같은 강우량 관측 장치가 있었다는 증거도 없고, 세종의 측우기가 중국의 어느 것을 흉내내어 만들었다는 증거도 없다. 완전히 일방적인 짐작과 주장에 지나지 않는다. 그렇지만 중국 기상학계에서 그의 위치가 절대적이었기 때문에 그의 1926년 논문은 멀쩡한 한국의 측우기를 중국의 것으로 만들어가는 결정적 계기가 되었던 것이다. 그 후 중국의 어떤 학자가 어떤 주장을 하며 측우기를 점점 더 중국의 것으로 만들게 되었는지는 연구가 더 필요하겠지만 주커전이 그 절대적 공헌자임은 분명하다.

주커전은 저장대학교 총장으로 과학교육사에 큰 업적을 세운 것으로 평가되고, 전국의 기상관측망을 만든 주인공이며 중국과학원 부원장을 지내기도 했던 중국 과학계의 지도자였다. 따라서 그의 1926년 논문이 절대적인 권위로 중국 과학사학계에 영향 주었을 것은 당연한 일이다. 2002년부터 중국과학사 학자들이 '주커전 과학사상(竺可楨科學史賞)'을 만들어 시행하고 있는 것은 중국 과학계에서 그의 위상을 보여주는 하나의 증거라 하겠다. 중국자연과학사연구소가 실시하는 이 제도는 주커전 과학사상 1명에게 메달과 상금 1천 달러, 2명의 청년학자상에는 메달과 500달러를 준다고 되어 있다. 그리고 그 시상은 3년마다 국제동아시아과학사의학사 국제회의에서 실시한다고 발표했다.

주커전은 84세를 살며 여러 권의 책과 논문을 냈다. 하지만 가장 주목할 것은 1936년 1월 1일부터 38년 37일 동안 쓴 일생의 일기이다. 모두 900만 자나 된다는 이 일기는 그가 죽은 다음 인민출판사와 과학출판사에서 나눠 출판했는데, 5권에 모두 320만 자 분량이다. 이 일기를 통해 그의 언행, 감상, 그리고 그가 관여했던 여러 가지 중국 과학사의 중요한 사건에 대해 많은 정보를 얻을 수 있을 것이다.

한일 과학사 세미나 주도한 일본의
야부우치 기요시
藪內淸 1906~2000

야부우치 기요시[藪內淸, 1906~2000]는 일본의 대표적 과학자이다. 특히 그는 중국 과학사의 연구와 교육에 평생을 바쳐 세계적인 명성을 이룩한 학자였다. 그의 이름을 아는 한국 사람은 그리 많지 않을 듯하다. 하지만 세계 과학사 학계에서 그의 이름은 영국의 조지프 니덤(Joseph Needham, 1900~1995) 다음쯤으로 유명하다. 《중국의 과학과 문명》이란 대질(大帙)의 책으로 한꺼번에 세계적 석학으로 인정받게 된 서양의 니덤이 훨씬 더 유명할지도 모른다. 하지만 알차게 중국 천문학사를 연구하여 정리하고, 또 중국 과학사학자들을 여러 명을 길러낸 공헌으로 치자면 그는 결코 니덤 못지않은 학자였다.

추모회 초청받고 연설

야부우치 기요시는 2000년 6월 2일 일본 교토의 자택에서 94세를 일기로 세상을 떠났다. 그리고 그의 추모회가 7월 23일 일요일 오후 교토회관에서 열렸다. 나는 당시 그의 제자들의 초청을 받고 그 자리에 참석해 갑자기 간단한 연설까지 하기도 했다. 외국에서 일부러 와준 손님은 나밖에 없던 셈이어서 특별히 인사를 요청받았던 때문이다. 외국 손님이 없었다는 것은 물론 조금 과장된 표현이기는 하다. 왜냐하면 한국의 전상운(全相運)도 부인과 함께 참석했던 까닭이다. 하지만 전상운은 그의 제자이니 그 자리가 이상할 것은 없다. 하지만 내가 인사말에서 말했듯이 그는 아마 '박 교수는 어떻게 거기 와 있는가?'하며 조금 의아했을지도 모른다.

하지만 돌이켜보면 잘한 일이란 생각이 든다. 비록 바쁜 여름방학 기간에 사흘 이상 시간을 소비했고 노자 돈도 적지 않게 썼지만, 세계적인 학자를 마지막 보내는 행사에 그렇게라도 참석했던 것이 잘한 일 같다. 1995년 봄 니덤이 작고했을 때에도 초청을 받았지만 영국 케임브리지대학교까지 다녀오기에는 시간과 경비가 너무 무겁게 느껴져 포기한 일이 있다. 그때 기억이 이번에는 쉽게 그 자리에 나를 달려가게 해준 것도 같다.

원래 그는 1929년 교토제국대학 우주물리학과를 졸업하고, 그 후 계속 모교에 남아 천문학사를 연구했다. 같은 대학에서 물리학을 공부한 그의 동기생 둘은 뒤에 노벨물리학상을 받았는데 바로 유카와 히데키 [湯川秀樹, 1907~1981, 1949년 수상]와 도모나가 신이치로[朝永振一郎,

1906~1979, 1965년 수상가 그들이다.

그가 중국 천문학사에 큰 업적을 남길 수 있었던 것도 따지고보면 그에 앞서 여러 학자들이 그 방면 연구에 좋은 업적을 남기고 있었기 때문이다. 신조오 신조[新城新藏]니 노다 시게아키[能田重亮]이니 이이지마 다다오[飯島忠雄]니 하는 학자들이 그런 중국 천문학사의 선배 학자들이다. 말하자면 야부우치 기요시는 그들 선배 학자들의 어깨 위에 올라서 그런 업적을 남길 수 있었던 셈이다. 또 그는 한국에 대해서도 어지간한 관심은 있어서 1981년 시작하여 두 나라를 오가며 여러 차례 계속된 '한일 과학사 세미나'에는 꼭 참석하고 강연했을 뿐 아니라, 사실상 주도적 역할을 했던 인물이기도 하다.

그의 책 가운데에는 《중국의 과학문명》, 《중국의 수학》, 《중국의 천문학》 등 세 가지만이 우리나라에 번역되어 있기도 하다. 그의 저술 가운데 비교적 대중적인 책들만이 번역되어 있는 셈이다. 하지만 그의 진짜 공헌은 중국 천문역산학의 역사를 깊이 있게 연구해 밝힌 것에 있고, 그 방면의 연구서로는 보다 폭넓은 것으로 《중국의 천문역법》을 비롯하여 《수당(隋唐) 역법사의 연구》 등이 있고, 제자들과 함께 낸 연구서로 《천공개물(天工開物)의 연구》, 《중국 중세 과학기술사의 연구》, 《송원(宋元)시대의 과학기술사》, 《명청(明淸)시대의 과학기술사》 등도 있다. 이런 보다 깊이 있는 저작들은 우리나라에는 아직 번역된 일이 없다. 그것은 우리의 과학사 연구 수준이 이런 작품을 읽을 만한 대학원생 층이 너무 얇은 탓이라 할 수 있다.

야부우치 기요시는 일생 동안 주로 학문 연구를 한 편이지만, 보다 대중적인 역할에도 상당한 시간을 들인 것으로 보인다. 그의 추모회에서는 제자 가운데 한 사람인 미야지마 가즈히코[宮島一彦]가 야부우치기요시의 일대기와 관련한 영상을 모아 소개했다. 그 영상을 보고 안사실이지만 그는 일본 공영방송 NHK에서 1970년대 후반에 교양 강좌를 맡아 방송한 일이 있는데 바로 그 방송을 교재로 낸 것이 1979년에나온 《중국 과학기술사》라는 방송교재인 것으로 보인다. 또 그는 여러차례 방송에도 출연하여 고대 천문도에 대해 해설도 하고 있었던 것을알 수 있었다.

제자 전상운의 회고

그는 한국 과학기술에 대해 특히 조예가 깊거나 직접 연구를 한 일은없다. 아마 그가 한국 과학사에 관심을 갖게 된 경위는 전상운이 그의제자로 교토대학교에서 박사학위를 받는 과정에서 생겨났던 것으로,그래서 전상운에게는 많은 추억이 있을 것으로 보인다. 전상운은 그런추억 가운데 한 대목을 그의 책 《한국과학사》에서 이렇게 회고하고 있다. 〈5장 고대 일본과 한국 과학〉에 있는 '일본으로 간 백제의 박사들'이란 글 가운데에 이런 대목이 보인다.

일본의 옛 서울들인 교토[京都]와 나래[奈良]를 잇는 전철은 나와는 인연 깊은
철도다. …… 교토와 나라의 유적을 찾아 아내와 수없이 다니던 철길이었
기 때문이다. 1993년에는 제7회 국제동아시아 과학사 회의가 거기서 열렸
고, 나는 그때 '동아시아의 경험 안에서의 과학기술'이라는 특별 공개강연
을 했다.

그 철도를 달리는 급행이 서는 전철역에 고우리 야마[郡山]라는 조금은 낯익은 고을이 있다. 한자로 '군산(郡山)'이라고 쓴다. 그 지역에서는 '郡'자를 일본의 흔한 발음인 'gun'으로 읽지 않고 'kouri'라고 읽는다. 우리말의 고을이다. 옛날에 한반도에서 건너간 전문가 집단이 정착했던 곳의 하나에서 유래한 것이라 한다. 1960년대 말에 나를 처음 그곳에 안내해준 나의 스승인 야부우치 기요시 교수의 설명이었다.

전상운을 직접 안내하면서 한일 고대 과학기술의 교류에 대한 자상한 설명을 해주었음을 알 수 있다.

'홍대용 지전설'에 관심

하지만 내가 야부우치 기요시를 알게 된 동기는 이것과는 조금은 대조적이다. 미국 유학 중이던 때의 일이다. 아마 1970년쯤 《조선학보(朝鮮學報)》라는 일본에서 나오는 학술지에 실린 그의 논문을 우연히 읽게 되었던 것으로 기억한다. 1968년 10월 발행된 이 잡지 49호에는 그의 논문 〈이조(李朝)학자의 지전설〉이라는 글이 실렸는데, 이 글을 읽고 나는 불만이 많았던 기억을 갖고 있다.

당시 미국에서 처음으로 우리나라 과학사 연구에 열을 올리고 있던 나는 홍대용(洪大容, 1731~1783)의 지전설에 관심을 가지고 있었는데, 거기에 대해 야부우치 기요시가 자신의 주장을 발표했기 때문이다. 그는 이 글에서 1760년대에 홍대용이 주장한 지전설은 당시 중국으로 와서 활동하던 서양 선교사들이 그에게 전해준 서양 천문학 지식을 근거로 하고 있었던 것이라고 주장하고 있었다. 그는 1765~1766년 베이징을 방문했던 홍대용이 누군가 서양 선교사를 만나 지전설을 듣고 그런 주장을 썼던 것이라고 판단했다.

이런 주장에 간단히 동의할 수 없었던 것은 그 내용 자체 때문만이 아니었다. 그가 그런 주장을 하는 것은 그리 이상할 것이 없다는 생각이었다. 하지만 그는 이런 주장을 하면서 막상 홍대용의 글 자체를 전혀 읽지 않고 이 글을 썼음을 발견했기 때문에, 나는 그 논문을 옳지 않다고 판단하고 있었다. 홍대용에게는 적지 않은 글이 남아 있고, 이를 모아 《담헌서(湛軒書)》라는 문집으로 일제시기에 서울에서 간행된 일도 있다. 그리고 이 문집은 당시에는 이미 교토대학교 도서관에도 있었을 가능성이 커서 야부우치 기요시도 구해보기가 그리 어렵지는 않았을 것 같다.

그런데 야부우치 기요시가 이 논문을 쓰면서 이 문집조차 읽지 않았던 것이다. 이 문집 안에는 베이징에서 홍대용이 네 차례나 서양 선교사를 찾아가 만났다는 사실이 들어 있다. 그러나 그들이 지전설을 말할 계제는 못되었다는 사실은 글을 읽어나가다 보면 금방 이해할 수 있다. 그들은 겨우 필담을 통해 아주 초보적 대화만을 나누고 있었다는 사실이 금방 이 문집에서 밝혀지기 때문이다. 홍대용은 서양 선교사들과 이야기를 나누었지만 깊이 있는 대화를 한 것은 아니었다.

그렇다고 홍대용이 그의 지전설을 독창으로 주장하게 된 것은 전혀 아니다. 당시 중국에 나와 있던 책들 가운데에는 이미 서양의 지전설을 소개한 것이 있었고, 홍대용은 그 책을 읽고 지전설을 옳다고 스스로 판단한 것으로 보인다. 홍대용의 지전설이 완전한 그의 독창이 아니라는 데에는 이론이 있을 수 없다. 하지만 그런 주장을 하면서 막상 홍대용의 글은 읽지 않고 논문을 쓴 것은 잘못된 일이 아닐 수 없다.

뒤에 생각해보니 사실은 이 논문도 그로서는 본격적 연구라기보다는 전상운을 제자로 받아들이면서 조금 알게 된 한국 과학사에 대해 무언가 써보고 싶은 생각에서 나온 글인 것으로 보인다. 그런 점에서는 그가 이를 계기로 한국 과학사에도 관심을 가지기 시작했고 '한일 과학사 세미나'를 적극 추진하게 된 것이다. 또 나름대로 한국과 일본, 그리고 중국의 과학사적 관련성에 대해 생각도 하고, 발표도 하게 되었던 것을 알 수 있다. 그런 뜻에서는 그의 불만족스런 논문 〈이조학자의 지전설〉은 야부우치 기요시의 한국에 대한 관심을 일으키게 된 전기를 마련한 중요한 글이란 판단을 하게도 된다.

물리·화학

1세기 전 과학을 개척한
그리스의 철학자 아리스토텔레스
Aristoteles 기원전 384~기원전 322

아리스토텔레스(Aristoteles, 영어로는 Aristotle, 기원전 384~기원전 322)라면 역사에 남는 유명한 철학자이고, 논리학의 아버지쯤으로 꼽히는 인물이다. 하지만 그는 과학자로도 대단히 중요한 자리를 차지한다. 그의 이름이 우리에게 처음 알려진 것은 언제쯤일까? 아마 1세기 남짓 전밖이 되지 않는 것 같다. 그의 이름이 한자로 '아리사다득리(亞里斯多得里)'라 표기된 채, 그에 대한 상당히 긴 전기가 1884년 《한성순보》에 실린 적이 있다.

1884년《한성순보》에 소개

중국에 와서 활동하던 서양 사람의 글을 베껴 놓은 이 기록에는 그의 아버지가 마케도니아 임금의 시의였던 사실도 있고 플라톤에게 가서 공부했다는 이야기도 적혀 있다. 아리스토텔레스의 이름이 이런 맹랑한 한자로 표기된 것은 중국에서 한자로 쓴 표기를 그대로 옮겨 놓았기 때문이다. 중국 발음으로는 그런대로 '야리쓰둬데리'쯤이 되니까 우리 발음으로 읽는 것보다는 그의 원래 이름에 가깝다.

아리스토텔레스는 고대 과학사의 가장 위대한 인물로 꼽을 수가 있다. 그는 옛날의 물리학에서도 중심적인 인물이라 할 수 있지만, 특히 생물학에서는 '생물학의 아버지'란 말을 들을 정도로 절대적 영향을 후세에 남겼다. 하기야 그의 생각이란 것은 꼭 아리스토텔레스 개인의 생각이라기보다는 당시 그리스 사람들의 사상을 대변했다고 보는 편이 옳다.

그는 이 세상에는 4원소가 있다고 생각하고, 그 4원소는 각기 그 서로 다른 무게에 따라 자기 위치가 정해져 있다고 주장했다. 당시 우주관은 지구가 우주의 중심에 있고 그 둘레를 천체들이 돌고 있다는 생각이었다. 4원소란 불―공기―물―흙(火氣水土)을 가리키는데, 이 순서대로 하늘에서 땅으로 배치되기 마련이다. 그러나 이들이 그 원래의 위치에 있지 않은 경우가 많고, 그래서 이 세상에서는 항상 변화가 일어난다. 즉 4원소는 서로 자기 자리로 되돌아가려고 운동하기 마련이라는 것이다. 공기 속에 있는 돌은 그 본래 자리인 아래로 떨어지게 마련이며 물속에 있는 공기 방울은 위를 향하게 된다.

불은 그 원래 자리인 하늘을 향하게 되는데, 불보다 높은 하늘 저쪽 우주에는 지상의 4원소와는 다른 또 한 가지 원소가 있다. 그것을 아리스토텔레스와 당시 그리스 사람들은 5원소라 불렀다. 프랑스 영화감독이 미국 배우를 동원해 만든 과학공상영화의 제목이 〈제5원소(1997)〉인 일도 있지만, 원래 이 말은 그리스시대부터의 중요한 용어라 할 수 있다. 그리스의 5원소는 냄새나 색깔, 무게도 없는 물질 가운데 가장 순수하고 고상한 물질이라 할만하다.

불－공기－물－흙의 4원소 주장

그런데 지상의 4원소는 이렇게 제자리를 찾아 움직이게 되고, 하늘을 구성하는 제5원소는 유일한 자연운동으로 지구 둘레를 영원히 원운동 한다. 지상에서 4원소가 지구를 향해 떨어지거나, 지구로부터 멀어져 가는 운동, 그리고 하늘에서 천체의 원운동은 모두가 자연스런 운동이다. 자연운동에는 외부로부터 아무런 힘이 작용할 필요가 없다. 무거운 물체가 땅으로 떨어지는 것은 지극히 자연스런 일인데, 그 경우 무거우면 무거울수록 더 빨리 떨어지는 것도 당연한 일이다.

　그는 이런 자연운동 이외에 다른 운동은 모두 외부로부터 힘이 지속적으로 작용해야 일어난다고 생각했다. 그렇다면 활을 쏘거나 대포를 쏘았을 때 계속해서 날아가는 이치는 어떻게 설명할 수 있을까? 밖에서 어떤 힘이 그 화살이나 탄환을 계속 밀어주고 있기 때문에 앞으로 날아갈 것이 아닌가? 아리스토텔레스는 그런 힘이 정말로 계속 작용한다고 믿었다. 그리고 그런 힘이란 다름 아닌 공기 속에서 일어나는 것이라고 판단했다. 그러니까 탄환이 한번 대포를 떠나 공중을 날기 시작하면, 그 탄환 둘레의 공기에 그 탄환을 앞으로 계속해서 밀어주는 그런 힘이 생긴다는 것이다.

그렇다면 진공 속에서의 운동은 어찌 될 것인가? 진공 속에는 탄환을 계속 밀어줄 그런 힘이 생길 수 없다. 따라서 진공이란 이 세상에는 존재할 수가 없다고 아리스토텔레스는 판단했다. 게다가 아무것도 없는 곳(진공)이 있다는 것은 논리적으로 불가능한 일이라고도 생각했다. 즉 '없는 것이 있다'는 말이 되는 셈이니, 이를 어떻게 인정하겠느냐는 생각이었다.

아리스토텔레스는 이리하여 '무거운 것은 더 빨리 떨어진다', 그리고 '진공이란 있을 수 없다'는 두 가지 잘못된 결론을 내렸다. 이는 잘못이었지만, 그의 이름은 중세 동안 기독교 사회에서 절대적인 존재였기 때문에 감히 아무도 도전할 수가 없었다.

생물학에서도 그는 위대한 업적을 남겼다. 특히 동물학에서 그의 공헌은 대단하여 동물을 12가지로 분류하고 여러 가지 동물에 대해서는 해부까지 한 것으로 밝혀져 있다. 그에 따르면 생물이란 보다 완전한 것을 향해 조금씩 모자라는 존재들이 그 차례대로 늘어서 있는 사다리 꼴의 구조로 배열되어 있다. 아주 낮은 동물에서부터 그보다 조금 더 나은 동물로, 그리고 좀 더 나은 동물로 줄을 서 있는 것이다. 하지만 그는 이런 조금 다른 동물이 서로 진화하거나 퇴화한다고는 생각하지 않았다. 그의 이런 생각을 후에 '자연의 사다리(Ladder of Nature)'라 부르기도 했다.

생물학 연구에도 큰 업적

우리는 여기서 또 한 가지 아리스토텔레스의 한계를 느낄 수가 있다. 그는 생물의 진화를 전혀 믿지 않았던 것이다. 대체로 이런 여러 가지 자연에 대한 생각들, 즉 그 나름의 자연과학을 바탕으로 기독교 신학 체계는 세워졌다. 그는 기독교시대보다 3세기 이상 앞서 산 사람인 것을 주목하면 당장 왜 그의 영향이 기독교에 미쳤을까 짐작이 될 것이다. 말하자면 2000년 전에 정비되어 중요한 종교로 자리 잡은 기독교는 그전에 그리스 사상가들이 내세웠던 여러 가지 생각들을 밑에 깔고 신학 체계를 세워갔던 것이다. 당연히 기독교는 진화론을 반대했고 지동설도 반대할 수밖에 없었다. 말하자면 아리스토텔레스가 지동설을 믿지 않았고, 진화설을 생각하지 않았기 때문에 기독교도 그리했다는 편이 좋을 것 같다.

물론 17세기에 들어서자 아리스토텔레스의 운동 이론은 중대한 시련을 맞게 된다. 갈릴레오 갈릴레이(Galileo Galilei, 1564~1642)는 피사의 사탑에서 무거운 공과 가벼운 공을 함께 떨어뜨려 둘이 같이 떨어진다는 사실을 실험으로 밝혀냈다고 전해진다. 과학사학자들은 갈릴레이는 그런 실험을 한 것 같지 않다고 말한다. 하지만 그 시대에 그런 실험은 이미 다른 과학자에 의해 실행된 바 있으니까 누가 그런 실험을 했다는 사실은 그리 중요하지 않다. 또 진공은 없다는 주장도 성립할 수 없다는 것이 바로 갈릴레이의 제자 토리첼리(Torricelli, 1608~1647)에 의해 실험되었다.

지상에서의 운동에 대한 새로운 설명이 나오게 되었고, 그 새로운 설명을 가장 잘해준 과학자가 갈릴레이였다. 그리고 갈릴레이의 땅에서의 물체의 운동 이론과 케플러(Kepler, 1571~1630)의 하늘에서의 천체 운동의 이론을 결합하여 뉴턴(Newton, 1642~1727)은 만유인력의 법칙을 발견하게 된다. 우주의 모든 운동을 설명할 수 있는 하나의 법칙을 발견한 인간은 자연현상을 설명하는 자신감에 들뜨게 되었고, 그것이 곧 17세기 '과학혁명'의 핵심이었다.

'과학혁명'은 바로 아리스토텔레스의 잘못된 생각을 바로잡는 데에서 시작되었음을 알 수 있다. 이런 측면에서 볼 때 아리스토텔레스는 마치 잘못된 전통의 주인공처럼만 보일 수도 있다. 그러나 이를 뒤집어 생각하면 그의 이름이 얼마나 위대한 것이었으면, 2000년 동안 세상 사람들은 별다른 생각 없이 그의 잘못된 이론을 따라 자연을 설명하고 있었을까 생각하게 된다. 그만큼 아리스토텔레스는 위대한 과학자였던 것을 알게 된다.

다시 그의 일생을 처음으로 국내에 소개한 1884년 우리나라 최초의 신문 《한성순보》의 기사로 돌아가보자. 이 신문은 순한문으로 쓰여 있는데, 몇 가지 다른 자료에는 보통 쓰지 않고 넘어가는 내용도 한문으로 들어 있어 흥미롭다. 예를 들면 아리스토텔레스는 첫째 부인이 딸 하나를 낳고 죽자 재혼하여 아들을 얻었다는 것이 적혀 있다. 그 아들 이름을 기사에서는 '니격마고사(尼格馬古斯)'라 적고 있다. 니코마코스(Nikomachos, 50~150?)를 가리킨 것이다.

삼단논법의 논리학 창시자

또 논리학의 창시자 중 한 사람으로 알려진 그는 특히 삼단논법을 확립한 것으로도 꼽히는데 그것을 여기서는 이렇게 설명하고 있다. '사람이 늙어 죽는다'를 초급(初級)으로 하고, '나도 늙는다'를 중급(中級)으로 하면, 이 두 가지로부터 '나는 반드시 죽는다'는 말급(末級)을 얻는다는 것이다. 또 한 가지 예로 여기에는 갑, 을, 병이 서로 같은 것을 증명하는 방법을 다음과 같이 설명한다. '을과 병은 같다'(초급), '갑과 병 역시 같다'(중급), 이로부터 '갑과 을은 같다'는 말급을 얻는다는 것이다. 말급이란 지금 우리 말로는 결론을 가리킨다는 것을 알 수 있다. 이런 3단계를 갖춘 증명방법을 '서라길사막사(西羅吉斯莫斯)'라 하고, 아리스토텔레스의 이런 학문을 '라길격(羅吉格)'이라 한다고 결론짓고 있다. 이들 두 가지 한자 표현은 각기 '실로지즘(syllogism, 삼단논법)'과 '로직(logic, 논리학)'이란 라틴어 내지 영어를 가리키고 있다는 것은 짐작할 수 있다.

아리스토텔레스는 어려서 어찌나 독서를 많이 하고 공부를 열심히 했던지 잠도 자지 않고 책을 읽었다는 것도 적혀 있다. 졸음을 물리치기 위해 그는 한 손에 구리알을 들고 그 아래에는 구리 접시를 놓아 두어 졸다가 구리알을 떨어뜨리면 큰 소리가 나도록 해서 잠을 깨워주도록 했다는 것이다. 이런 예를 들면서 이는 마치 '현량자고(懸樑刺股)'와 마찬가지로 열심히 독서했음을 보여준다고 설명하고 있다. 현량자고란 상투를 대들보에 매달고, 바늘로 다리를 찌르면서 공부하던 태도를 가리킨 것이다.

아마 1884년의 이 글을 읽은 우리 선조들이 그리 많지는 않았을 것이다. 하지만 이렇게 아리스토텔레스는 아주 천천히 우리들에게 그 이름을 알리기 시작했음을 알게 된다. 그가 제자를 가르친 학원은 리케이온(lyceum)이라 부르는데 그 근처 가로수 길에서 그는 제자들과 거닐며 학문을 토론하고 가르친 것으로 유명하다. 그래서 아리스토텔레스학파란 말을 지금도 소요학파(逍遙學派)라 부르기도 한다. 이 말도 이 기사에는 유교(遊敎)라 표현되어 있다.

큰 거울로 배를 태운 그리스의 과학자
아르키메데스
Archimedes 기원전 287?~기원전 212

옛날 그리스 시대에 알몸으로 거리를 뛰어다닌 사람이 역사의 중요 인물로 전해오고 있다. 바로 그리스의 과학자 아르키메데스(Archimedes, 기원전 287?~기원전 212)이다. 그는 목욕탕에서 벌거벗고 뛰어나와 알몸으로 거리를 뛰어다니며 "유레카! 유레카!(eureka)"를 외쳤다고 전한다. 임금이 그에게 준 숙제를 풀 수가 있게 되었기 때문에 기뻐서 "알았다! 발견했다!"를 외친 것이라고 한다.

그런데 이 아르키메데스란 과학자가 우리 역사에는 아주 일찍부터 그 모습을 드러내고 있다. 실학자로 잘 알려진 이익(李瀷, 1681~1763)의 글을 보면 '아르키메데스의 큰 거울'에 대한 이야기가 나온다. 《성호사설(星湖僿說)》에 보이는 그 글에 의하면, 큰 거울로 햇빛을 반사시켜 그

집중된 빛으로 적의 배들을 불태웠다는 것이 쓰여 있는데, 이것은 틀림없는 아르키메데스 이야기이다. 이익은 이 이야기를 사람 이름과는 연관시키지 않은 채, 서양의 이탈리아에서는 누가 큰 거울을 만들어 그것으로 태양을 반사시켜 적선 수백 척을 한꺼번에 다 태워 버렸다고만 써 놓은 것이다.

이탈리아 남쪽 섬에서 태어나

적어도 250년은 되었을 이 기록을 보면 그때 벌써 아르키메데스란 서양 과학자가 우리나라에 조금씩 알려지고 있었음을 알게 된다. 아르키메데스는 그리스의 마지막 도시국가라 할 수 있는 지금의 이탈리아 남쪽 섬나라에서 활약한 수학자이며 과학자였다. 그런데 이런 이야기가 어떻게 조선의 학자에게 알려졌을까? 아마 당시 중국에서 출간되었던 서양 사정을 설명한 책 《직방외기(職方外紀)》에서 얻은 정보일 것으로 보인다.

이 책은 세계 여러 나라의 사정을 중국에 소개하기 위해 이탈리아 출신 선교사 율리우스 알레니(Giulio Aleni, 1582~1649)가 쓴 책으로 1623년에 베이징에서 나왔다. 1613년부터 베이징에서 활약하고 있던 알레니는 이 책에 "아이기묵득(亞而其墨得)이라는 천문학자가 큰 거울을 만들어 햇빛을 반사시켜 적선을 비추어 불을 일으켜 수백 척을 한꺼번에 불태웠다"고 써 놓고 있다. 큰 거울을 만들어 적의 배 수백 척을 불태웠다는 한자 표현은 글자까지 똑같지만, 이익은 그 주인공 '아이기묵득'이란 부분만은 소개하지 않고 있다. 그냥 이탈리아 사람이라고만 쓰고 있는 셈이다. 이 '아이기묵득'이 바로 '아르키메데스'의 한자식 표기이다.

도르래로 큰 배 이동시켜

내가 발견한 아르키메데스에 대한 우리나라의 다음 문헌은 1857년 최한기(崔漢綺, 1803~1877)가 쓴 《지구전요(地球典要)》이다. 이 책에 보면 아르키메데스에 대한 소개가 훨씬 상세하게 나온다.

《지구전요》는 당시 세계 사정을 소개한 책인데, 이탈리아 소개 부분에 아르키메데스의 세 가지 공적이 다음처럼 소개되고 있음을 알 수 있다. 그의 첫째 공적은 바로 이익도 이미 소개한 큰 거울로 적선을 불태운 사실이다. 다음으로는 도르래를 이용하여 꼼짝도 않던 큰 배를 혼자서 움직이게 했다는 사실이다. 아르키메데스가 히에론왕이 아주 커다랗게 만들어 바닷가에 놓아둔 채 바다 속으로 밀어 넣지를 못하고 있던 배를 혼자서 여러 개의 도르래를 이용하여 밀어 넣었다는 그 전설이다. 최한기는 이 방법을 '거중지법(擧重之法)'이라 소개하고 있다. 세 번째 아르키메데스의 공헌으로는 자동 혼천의(渾天儀)의 발명에 관한 이야기가 있다. 혼천의란 것은 천체 관측 장치를 가리키지만, 흔히 천체의 위치를 들여다보고 알 수 있는 천구의를 가리키기도 한다. 이 경우는 천구의를 말하는 것으로 보이는데, 세종 때 경회루 연못 북쪽에 세웠던 혼상(渾象)이 그에 해당한다. 아르키메데스는 자동으로 움직이는 혼상을 만들었다는 뜻이다.

이런 세 가지 발명 또는 공헌을 소개하면서 최한기는 그의 이름을

'아이기묵득'이라고 하여 중국에서 선교사가 내놓은 《직방외기》에 표기된 이름과 똑같은 글자로 그의 이름을 나타내고 있다. 그런데 아르키메데스의 일화 가운데 가장 유명한 '벌거벗고 뛰기'에 대해서는 1909년 장지연(張志淵)이 쓴 책 《만국사물기원역사(萬國事物紀原歷史)》라는 책에 보인다. '비중(比重)'이란 제목 아래 쓰여 있는 내용은 다음과 같다.

사라교사의 물리학자 아기미저사(亞其美底斯)가 처음으로 물체가 물속에 있음을 발견하니, 그 줄어드는 무게는 물체를 물속에 넣을 때 그 넘쳐흐르는 중량과 서로 같다는 것이다. 당초에 아(亞)씨가 이를 발명할 때에 우연히 욕실에 있었는데, 욕통에 들어갈 때 통 속에 뜨거운 물이 가득 찼다. 그 속에 자기 신체가 들어가자 물이 넘쳐 흐르므로 이 이치를 깨닫고 기쁨을 이기지 못하여 자기가 벌거벗은 것도 까맣게 잊은 채 "내가 발견했노라. 내가 발견했노라"를 외치며 욕탕을 뛰어나와 거리를 달려 돌아오니라.

제목은 비중이지만, 그 내용이 대단히 부실한 것을 알 수 있다. 원래 국한문 혼용으로 명사는 거의 다 한자로 쓰여 있을 뿐 아니라 그 내용 소개가 지은이도 무슨 뜻인지 모른 채 어디서 베껴 놓은 글임을 당장 짐작하게 한다. 장지연은 어디서 이런 글을 베껴 놓은 걸까? 지금으로서는 알 길은 없다.

우리나라에서는 20세기 초 소개

아르키메데스에 관해서는 여러 가지 이야기가 전하는데, 그 가운데 가장 유명한 사건은 목욕탕에 들어갔다가 왕관을 순금으로만 만들었는지 검사할 방법이 생각나자 그만 기뻐서 정신없이 밖으로 뛰어나가 벌거벗은 채 거리를 달려갔다는 이야기이다. 바로 아르키메데스의 이 이야기가 우리나라에는 20세기 초에서야 조금씩 알려지고 있었음을 보여준다.

아르키메데스라면 그 밖에도 더 많은 일화가 남아 있다. 당시 그 도시국가는 히에론왕이 지배하고 있었는데, 로마의 장군 마르켈러스의 침략 아래 힘든 싸움을 전개하고 있었다. 아르키메데스는 조국을 위해 몇 가지 무기들도 발명했고 그 밖에도 많은 것들을 발명한 것으로 전해진다. 그의 발명 가운데 대표적인 것으로는 로마 군대에게 큰 돌을 쏘아 보내는 투석기(投石器)도 있고, 물을 낮은 곳에서 높은 곳으로 끌어 올리는 양수기도 있다.

특히 그의 양수기는 '아르키메데스의 나선(Archimedean screw)'이란 이름으로 불리는 것으로 최근까지도 이집트 지방에서는 사용된다고 적혀 있다. 17세기 이후 중국에 온 서양 선교사들은 바로 이런 양수기를 소개했는데, 그 장치가 우리나라에도 전해져 그런 그림을 그린 농서(農書)가 여러 가지 전해진다. 이 양수장치를 중국에서, 그리고 우리나라에서는 용미차(龍尾車)라고 불렀다. 나선형으로 되어 있는 모양이 빙글빙글 돌면서 위로 물을 끌어올린다 하여 붙여진 이름이다. 그는 원주율(π)을 3.1408보다는 크고 3.1429보다는 작다는 값 범위까지 구하고 있었다고도 알려져 있다.

그러나 정말로 그가 만들었다는 커다란 거울은 배를 수백 척씩 태워 줄 수가 있었을까? 그의 커다란 거울에 대해서는 이미 1727년에 프랑스의 과학자 조르주 뷔퐁이 실험으로 그 가능성을 증명한 적이 있다. 300 미터 이내의 거리라면 큰 거울로 햇빛을 반사시켜 부싯깃을 태울 수 있다는 것이다. 물론 이때의 거울이란 평평한 것이 아니라 오목거울을 말한다. 또 기록에 따라서는 커다란 거울 한 개가 아니라 여러 개의 거울을 여러 사람이 나눠들고 있는 것이라고도 한다. 여하튼 이론적으로는 적선을 불태울 수도 있기는 한 것으로 보인다. 그러나 적선이 조금만 움직여도, 또는 적선이 하얀 색깔로 되어 있다고 해도 그걸 불태우기란 쉽지 않을 것 같다.

자연과학 현상 수학적 풀이

그는 자연현상을 수학적으로 설명하려는 노력을 기울인 거의 최초의 과학자라고 평가할 수 있다. 그는 "나에게 알맞은 크기의 지렛대와 그것을 받칠 받침대를 마련해 달라. 그러면 지구라도 움직여 보이겠다!" 라고 말했다고 한다. 그는 앞에 말한 것처럼 도르래를 사용하여 무거운 물체를 작은 힘으로 움직일 수 있을 뿐 아니라, 지레 역시 같은 이치로 작용한다는 것을 처음으로 밝혀낸 과학자였다.

수학을 이용하여 자연현상을 설명하려는 그의 태도는 그의 죽음과 함께 서양 고대 전통에서 사라져 버렸다. 그리고 그런 태도가 다시 서양에서 확실하게 나타난 것은 16세기부터의 일이었다. 특히 16세기의 이런 전통은 그대로 갈릴레이에 전해져 근대 과학을 시작하는 정신이 됐다. 근대 과학은 바로 자연현상을 수학적으로 설명하려는 정신이 바탕이 되어 꽃 피울 수 있었던 것이다.

아르키메데스는 기원전 212년 로마의 마르켈러스 장군의 군대가 시라쿠사를 점령함으로써 죽음을 맞게 되었다. 원래 로마 장군은 유명한 과학자였던 그를 데려오라고 병사 몇 사람을 보냈다고 한다. 그러나 마침 풀고 있던 수학 문제를 그가 마저 풀고 가겠다고 고집하자, 화가 난 병사들은 그를 살해하고 말았다고 한다. 그것이 사실이었는지는 영원히 확인할 길이 없다. 어쩌면 많은 야사에 담긴 이야기들처럼 이것도 꾸며낸 이야기일지도 모른다. 하지만 그의 죽음은 바로 사변적 자연철학의 마지막 과학자가 실용적이고 무력적인 로마의 칼 앞에 죽어갈 수밖에 없었던 역사적 전환을 잘 보여 준다.

'관성의 법칙' 결론 지은 프랑스의
르네 데카르트
René Descartes 1596~1650

우리나라에서 데카르트(René Descartes, 1596~1650)라면 거의 모를 사람이 없을 지경이고 그의 "나는 생각한다. 고로 존재한다"라는 말은 널리 알려져 있기도 하다. 이 말은 영어 "I think, therefore I am" 또는 라틴어 "Cogito ergo sum"으로 모두 널리 인용되고 있다. 물론 프랑스어 "Je pense donc je suis"로 기억하는 사람도 많을 것이다.

우리나라에 약 100년 전 처음 소개

이 말이 그의 대표적인 업적인 듯 알려져 있다는 사실만으로도 그는 과학자보다는 철학자로 더 알려져 있다는 것을 알 수 있다. 하지만 역사를 되돌아보면 사실 그는 철학을 하려고 한 것이라기보다는 과학을 잘 하려다가 철학자가 되었다는 생각이 든다. 여하튼 그의 이름을 처음 우리나라에 전한 사람은 유길준(兪吉濬)으로 유길준의 《서유견문(西遊見聞)》(1895)이 처음 데카르트의 이름을 이 땅에 알린 것으로 보인다. 재미있는 사실은 이 책에서 유길준은 데카르트의 이름을 제대로 전하지 못하고 있어서 그의 이름이 이 땅에 처음 알려질 때는 '카르테스' 정도가 되어 엉뚱한 이름으로 전해지고 있었다.

유길준은 개화기의 선각자로 개화를 위해 서양문명을 국내에 소개하기 위해 《서유견문》을 썼다. 그런데 이 책의 13편 처음에 들어 있는 〈태서 학술의 내력(泰西學術來歷)〉이란 글 속에는 데카르트에 대한 소개가 이렇게 엉터리로 시작되고 있는 것을 알게 된다.

布蘭施(프란세스)와 裵坤德(바콘데스)과 哥道修(카데스)의 제학자(諸學者)가 문명(文明)한 기(氣)를 응(應)하야 인간(人間)에 출(出)한지라. 실용(實用)있는 학업(學業)을 수진(修進)하며 실상(實像)있는 이치(理致)를 증거(證據)하야 세인(世人)의 취심(醉心)을 성(惺)하며 몽경(夢境)을 파(破)하야 허탄(虛誕)한 풍욕(風浴)을 배척(背斥)하고……

이 글에서 유길준은 17세기에 프란세스, 바콘데스, 카데스 등의 세 학자가 문명의 기운을 일으켜 실용적인 학문을 닦고 실질적 연구에 힘써 사람들의 취해 있던 마음을 깨우치고 꿈속에 살던 사람들을 그에서 벗어나게 하며 허탄스런 풍속을 배척했다고 적고 있는 것이다. 그러나 그가 말한 세 사람은 사실은 두 사람이며 그들은 바로 17세기 대표적

과학사상사로 꼽히는 영국의 프랜시스 베이컨(Francis Bacon, 1561~1626)
과 프랑스의 르네 데카르트를 가리킨다는 것을 당장 짐작할 수 있다.
유길준이 어디서 이런 정보를 베끼다가 글자 사이를 끊고 이어주는 데
이런 실수를 했는지, 아니면 아예 처음부터 그 자료에 이런 잘못이 있
었는지 아직 확인할 수는 없다.

　하지만 이 땅에 처음 서양 사람들의 이름이 알려지기 시작할 때 이런
혼란이 많았을 것은 짐작하기 어렵지 않다. 말하자면 17세기 과학사상
가로 지금도 우리들이 첫 손가락에 꼽는 베이컨과 데카르트가 1세기
전에는 이런 어정쩡한 이름으로 우리 조상들에게 알려지기 시작했던
것이다.

부유한 지방법관 아들로 태어나

프랑스의 브르타뉴 지방의 법관 아들로 태어난 데카르트는 소년시절
예수회 교육을 받으며 자랐다. 1612년 파리에 갔던 그는 1617년에는
장교로 입대하여 네덜란드에서 거의 2년 동안 군복무를 했고, 그전에
는 수학 공부에 열성이기도 했다. 그는 거의 일평생을 그의 조국 프랑
스에서보다는 이웃나라 네덜란드에서 지냈다. 데카르트는 평생 직업 없
이도 살 수 있을 정도의 유산을 받았던 것으로 보인다. 그의 일생을 소
개하는 글 속에는 그의 사생활 등에 대한 정보는 대개 나오지 않는다.

　데카르트에게는 당시 사람들이 아직 종교의 틀에서 벗어나지 못하
고 또 불확실하고도 거친 사고방식에 머물고 있는 모습을 못마땅하게
여겼던 것으로 보인다. 그는 인간 사고의 확실성을 보장하기 위해 인

간은 모든 것에 대해 그 존재 자체를 의심하고 들어가지 않으면 안된다고 생각했다. 그리고 이런 회의를 거쳐 인간이 도달하게 되는 결론이 바로 나는 생각하고 있으며 그 생각하는 존재로서 내가 존재한다는 사실만은 의심없이 받아들일 수 있다고 결론지었다. 그는 이런 방법적 회의를 거쳐 이 세상에 존재하는 가장 근본적인 것으로 신, 물질, 그리고 운동을 들었다.

다시 이를 근거로 데카르트는 이 세상에 운동이 처음 생긴 것은 신이 우주를 창조할 때 부여한 그 운동뿐이며 그 운동의 총량은 바뀌지 않고 그대로 지속될 것이라고 보았다. 이런 생각에서 그가 얻은 결론이 바로 '운동량 보존의 원리'라 할 수 있다. 그는 이런 전제 아래 물질의 운동을 여러 가지로 생각하기 시작했다.

그 결과 그는 충돌 전후의 운동량의 보존을 생각하게 되어 여러가지 운동법칙을 생각하기 시작했고 그 결과 그는 역사상 처음으로 관성의 법칙에 도달한 물리학자였다고도 알려져 있다. 그에 앞서 이미 갈릴레이가 관성을 생각하고는 있었지만 아직 관성운동이란 원운동일 것이라는 전통적 생각을 떨쳐버리지 못했다. 그러나 데카르트는 처음으로 관성운동은 직선운동일 수밖에 없다는 올바른 결론에 도달했다.

직선운동의 관성법칙 첫 결론

데카르트는 수학적 사고의 중요성을 높이 인정하여 수학 연구에 매달렸다. 그에게는 수학이야말로 모든 지식의 기준이 될 만한 가장 완전에 가까운 지식으로 보였기 때문이다. 그 결과 그는 그때 발달하기 시작한 대수학적 방법을 전통적인 기하학에 응용하여 이른바 '해석기하학'을 창시하기도 했다. 그의 덕택으로 인류는 처음으로 여러 가지 기하학적 모양을 간단한 대수학적 관계식으로 표현하고 또 그것을 계산하기도 할 수 있게 된 것이다. 오늘날 그의 이름은 '데카르트 좌표', '데카르트 곡선', '데카르트 곱', '데카르트 부호법칙' 등 수학과 관련되어 가장 여러 가지로 역사에 남아 있을 지경이다.

그는 플라톤, 아리스토텔레스 등 그리스의 과학자나 사상가들이 생각했던 것과 마찬가지로 이 세상을 구성하는 물질은 원자일 수는 없다고 굳게 믿었다. 이 세상은 원자와 그것들이 움직일 수 있는 텅 빈 공간으로 구성되었으리라는 일부 원자론자들의 주장에 반대한 것이었다. 그 대신 그는 우주를 구성하고 있는 것은 원초적 물질로 구성된 소용돌이(vortex) 같은 것으로 그것이 우주를 가득 채워주고 있다고 굳게 믿었다. 그 물질적인 것의 운동이 바로 천체들을 그 궤도 위에 떠받쳐 준다고도 생각했다.

그 물질의 소용돌이 속에서 무거운 것은 아래로 떨어지고 가벼운 것은 위로 올라간다. 지구 둘레에는 지구의 소용돌이가 있어서 달을 그 둘레에 띄워두고 또 가벼운 것은 지구 둘레로 그리고 무거운 것은 지구 가운데로 떨어뜨려준다. 마찬가지로 태양둘레에는 역시 같은 소용돌이가 있어서 그 둘레를 지구나 다른 행성들이 돌게 마련이다. 뉴턴의 만유인력의 법칙이 확립되어 더 그럴듯하게 설명이 가능해질 때까지 사람들은 데카르트의 소용돌이 이론이 우주 속에서의 천체운동을 가장 잘 설명한다고 믿었다.

데카르트의 이런 자연관 내지 우주관은 기계론적인 원칙을 그 바탕에 깔고 있다. 당연히 인간도 다른 동물, 식물과 마찬가지로 물질적 존재로서 운동법칙에 따를 수밖에 없다. 그렇다고 해서 인간의 정신을 데카르트가 부정한 것은 아니었다. 그의 사상의 근저에 흐르는 정신을 '물심 2원론(物心二元論)'이라고도 부르는 까닭은 여기에 있다.

흔히 세계 명작이라면서 거론되는 데카르트의 작품으로는《방법서설(方法序說, Discours de la methode)》(1637)이 있다.《방법서설》은 그것만으로 독립된 책이라 알려지기 쉽지만, 사실 이 책은 그 뒤에 이어진《굴절광학》,《기상학》,《기하학》등의 서론에 해당하는 그의 과학적 저술의 안내부분이라 할 수 있다. 아직 많은 학자들이 라틴어로 자신의 주장을 책으로 내던 시기에 그는 프랑스어로 이 책을 썼다. 더 많은 사람들이 읽어주기를 바랐기 때문일 것이다.

빛의 굴절도 과학적으로 입증

그는 빛의 굴절 문제에 대해 과학적 설명을 찾아내는 데 기여한 초기의 위대한 광학자였다. 데카르트는 광선이란 아주 작은 알맹이의 흐름이라 생각했다. 바로 빛의 입자설(粒子說)을 주장한 것이다. 그리고 이를 전제로 그는 빛은 공기 속에서 보다는 밀도가 높은 물질 속에서 더 빨리 전달된다고 추론했다. 따라서 그의 주장을 근거로 그는 굴절의 법칙을 유도했는데 그것을 입사각과 반사각 사이에 사인(sine)법칙이 성립한다는 것이었다.

그런데 1637년 이 법칙을 처음 알아낸 사람은 데카르트가 아니라 네덜란드의 과학자 빌레브로르트 판 로에이언 스넬(Willebrord van Roijen

Snell, 1591~1626)이었다. 또 그의 빛의 입자설은 뉴턴에 의해서도 계승되었지만 입자설을 근거로 추론해낸 사인법칙에 대해서는 프랑스의 페르마(Fermat, 1601~1665)가 정반대 설명을 들고 나와 크게 논쟁이 되기도 했다. 즉 데카르트가 공기 속에서 보다 물속에서 빛의 속도가 빨라진다고 주장한 것과 반대로 페르마는 '페르마의 원리'를 발표하여 빛이 한 점에서 다른 점으로 갈 때는 언제나 그 시간을 최소로 하는 방향에서 운동한다면서 빛의 속도는 물속에서 보다 공기 속에서 더 크다고 나선 것이다. 이 논쟁은 19세기가 되어서야 페르마의 승리로 끝나게 된다.

자유로운 나라였던 네덜란드도 이 무렵에는 켈빈파 신학자들의 득세로 그에게 점점 살기 어려운 곳이 되어가고 있었다. 그때 마침 그에게는 스웨덴의 크리스티나 여왕으로부터 초청장이 왔다. 1649년 가을 그는 네덜란드를 떠나 스웨덴의 스톡홀름으로 갔고 계약대로 매일 새벽 5시면 여왕에게 가서 철학을 강의해야 했다. 데카르트는 추운 날씨에 결국 폐렴에 걸리고 말았고 그 길로 회복되지 못하고 1650년 2월 11일 50세의 일기를 마치고 말았다.

과학자이자 정치가였던 중국의
방이지

方以智 1611~1671

'물리'란 말을 처음 쓴 사람으로는 중국 명나라 때의 학자 방이지(方以智, 1611~1671)를 꼽을 수가 있다. 그의 대표작 《물리소지(物理小識)》가 '물리'란 표현을 제목 속에 담고 있기 때문이다. 하지만 엄밀하게 말하면 이 책 제목에 나오는 '물리'란 말은 지금의 물리학과는 거리가 있다. 한자는 같지만 방이지의 '물리'란 사물의 이치를 말하는 유학자의 일반적 표현이어서 현대 과학의 물리와는 크게 다른 것이다. 오히려 오늘날 우리가 사용하는 물리학의 '물리'를 처음 만든 것은 메이지유신(1868) 직후 일본의 니시 아마네[西周, 1829~1897]라고 하는 편이 옳다. 여하간 그의 '물리'가 지금의 물리학은 아니라고 하더라도 《물리소지》를 쓴 방이지는 당대의 대표적 학자로 역사에 이름을 남겼다.

방이지의 전문 분야는 자연철학, 말하자면 지금의 과학이라 할 수 있다. 중국 땅에서 명나라가 망하고 청나라가 중원을 차지한 것을 1644년으로 꼽는데, 방이지는 바로 그 명청 교체기를 살다간 인물이다. 명나라 말기는 혼란스러웠고, 수많은 농민들이 반란군에 가담하여 여러 곳에서 반란군 부대가 생겨났다. 그 가운데 역졸 출신으로 대표적인 반란군을 이끌게 된 이자성(李自成, 1606~1644)은 수많은 경쟁자들을 물리치고 베이징에 진입하여 명나라의 마지막 황제가 목매어 자살하게 만들기도 한다. 하지만 얼마되지 않아 오삼계(吳三桂, 1612~1678)의 인도로 베이징을 함락시킨 청나라 군대에 나라를 내어주게 된다.

전통 과학·학문에 대한 당대의 지식 총정리

방이지는 안후이성 출신으로 왕조가 명에서 청으로 바뀌는 혼란기에 학문을 하던 과학자이며 정치가, 사상가라 할 수 있다. 그는 자를 밀지(密之), 호는 녹기(鹿起)를 썼다. 1640년 과거에 급제하여 한림원의 검토직을 잠깐 했지만, 나라가 이자성의 손아귀에 떨어지자 남쪽으로 망명했다. 명나라 황족이 남방에서 명나라를 계승한다며 남명을 세우자, 방이지는 학자로서 경연관 자리를 맡았다. 임금에게 강의를 하는 자리였다. 1649년에는 남명 정부에서 예부상서 및 동각대학사 자리를 주었으나 사양하고 받지 않은 일도 있다. 그는 이미 명나라가 위기에 처했을 때, 많은 다른 선비들과 더불어 복사 운동에 가담한 일도 있는 정치 활동가였다. 막상 명나라가 남쪽에서 마저 멸망하자 머리를 깎고 입산해버렸다. 중이 된 그는 이름을 대지(大智), 자를 무가(無可), 호를 홍지

(弘智), 오로(五老), 부정(浮庭) 등으로 불렀다. 또 사람들은 그를 약지화상이라 불렀다고도 한다.

그의 대표작인 《물리소지》는 천문·역학·산학·지리·역사·물리·생물·의약·문학·음운 등 전통 과학과 학문의 모든 분야에 대한 당대의 지식을 정리해 나열하고 있다. 이 책의 분류를 보면 다음과 같다. 권1은 하늘에 관한 내용(天類), 권2는 비와 바람, 구름과 천둥번개류(風雷雨暘類), 그리고 땅에서 일어나는 일(地類), 여러 가지 예측(占候類)을 설명한 글들을 모아 놓았다. 권3은 인체(人身類), 권4~5는 의약(醫藥類)이다. 권6은 음식과 의복(飮食類, 衣服類), 권7은 광물(金石類), 권8은 기용(器用類)으로 구성되었다. 권9는 풀과 나무, 즉 식물(草木類)을 다루며, 권10에는 새와 짐승(鳥獸類)에 관한 것으로 시작되어 권11로 이어진다. 그리고 마지막으로 권12는 신기하고 특이한 현상(鬼神方術類, 異事類)을 설명하는 내용이다.

흔히 방이지의 사상은 유물론적이라는 지적이 있다. 《물리소지》의 머리말에서 그는 세상 모든 것은 '일(事)'이라며, 그것은 또한 '물(物)'이라 규정하고 있다. 사람의 마음도 '물'이고, 인간의 성명(性命) 역시 '물'이고, 따라서 우주만상이 다 하나의 '물'이라고 말하고 있다. 이렇게까지 '물'이란 말을 포괄적으로 쓴다면 그가 말하는 '물'은 유교, 특히 신유학의 전통에서 그리 멀리 떨어진 것도 아닌 것이라 할 수 있다.

주희(주자)의 주장처럼 하나하나를 연구하면 언젠가 활연관통한다는 생각과는 달리, 방이지는 질측(質測)과 통기(通幾)를 말하고 있다. 질측이란 단지 관찰, 측량, 실험만이 아니며, 현상의 기술에 머물 것이 아니라 '그러한 까닭'을 캐는 회의주의적 정신으로 관통하고 있다. 《물리소지》의 내용은 대개가 천문, 의약, 초목 등에 관한 개별적 존재와 현상에 대한 상세한 관찰, 실험, 또는 옛 기록 인용 등이다. 하지만 그는 앞선 사람들의 의견이나 서양인들의 설명을 그대로 옮겨 소개하는 것이 아니라 많은 경우 이의를 제기한다. 이와 같은 그의 회의적인 태도 때문에 방이지는 청나라 때의 고증학의 선구자로 떠받들어진다.《물리소지》의 서문에 "만력 연간에 서양 학자의 들어옴을 보니, 질측은 상세하지만 통기는 부족하다"고 밝히고 있다.

20여 년에 걸쳐《물리소지》12권 저술

방이지는 상당한 학자 집안 출신이다. 증조부 방학점, 할아버지 방대진, 아버지 방공소가 모두 책을 남겼을 정도이고, 그는 아버지의 책 가운데《잠초(潛草)》를 여러 차례 인용하고 있다. 아버지 방공소는 첫 부인 오영의와의 사이에서 2남 1녀를 두었는데 방이지가 장남이었다. 또 방이지에게는 아들 셋이 있었는데 방중덕, 방중통, 방중리 역시 모두 학자였다. 방이지는 12세 때 어머니를 잃은 후 고모 방유의의 도움으로 길러졌다고 하는데, 자신의 어머니와 고모 모두 시를 쓰고 서화에 능한 재주를 가진 여성들이었다.

방이지는 9세 때 이미 시를 짓고 12세에는 6경을 외웠으며, 소년 시절에 이미 음악, 서화, 병법에도 통하기 시작한 것으로 전한다. 그가 20세 때 향시를 보러 난징[南京]에 갔으나 산시[陝西]에서 일어난 농민전쟁이 심해 시험을 제대로 보지 못했다고 한다. 그는 그 대신 많은 선비들과 사귈 수 있었다. 그는 29세 때인 1639년 안칭[安慶]의 향시에 합격했으나, 이듬해 전시를 기다리는 동안 아버지가 죄를 지어 옥에 갇히는 일을 당하기도 했다. 그럼에도 불구하고 그는 시험에 합격하여 진사가 되었고, 그의 정성어린 구명 활동으로 아버지는 석방되었다. 그가 그의 대표작 《물리소지》를 쓰기 시작한 것은 이때부터였다.

《통아(通雅)》
방이지가 30여 년 동안 심혈을 기울여 편찬한 52권의 철학서 《통아》의 서문

하지만 바로 명나라가 망하고 청나라가 베이징을 차지하면서 방이지는 한때 투옥되었으나 탈출에 성공하여 고향으로 돌아갔다. 잠시 남쪽의 망명 정부에서 관직을 얻었으나, 곧 청병이 들어오자 죽기를 각오했지만 오히려 석방되었다. 그러자 그는 머리를 깎고 이름을 오수재(吳秀才)로 바꾸고 방랑하기 시작했다. 다시 고향으로 돌아온 그는 《물리소지》, 《의학회통》, 《통아(通雅)》 등을 완성했다. 《물리소지》의 첫 간행은 1664년인데, 집필을 마치는 데 약 20년이 걸린 것이다.

그는 난징 등의 여러 사찰에서 승려로 있었는데, 1655년 그의 아버지가 죽자 3년간 시묘를 하기도 했다. 이 기간에 그는 아버지의 저서 《주역시론》에 자신의 주역에 관한 책 8권을 붙여 《주역시론합편》 23권을 완성한다. 그 후 여러 절을 돌아다녔고, 지안(吉安)의 청원산에 있는 정거사의 주지를 한 적도 있다. 1671년 60세의 방이지는 체포되어 호송되던 중에 만안의 황공탄 근처에서 병을 얻어 사망했다고 알려져 있다.

하지만 그가 무슨 일로 체포되었는지는 밝혀져 있지 않다.

서양 과학에도 큰 관심 가져

아버지의 저서를 합쳐 주역 연구를 책으로 남긴 것에서도 알 수 있는 것처럼 방이지는 주역에 깊은 관심을 보였고, 상수역(象數易)에 절대적 믿음을 보이고 있다. 그런가 하면 서양 과학에 대해서도 큰 관심을 나타내고 있다. 《물리소지》에는 알레니의 《직방외기》와 아담 샬의 《주제군징》이 등장하지만, 그 밖에도 알레니의 다른 책 《원서기기도설》, 마테오 리치의 《사행론약》 등은 읽었을 것이 분명하다. 실제로 그는 《물리소지》에서 서양의 천문학, 의학, 지리학, 기계기술 등을 소개하고 있다. 《물리소지》 내용을 분석한 중국 학자들의 보고에 의하면, 이 책에는 약 5퍼센트 정도 내용이 당시 중국에 들어와 활약하던 서양 선교사들의 저술에서 따온 것이라 한다. 그 정도면 상당히 많은 서양 과학기술의 영향을 받고 있었다고도 할 수 있다.

일본의 과학사학자 사카데 요시노부坂出祥伸의 연구에도 보이듯 방이지의 영향이 일본에서는 상당한 듯하다. 하지만 《물리소지》가 우리나라에서 인쇄되어 나온 일은 없는 듯하다. 지금 서울대학교 규장각에도 1664년판 《물리소지》가 있는 것으로 보아 조선시대에도 이를 읽고 영향을 받은 사람도 분명 있었을 것이다. 아직 연구가 되어 있지 않을 뿐이다.

'만유인력' 발견한 영국의
아이작 뉴턴
Sir Isaac Newton 1642~1727

중국식 이름은 '우동'

'우동'을 모르는 사람은 없다. 그러나 그것이 우리나라에 처음 뉴턴이
알려질 때의 이름인 줄 아는 사람은 거의 없다. '만유인력의 발견자' 뉴
턴은 아마 세상에 모를 사람이 없겠지만 그는 1세기 전까지 우리 선조
들에게는 전혀 알려져 있지 않았다. 그리고 그 이름이 처음 알려졌을
때 그것은 중국식으로 표기된 '우동(牛董)'이란 한자 이름으로 알려진
것이다.

물론 중국어로는 '뉴동'쯤으로 읽어지니까 조금도 이상할 것이 없지
만 뉴턴 이름이 '우동'으로 둔갑한 경우를 나는 《한성순보》 1884년 2월

11일자에서 처음 발견했다. 이 신문에는 서양의 과학사를 소개하는 글이 길게 실려 있는데, 그 가운데 그의 이름이 '우씨(牛氏)' '우동' 등으로 표현되어 나온다.

처음 우씨가 나오는 것은 바로 '만유인력의 법칙' 발견을 소개하는 대목이다. 케플러의 3법칙을 소개한 다음 사람들은 왜 행성이 그렇게 규칙적으로 운동하는지, 그렇게 해주는 힘이 무엇인지 알지 못했는데 우씨가 이를 해결했다는 설명이다. 사과가 떨어지는 것을 본 우씨는 왜 사과는 하늘로 솟아오르지 않고 땅으로 떨어지나 생각하던 끝에 '흡력상인지리(吸力相引之理)'를 발견해냈다는 설명이다. '만유인력의 법칙'이란 표현이 당시에는 '흡력상인지리'라고 했다는 것을 알 수 있다.

세상의 모든 물체는 이 힘을 가지고 있는데 질(質)의 크기에 따라 서로 끄는 힘의 차이가 있다는 것이다. 그래서 사과와 지구는 서로 끌지만 사과의 질이 훨씬 작아 지구로 끌리는 것이 떨어지는 현상이라고 설명되어 있다. 천체에는 바로 가려는 힘과 무거운 천체로 떨어지려는 힘이 있어서 그 두 가지 힘이 균형을 이루면 다른 천체의 둘레를 돌게 된다고도 설명하고 있다. 그래서 태양 둘레를 도는 행성들은 바로 그런 태양의 힘 때문에 태양 둘레를 공전한다고 기록되어 있다. 또 힘은 거리의 제곱에 반비례한다는 것도 쓰여 있다.

이 글의 끝부분에서 기사는 처음으로 뉴턴 이름을 '우씨(牛氏)'가 아니라 '우동(牛董)'으로 나타냈는데 그를 이탈리아의 갈릴레오 갈릴레이, 프랑스의 르네 데카르트, 독일의 빌헬름 폰 라이프니츠, 영국의 프랜시스 베이컨 등과 함께 물리학 발달의 주인공으로 꼽은 대목이다.

《독립신문》에는 '우탄'으로

그 후에도 1887년의 《한성주보》에는 그 이름을 우동(牛董), 나단(奈端)이라 한자로 표기했고 1895년에 국한문으로 쓴 유길준의 《서유견문(西遊見聞)》이란 책에는 '류돈(柳頓)'이란 한자 표현도 나온다. 그런가 하면 순한글 신문으로 나온 《독립신문》 1899년에는 뉴턴을 '우탄' '뮤톤'이라 써 놓은 경우도 보인다.

이렇게 우리 조상들에게 처음 알려진 뉴턴은 틀림없이 근대 물리학의 아버지라 불러도 좋을 거인 과학자였다. 그는 겸손해서 "내가 멀리 볼 수 있었던 것은 내가 거인들의 어깨 위에 올라서서 앞을 볼 수 있었던 때문"이라고 말했다고 전해진다. 그에 앞서 천체운동을 밝혀냈던 케플러, 그리고 지구상에서의 자유낙하운동을 밝혀주었던 갈릴레이 등은 그가 말하는 선배 거인들에 속하는 대표적 경우였다. 그러나 갈릴레이와 케플러 등의 거인 어깨 위에 섰던 뉴턴은 그 자신 역시 대단한 거인이었던 것을 우리는 알게 된다.

17세기 말 새 우주관 완성

그가 만유인력의 법칙을 발표한 책은 1687년 《자연철학의 수학적 원리》인데 근대 과학의 금자탑이며 바로 근대 과학의 대표작이라 할 수 있다. 순전히 과학사적인 측면에서 말하자면 그것은 코페르니쿠스가 1543년 시작하여 갈릴레이와 케플러에 의해 더 전진하고 있었던 새로운 우주관의 완성을 뜻한다.

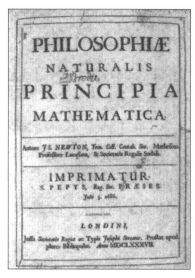

《자연철학의 수학적 원리》 표지

사상사적 의미에서는 중세의 기독교 신학 체계에 대해 비판적이던 새로 성장하는 지식층에게 그것은 새로운 자연관과 세계관의 승리를 보여주는 복음이었다. 더구나 그것은 경제사적으로는 바로 지구상의 대발견 이후 제국주의로 가는 길목에 섰던 유럽이 요구하던 항해기술 때문에 발달한 천문학과 역학의 혁명으로도 여겨진다. 뉴턴의 만유인력의 법칙은 그야말로 만병통치의 효험을 가진 17세기 말 유럽의 복음이었고 그 복음을 실은 경전이 바로《자연철학의 수학적 원리》였던 것이다.

《자연철학의 수학적 원리》란 제목은 라틴어로 발행된 원저 *Philosophiae Naturalis Principia Mathematica*(1687)를 옮긴 것이다. 보통은 그 라틴어 제목 가운데 한 단어만을 따서《프린키피아(Principia)》로 부르는 수가 많다. 이 책에서 처음으로 중학교 교과과정에도 나오는 '운동의 3법칙'이란 것을 볼 수가 있다. 관성의 법칙, 가속도의 법칙, 작용과 반작용의 법칙 등으로 알려진 이 법칙들을 그전 사람들은 파악하지 못하고 있었다. 예를 들면 옛 사람들은 하늘에서의 운동과 땅에서의 운동은 전혀 그 성격이 다르다고 굳게 믿고 있었다. 아리스토텔레스에 의하면 하늘에서는 모든 천체들이 완전한 원운동을 영원히 거듭하며 그것은 자연스런 운동이어서 어떤 힘도 필요하지 않다.

그러나 땅에서의 자연스런 운동이란 우주의 중심을 차지하고 있는 지구로 떨어지는 운동과 지구에서 달아나는 운동 밖에 없었다. 공기 속의 돌이 지구로 떨어지듯 둘레보다 무거운 것은 아래로 떨어지고 둘레보다 가벼운 것이라면 지구 반대방향으로 운동할 것이기 때문이다. 그리고 이런 때 운동하는 속도는 그 무게가 클수록 더 빨라질 것도 예상할 수가 있었다. 바로 이 부분은 이미 뉴턴 이전에 갈릴레이가 '피사의 사탑' 실험으로 그 잘못을 밝혔다. 누가 그런 실험을 했건 그 중요한 점은 바로 아리스토텔레스의 운동 이론이 뒤집혔다는 데에 있다.

말하자면 케플러는 달이 지구 둘레를 어떻게 돌고, 그 속도는 어떻게 계산할 수 있는지를 밝혀 놓았고 갈릴레이는 사과가 떨어지는 속도를 계산할 수가 있었던 셈이다. 하지만 두 사람은 아직도 달의 운동과 사과의 운동을 같은 것으로는 생각해보지 못하고 있었다. 뉴턴이《프린키피아》에서 밝힌 것은 바로 이것이다. 즉 사과가 땅으로 떨어지는 운동이나, 달이 지구둘레를 도는 운동은 똑같은 운동 법칙에 따른 것이라는 사실이다. 그 운동법칙의 대표적 표현이 바로 만유인력의 법칙이며, 이 법칙을 유도해내는 과정을 보여주는 책이 바로《프린키피아》였던 셈이다.

우리는 지금 서양사에서 18세기를 '계몽주의'시대로 부르는데, 바로 뉴턴이 어둠 속에 살던 인간을 해방시켰다는 뜻에서 나온 표현이다. 이에 대해 프랑스의 계몽사상가 볼테르도 "사람은 모두 눈이 멀어 있었다. 케플러가 한 눈을 뜨게 해주었고 뉴턴에 의해 두 눈을 뜨게 된 것이다"라고 말했다.

86세까지 평생을 독신으로

뉴턴은 1642년 12월 25일에 영국 링컨셔에서 유난히 작은 아기로 태어났다. 그의 어머니는 유복자로 태어난 뉴턴이 오래 살지 못할까 걱정했지만 건강에는 큰 걱정 없이 결혼을 하지 않은 채 86세까지 살았다.

케임브리지대학교를 다닌 그는 학창시절 그다지 뛰어난 재능을 보인 적은 없다. 그러나 케임브리지대학교 교수가 된 다음 조금씩 그의 발견·발명을 발표하면서 주목을 받기 시작했다. 이미 반사망원경을 발표했던 그는 1687년의 《프린키피아》 발간으로 세계적 주목을 받게 되었다. 그는 이어서 1704년 《광학》을 발표하여 이 방면에도 최고 권위자로 존경받게 되었다.

뉴턴은 《프린키피아》 이외에도 프리즘에 의한 스펙트럼 발견, 미적분학 등 수학적 업적 등으로 과학사에 기억된다. 그의 생애는 전반부가 과학자로서의 그것인데 반해 후반부는 오히려 반과학적이랄 수 있을 정도로 종교사와 연금술에 열중했다. 그의 장례식은 당대 최고로 장엄하고 전 국민의 애도를 얻은 것이었고 그 후 웨스트민스터사원에 안장되었다.

원소 이름 한자로 개발한
중국의 서수

徐壽 1818~1884

산소, 수소라는 말은 영어의 oxygen, hydrogen을 우리말로 옮겨 만든 것이다. 아니 엄격하게 말하자면 이런 단어는 '우리말'로 만들어졌다기보다 일본 사람들의 번역을 우리도 그대로 따르고 있을 뿐이다. '일제 잔재'란 말이 많이 사용되는데 엄격하게 말하라면 산소, 수소, 질소 등의 원소 이름도 모두 일제 잔재에 속한다.

일본인들이 만들어 식민지 조선에서 가르쳐 보급해 놓았던 말을 우리가 그대로 따르고 있기 때문이다. 1996년 11월 철거한 조선총독부 건물이 일제가 이 땅에 만들어 놓은 건물이어서 일제 잔재라면, 이들 원소 이름도 똑같은 '일제의 찌꺼기'가 된다고 할 수 있다. 그런데 아무도 산소, 수소, 질소 등의 이름을 바꾸자고는 하지 않는다.

그러나 같은 한자 문화권의 중국인들은 이 원소들을 이런 이름으로 부르지 않는다. 한때 중국인들도 일본에서 만든 용어들을 그대로 쓴 적이 있다. 그러나 수십 년 동안의 방황, 토론, 논의 끝에 중국 학자들은 원소 이름을 독자적으로 개발해 지금 우리와 전혀 다른 이름을 쓰고 있다. 예를 들면 산소, 수소가 중국에 가면 '양(氧)', '경(氫)'으로 바뀌는 것이다. 중국에서는 108개의 원소 이름이 모두 한 글자로 표시되어 있는데, 아주 편리한 방식으로 분류되어 있다. 원소를 자연 상태에서 기체, 액체, 고체 등으로 나누고 그 각각의 원소 이름에 이를 나타내주는 것이다.

산소를 양기, 수소를 경기로

기체 상대의 원소라면 기(氣)의 글자 가운데 아랫부분 미(米) 대신에 다른 글자를 넣어 이를 나타내고, 액체라면 삼수변(水=氵)의 오른쪽 부분에 글자를 넣어 만든다. 고체 원소는 두 가지로 나타내는데, 금속 원소는 쇠금변(金) 오른쪽에 글자를 넣고 비금속 원소는 돌석변(石)에 글자를 넣는다.

예를 들면 앞에 예로 든 산소와 수소는 자연 상태에서 공기이기 때문에 기(氣)의 가운데에 양(養)과 경(輕)자를 넣어 만든다. 원래 중국에서는 산소를 생물을 길러주는 공기라 하여 양기(養氣)로 번역했고, 수소는 가장 가벼운 공기라 하여 경기(輕氣)라 했다. 바로 이런 양기, 경기 등의 이름을 처음 만든 주인공이 서수(徐壽, 1818~1884)였다. 그리고 이런 이름을 20세기에 들어와서 중국 화학자들은 다시 수정하여 모두 한

글자씩으로 나타내게 되었다. 그러나 그 근원을 찾아가면 바로 서수의 원소 이름이 떠오르는 것이다. 지금 중국어 사전에 보면 '양기'니 '경기'니 하는 이름 대신 그것이 더욱 간소화되어 두 글자를 하나로 합친 새 글자를 만들어 원소 이름으로 쓰고 있음을 알 수가 있다.

또 중국인들이 한자를 간소화하는 바람에 글자는 더욱 간단하게 바뀌어 산소의 '양(氧)'자나 수소의 '경(氫)'자가 모두 아주 간단한 획수로 되어 있음을 알 것이다. 그 주인공 서수는 무석(無錫)이란 도시에서 1818년 2월 26일 태어났는데, 그의 고향은 상하이에서 서쪽 난징으로 가는 기차를 타고 한참만에 지나가는 평원 한가운데 있는 도시였다.

상당히 가난한 가정에서 아버지 서문표와 어머니 송씨 사이에서 태어난 그는 5살에 아버지가 겨우 27세의 젊은 나이에 죽자 홀어머니 밑에서 자랐고, 그 어머니마저 17살에 잃고 말았다. 그 후 그는 성(盛)씨와 결혼하여 아들 대려(大呂)를 하나 낳고, 그 부인이 죽자 한(韓)씨와 재혼하여 두 아들 건인(健寅), 화봉(華封)을 얻었다. 그러는 동안 그는 과거 준비를 하고 있었던 것으로 보인다.

하지만 30살 때 아편전쟁이 일어나자 그는 전통적인 학문의 무력함을 절실하게 느끼게 되어 새로운 학문에 대해 관심을 높여 갔고, 1842년 전쟁이 끝나 난징조약을 맺으며 중국이 서양에 정식으로 굴복하기 시작하자 서수의 서양에 대한 관심은 높아져 갔다.

결국 그는 1857년 고향 후배로 같은 뜻을 가지고 있던 화형방(華衡芳, 1833~1902)과 함께 상하이로 갔다. 당시 상하이에는 이미 서양 사람들의 활동이 두드러져 선교사들이 기독교 포교를 위해 세운 출판사 혹해서관(黑海書館)에서는 기독교 서적을 상당수 내고 있었고, 틈틈이 약간의 과학책도 내고 있었다.

여기서 서수가 만난 사람이 바로 그 출판사에서 번역 일을 하고 있던 이선란(李善蘭, 1811~1882)이었다. 이들의 만남은 중국 근대 과학사에서 아주 중요한 의미를 갖는다고 할만하다. 이들 세 사람은 바로 19세기 후반에 크게 활약하여 중국에 근대 서양 과학을 배워들이는 데 탁월한 공을 남긴 대표적 과학자들로 기록되기 때문이다.

그들이 상하이에 가기 2년 전인 1855년 상하이 흑해서관에서는 영국의 선교 의사 합신(合信, Benjamin Hobson)이 쓴 《박물신편(博物新編)》이 출판되어 있었다. 서수는 특히 이 책의 영향을 크게 받아 서양 과학, 그중에서도 근대 화학에 관심을 갖게 된 것으로 밝혀져 있다.

수정을 깎아 프리즘 실험도

서수는 상하이에서 이 책을 비롯하여 여러 가지 서양 과학을 소개하는 자료는 물론 몇 가지 기구들도 사가지고 고향으로 돌아왔다. 그리고 후배 화형방과 함께 여러 가지 실험도 해보고 또 서양 과학에 관한 책을 읽고 나름대로 연구했다.

《박물신편》에 있는 프리즘 실험에 관한 이야기를 읽은 서수는 프리즘을 구할 수 없자 도장으로 쓰는 수정을 삼각형으로 갈아 그 실험을 해볼 정도로 열성이었다. 《박물신편》은 3집으로 되어 있는데 1집에는 산소, 수소, 질소 등을 포함하여 화학, 물리, 기상 등에 관한 내용을, 2집은 천문학, 3집은 동식물학에 대한 내용으로 구성되어 있다. 이 책은 서수에게만 중요한 영향을 준 것이 아니라 우리나라의 최한기(崔漢綺)

에게도 영향을 주었다.

최한기는 이 책을 읽고 그 상당 부분을 자신의 책《신기천험(身機踐驗)》에 이용하고 있을 정도인 것이다. 그러나 중국의 서수가 이 책에서 영향을 받아 화학 실험을 해보고, 드디어 스스로 근대 화학자로 성장해간 것과 달리 최한기의 관심은 그 내용의 일부만을 소화해서 자기 책에 써 놓는 정도에 머물렀다.

아직 1860년대의 조선 지식층 가운데에는 서양 과학에 대한 지식이 거의 알려져 있지 않았던 때문이다. 1861년 9월 그는 안칭으로 나가 그곳에 있는 무기제작소에서 일하게 되었다. 여기서 그가 중심이 되어 만든 것이 중국 최초의 근대식 화륜선이다.

2년의 실패 끝에 그는 여기서 처음으로 증기기관으로 움직이는 배를 만들 수 있었던 것이다. 1865년에 성공한 길이 55자, 시속 20리의 이 배에는 황곡호(黃鵠號)라는 이름을 붙여 주었는데, 그곳 책임자로 이 시대 중국 근대화운동의 지도자의 한 사람이었던 증국번(曾國蕃)이 붙여준 이름이다. 그리고 1865년 바로 그해에 증국번은 이홍장(李鴻章)과 힘을 합쳐 상하이에 보다 본격적인 서양 기술을 배우는 기관을 세웠는데, 그것이 강남제조국(江南製造局)이다.

1867년 서수는 강남제조국으로 직장을 옮겼고, 이때부터 그는 배를 다시 개량하는 일에 관여하면서 화학 연구에 빠지기 시작했다. 1868년 강남제조국에는 서양 과학기술 책을 번역해내기 위한 기구를 독립시켜 만들고 서양 사람을 고용했다. 그 한 사람이 서수와 협조하여 많은 일을 하게 된 존 프라이어[John Fryer, 전난아(傳蘭雅), 1839~1928]였다. 1867년 이후 그가 죽은 1884년까지 17년 동안 그가 번역한 책은 20종은 되는 것으로 밝혀져 있다. 거의 화학책이지만, 가장 대표적인 책은 1871년 후라이어와 번역해낸《화학감원(化學鑑原)》이다.

그리고 바로 이 책에서 서수는 서양의 원소 64가지를 소개하면서 그에 상당하는 중국 이름을 각 원소 모두 한 글자씩으로 정하기로 하고 있다. 그 후 이 원칙은 잊혀져 두 글자짜리 이름이 많이 사용되다가, 20세기 초에 수십 년 동안의 논쟁 끝에 중국인들은 원소 이름을 한 글자씩으로 하기로 확정했다. 바로 서수의 정신을 되살려 오늘날의 중국인들은 원소 이름을 정하게 된 것이다.

그는 또한 상하이 주재의 영국 영사가 과학 연구 보급기관으로 격치서원(格治書院)을 만들자고 주장하자 이에 동조하여 동지를 모아 1876년 정식으로 이를 개원했다. 그 규칙 가운데에는 기독교 선교를 하지 않고 오로지 과학의 연구, 강연, 교육 등만 한다고 정해져 있었다.

초기에 전기 실험을 해주며 강연을 할 때에는 50명이 넘는 청중이 구경하는 일도 있었다. 이 기구는 40년 동안 중국 근대 과학교육에 절대적으로 중요한 몫을 했다고 할 수 있다.

서수는 프라이어와 함께 중국 최초의 과학잡지《격치휘편(格治彙編)》도 창간해 정기적으로 책을 발간했다. 이 잡지는 그보다 몇 년 앞서 베이징에서 내던《중서견문록(中書見聞錄)》이란 잡지를 이어낸 것이기는 하지만《중서견문록》이 사회과학까지 함께 소개하는 잡지라면,《격치휘편》은 과학만을 다루고 있는 잡지였다.

중국 최초의 과학잡지 창간

나의 연구에 의하면 1880년대에 우리나라에서 서양 과학지식을 전해 주는 데 아주 큰 몫을 한《한성순보》,《한성주보》등은 바로 이 과학잡지 기사를 옮겨온 경우가 많은 것으로 밝혀졌다. 1884년 9월 24일 상하이에서 죽을 때까지 그는 화학 분야만이 아니라 다른 과학기술 분야에서도 많은 책을 번역하고, 연구 업적을 남겼다. 예를 들면 그의 번역서 가운데에는《법률의학》이란 책도 있는데 서양의 법의학을 소개한 것이고,《측지회도(測地繪圖)》는 서양의 측량학을 설명한 책이다. 또 수학책도 있고 중국 고대 음악의 발전과 고대 악기를 연구한 논문도 남아 있다.

그에게는 아들이 셋 있었는데, 그 둘째 서건인(徐建寅, 1845~1901) 역시 아버지를 이어 화학자, 과학자로 활약했다. 어려서부터 아버지의 과학 연구에 관심을 가지게 되었던 서건인은 17세에는 이미 아버지를 따라 증국번의 아래 들어가 있었고, 이듬해 아버지가 안칭으로 가자 따라가게 되었다.

그는 그의 아버지가 지은 기선 '황곡호'를 만드는 데 한몫을 했고 이어 다른 배들을 제작하는 데에 몰두하기도 했다. 또 화약, 무기, 황산, 염산 등을 만드는 일에도 관여했다. 서건인이 중국 근대 민족공업의 창시자라고 꼽히는 까닭이 여기에 있다. 또 1868년부터는 서양 과학기술 서적을 번역하는 일에도 가담하여 주로 프라이어와 함께《화학분원(化學分原)》,《성학(聲學)》,《전학(電學)》등을 비롯하여 모두 25종의 책을 번역한 것으로 알려져 있다. 이 가운데《성학》은 영국의 대표적 물리학자이며 대중적인 과학자로 당시 유명했던 존 틴들(John Tyndall, 1820~1893)의 책을 번역한 것으로 중국에 소개된 최초의 음향학 또는 소리에 관한 물리학책이었다.

일본 최초의 물리학자
야마카와 겐지로
山川健沈郎 1854~1931

일본 최초의 물리학 박사 야마카와 겐지로[山川健沈郎, 1854~1931]는 우리나라 최초의 물리학 박사 최규남보다 45년 전인 1888년 물리학 박사학위를 받았다. 최규남이 미국의 대학에서 학위를 받은 것과 달리 야마카와 겐지로는 일본 정부에서 주는 학위를 받았다. 여러 가지로 서로 비교하기는 어려운 점도 있지만 한국의 물리학과 일본의 물리학이 서로 수준 차이를 보이며 시작하는 모습을 짐작하는 데에는 도움이 될 것이다.

1888년 그가 일본인으로는 처음으로 박사학위를 받았던 것은 당시로 서는 일본의 국가적 행사였다. 즉 메이지유신과 함께 문명개화에 더욱 열성을 기울이던 일본 정부는 1888년 새로 학위령(學位令)을 발표하고 이에 따라 각 분야의 학자 25명을 선발하여 박사학위를 수여한 것이다. 그는 이미 미국에 유학하여 물리학 공부를 하고 돌아온 경력을 가진 도쿄제국대학 물리학 교수였다. 그리고 일본인으로서는 최초의 물리학자였고 또 최초의 물리학 교수였다. 그래서 야마카와 겐지로에게는 당시 일본학계를 대표하여 국가 박사호가 주어졌던 셈이다.

16세 때 처음 구구단 공부

아이즈[會津] 지방의 사무라이 집안 출신의 야마카와 겐지로가 물리학을 공부하게 된 것은 순전히 우연에 의한 것이라 할만하다. 15세 때 고향에서 난리가 나자 그는 군대에 들어가게 되었지만, 어린 그에게는 소총을 조작할 힘이 없다는 판정이 나는 바람에, 군대를 면제받고 그 대신 지방 정부의 명령에 따라 프랑스어를 배우게 되었다. 그러나 소란이 더해지자 그는 1867년 도쿄로 나가 영어를 공부하기 시작했다. 또 수학에도 취미를 붙여 공부하기 시작했다. 16세가 되어서야 구구단을 공부하게 되었지만 그의 공부는 날로 발전하고 있었다.

1870년 야마카와 겐지로에게 좋은 기회가 찾아왔다. 일본 정부는 당시 홋카이도를 개발하기로 정하고 그 담당관리를 선발하여 외국의 선진 학문을 습득시켜 데려다가 일을 맡기기로 정했던 것이다. 그러자면 추운지방 출신 가운데 인원을 선발할 필요가 있었고, 그러다 보니 그에게 기회가 주어졌다. 1871년 일본을 떠나 미국에 도착한 그는 1년 동안 기초 과목들을 공부한 다음 예일대학교 이학부 전신인 셰필드과학학교에 들어간 것인데, 그가 물리학을 택하게 된 까닭을 이렇게 설명하고 있다. 원래 그는 미국에 가는 배를 타고 있으면서도 서양을 달갑게 여기지 않았다는 것이다. 그러나 미국으로 가는 동안 태평양 한가운데서 두 배가 예정대로 서로 만나 우편물을 교환하는 것을 목격하고 과연 서양 학문을 배우지 않으면 안 되겠다는 결심을 했다는 것이다.

당시의 일본인에게는 그 넓은 태평양 한가운데에서 두 배가 서로 정확하게 만날 수 있다는 것이 신기하기 짝이 없었던 것이다. 그리고 그가 물리학을 택한 까닭은 1872년 에드워드 유먼스(Edward. Youmans)가 창간한 《월간 대중과학(The Popular Science Monthly)》의 영향 때문이라고 설명하고 있다. 유먼스는 당시 다윈의 진화론을 맹렬하게 소개하면서 과학대중화운동을 벌인 미국인인데 이 잡지를 통해 그는 사회를 발전시키기 위해서는 과학이 근본적이라는 인식을 가지게 되었고 과학 가운데도 근본인 물리학을 배우기로 결심했다는 것이다.

미국 유학 후 21세에 교수로

여하튼 그는 3년간의 공부를 마치고 1875년 5월, 21세의 나이로 일본에 돌아왔다. 미국에서 돌아온 그에게는 당장 1876년 1월 교수 자리가 주어졌다. 정확하게 말하자면 정식 교수가 된 것은 아니고 개성학교의 '교수보'라는 직책을 얻은 것인데 물리학을 가르치던 미국인 비더 교수의 조수였다. 1877년 4월 이 학교는 도쿄제국대학으로 이름을 바꾸어 일본 최초의 근대식 대학으로 탈바꿈하는 데 이때 그는 이 대학의 이학부 교수보가 되었다. 뒷날 '교수보'란 자리는 '조교수'란 이름으로 바뀌었으니 말하자면 그는 도쿄제국대학의 조교수가 된 셈이다. 그리고 1879년 7월 그는 이학부 교수로 승진했는데 이는 바로 서양인들을 고용하여 대학교육을 실시했던 단계를 벗어나 일본인 교수들이 대학생을 가르치는 시대로 접어들었음을 의미한다.

일본인 최초의 물리학 교수인 야마카와 겐지로는 1883년까지는 미국인, 영국인 교수와 함께 학생들을 가르치다가 1883년부터는 다른 일본인 물리학자가 후임 교수로 오면서 완전히 일본인에 의한 물리학 교육 시대로 들어갔다. 그는 귀국 후 약 10년 남짓 동안에 이론 물리학을 가르치면서 이런저런 실험을 해보고 그런 실험을 학생들에게 지도했으나 그것은 1887년까지로 일단 끝났다. 그리고 이 시기의 연구에서 무슨 뚜렷한 업적을 찾아낼 수는 없다.

그것은 아직 일본의 물리학 수준이 어린 아이 수준에 있었기 때문에 그가 한 일도 말하자면 일본 물리학의 기초를 잡아가는 일이었을 뿐이었기 때문이다. 그런대로 그는 일본에서 처음으로 X선 실험을 재현한 사람으로 꼽을 수 있다. 1986년 독일의 뢴트겐이 X선을 처음 발견했는데 야마카와 겐지로는 뢴트겐의 발견이 보도되자 즉시 같은 실험을 시작하여 몇 달 이내에 실험에 성공한 것이다.

물리학자로서 야마카와 겐지로의 일생에 가장 흥미있던 사건은 그가 '천리안 연구'에 열심이었다는 사실이다. 당시의 '천리안'이란 염력(念力)과 같은 현상을 가리킨다. 벽 뒤의 물체를 투시해 볼 수 있다거나 또는 정신력을 집중하여 손가락도 대지 않은 채 숟가락을 휠 수 있다는 것 등이 그것이다. 1910년 4월 일본에서는 그런 여성이 나타나 일대 화제가 된 일이 있다. 그리고 이 사건이 일어나자 더 많은 비슷한 현상들이 보도되어 더욱 화제가 되었다.

말년에는 교육 행정에만 전념

당시 X선처럼 사람 눈에는 보이지 않는 신비로운 광선이 뼛속까지 촬영할 수 있다는 사실 때문에 많은 사람들은 우리 인간의 보통 감각으로는 알 수 없는 초자연적인 힘이 더 존재한다고 굳게 믿었던 것으로 보인다. 그가 염력현상에 크게 관심을 가졌던 것도 그 때문이었을 것이다. 물론 이 방면의 연구 역시 이렇다 할 성과를 얻은 것은 아니었다.

이쯤에는 이미 그는 과학자라기보다는 교육 행정에 전념하고 있을 때였다. 크고 작은 교육 행정직을 거쳤지만 특히 그는 1901년 47세에 도쿄제국대학 총장을 지냈고, 1913년부터는 다시 같은 자리를 맡아 1920년까지 계속했다. 1911년에는 규슈제국대학 총장을 맡았고 1914~1915년 사이에는 도쿄제국대학과 교토제국대학의 총장을 겸직한 일도 있다. 특히 재미있는 일은 그는 이런 자리에서 물러난 다음 1926년 72세의 나이에 무사시[武藏]고등학교 교장이 되었다는 사실이다.

대단한 애국자였던 야마카와 겐지로는 또한 대단한 원칙론자였던 것으로 보인다. 그는 1909년 학사원 회원을 사직했는데 총장으로 바쁜 나머지 학문을 계속할 수 없었기 때문에 그 자리를 물러나겠다는 것이었다. 또 한번은 어느 학교 졸업식에 축사를 부탁받고 나갔으나 시간이 되어도 강당에는 참석자가 나타나지 않았다. 야마카와 겐지로는 시간이 되자 사람도 모이지 않았건만 그 강단에 올라가 축사를 읽고 돌아가버렸다고 한다. 1931년 그가 76세의 나이로 죽었을 때 한국 최초의 물리학 박사 최규남은 미국 유학을 시작하고 있었다.

한국에 처음 화학 소개한
에드워드 밀러
Edward Miller 1873~1966

서울시 마포구 합정동 로터리와 강변도로 사이에는 양화진외국인선교
사묘원이 있다. 그리고 그 안에는 몇 명의 외국인 가족 묘소가 있다.
그 가족 단위 묘역 가운데 하나가 밀러 일가 3명의 안식처이다. 320여
명의 묘소 가운데 들어 있는 밀러 일가는 어머니 엘리자베스, 그녀의
아들 에드워드, 그리고 며느리 마티 등이다.

어머니 엘리자베스 휴스 밀러(Elizabeth Hughes Miller, 1840~1919)는 미
국 북장로교 선교사가 되어 1901년 아들 에드워드 휴스 밀러[Edward
Hughes Miller, 1873~1966, 밀의두(密義斗)]와 함께 한국에 도착했다. 한국
에 처음 왔을 때 어머니는 61세였고, 아들 에드워드는 28세였다. 그리
고 에드워드는 이미 한국에 선교사로 와 있던 같은 교회의 마티 헨리

밀러(Mattie May Henry Miller, 1873~1966)와 이듬해 결혼했다. 이들 셋이 모두 지금 양화진에 묻혀 있는 것이다.

선교 위해 어머니와 함께 조선행 결심

밀러는 연희전문학교에서 화학을 가르쳤다. 한국에 처음으로 화학이란 근대 과학의 한 분야를 소개한 과학자라고 할 수 있다. 1873년 미국 펜실베이니아에서 태어난 그는 가족과 함께 1880년에는 캘리포니아로 이사했다. 그는 1892년에 샌프란시스코에서 고등학교를 마쳤고, 1898년에는 로스앤젤레스에서 옥시덴탈대학을 졸업했다. 지금도 자그마한 대학으로 남아 있는 이 학교는 원래 '동양과 서양의 만남'을 부르짖으며 설립된 대학이었다. 그는 이 대학을 나와 다시 신학교로 진학했는데, 샌프란시스코 신학교에 재학 중이던 1898~1901년 사이에 이미 조선에서 활동 중이던 빈튼(Vinton, 1856~1936) 선교사의 조선 교육에 관한 강연을 듣고, 선교사로 한국에 나가기를 원했던 것으로 보인다.

　빈튼은 우리 근대 의학의 도입과도 관련 있는 인물이다. 1885년 4월 미국 선교의사 알렌(Allen, 1858~1932)이 처음 세운 한국 최초의 근대식 병원 '광혜원'은 보름 만에 이름을 '제중원'으로 바꿔서 운영했다. 1887년 알렌은 미국으로 돌아갔고, 뒤를 이어 제중원을 맡았던 헤론(Heron, 1856~1890)은 1890년 이질로 사망했다. 그 뒤를 이은 사람이 바로 빈튼이었다. 그가 언제 미국에 가서 로스앤젤레스 지역에서 강연했는지는 확실하지 않지만 에드워드 밀러가 1898년부터 1901년까지 샌프란시스코 신학교를 다니고 있었을 때 빈튼의 강연을 듣고 조선행을 결심했던 것으로 보아 이 무렵이었을 것으로 보인다.

또 당시 그의 어머니는 이미 남편을 잃고 아들 에드워드와 살고 있었는데, 두 사람은 의기투합하여 조선에 오게 된다. 어쩌면 그들 모자는 함께 빈튼의 강연을 들었을지도 모른다. 당시 미국에서는 아시아에 가서 선교사로 활동하는 것이 그야말로 바람직한 사회봉사 활동으로 여겨졌던 시기였고, 많은 사람들이 이런 목적을 위해 헌금도 하고 실제로 선교사로 나서기도 하던 그런 시절이었다.

실제로 밀러는 이런 과정을 거쳐 선교사로서 한국에 왔기 때문에 기독교의 선교가 주목적이었지 화학 교수는 부수적인 일이었다. 그럼에도 불구하고 그가 한국의 과학 도입 과정에서 차지하는 위치는 대단히 중요한 것이었다. 특히 그는 연희전문학교가 1915년 수물과 1회 학생 4명으로 이과 교육을 시작하자 바로 그들에게 화학을 가르쳤다. 실제로 한국 역사상 최초의 이공계 대학 교육이라고 할 수 있는 이 학과를 시작한 사람들은 미국 선교 교사 세 명이었는데 화학 교수로 밀러, 물리학 교수로는 베커, 그리고 천문학 교수로 루퍼스가 있었다. 이 가운데 특히 밀러가 가장 종교적인 활동에 열심이었던 것으로 보인다.

1918년부터 연희전문학교 화학 교수로 재직

그는 이렇게 연희전문학교에서 1942년까지 화학 교수와 이사로 활동했다. 《연희전문학교요람》 1939년호를 보면 밀러 교수는 4학년 담임이면서 응용화학(화학공학) 4학년 4시간을 가르친 것으로 기록돼 있다. 하지만 실제로 그가 연희전문학교에서 화학을 가르친 것은 1918년 9월 이후의 일이었다. 연희전문학교 수물과가 4명의 학생을 가지고 개교한 바로 그해에 그는 아내의 병 때문에 휴가를 얻어 함께 미국으로 돌아갔다가, 1918년 8월에 한국으로 나왔기 때문이다. 첫 수물과 학생들을 가르칠 수는 없었을 것으로 보인다.

바로 이 기간에 그는 1915년부터 1년 반 정도를 캘리포니아대학교 대학원에서 화학과 지질학을 전공했다. 그리고 석사학위를 받았거나 아니면 그에 상당한 자격을 얻었던 것으로 보인다. 그리고 이어서 안식년을 얻어 캘리포니아 샌타바버라의 고등학교와 초급대학에서 화학을 가르치면서, 다른 한편으로는 샌프란시스코 신학교에서 한국에 오느라 중단했던 신학 공부를 마쳐 학사학위를 받기도 했다. 3년 반만에 조선으로 돌아온 다음인 1918년부터 그는 연희전문학교 화학 교수로 제대로 일하기 시작했던 것으로 보인다. 물론 그 사이 공부하여 그의 화학자로서의 실력은 더욱 좋아졌을 것이다.

그의 학구열은 여기서 그치지 않았다. 1925년 두 번째 안식년을 얻은 그는 미국 뉴욕의 컬럼비아대학교 대학원에 들어가 정식으로 화학을 전공하여 석사학위를 받고 안식년을 연장하여 1927년에는 이학박사학위까지 취득하게 된다. 그의 박사학위 논문은 〈수소의 이온 활동이 비타민A의 안정성에 미치는 영향〉으로 되어 있다.

그는 연희전문학교가 개교하기 전에는 경신학교에서 화학을 가르쳤고, 1905년부터는 이 학교 교장을 지내기도 했다. 그는 1906년 부인과 함께 《초학지지》를 지어 출판했는데, 세계지리를 소개하는 초보적 내용인 것으로 보인다. 유감스럽게 이 책이 지금 어디에 남아 있는지는 확인되지 않는다. 1914년에는 《천로지남》, 1938년에는 《예수께서 구원하심》이란 책이 출간되기도 했다. 이 가운데 《천로지남》은 원문이 《텬로지남》으로 《The Traveller's Guide from death to Life》란 영어 책을 밀러가 번역해낸 것으로 되어 있는데, 전주대학교 박물관에 소장되어 있어서, 인터넷으로 그 사진을 볼 수도 있다. 가로×세로가 10×22cm의 책인데, 영국의 한 교인이 필요한 경비를 보조하여 조선예수교서회에서 1918년에 발간한 것으로 되어 있다.

그가 낸 책이란 화학 책이 아니라 기독교 서적임을 알 수 있다. 실제로 그는 한국 역사에서 과학자로보다는 선교사로서 더 중요한 인물이었던 것으로 보인다. 인터넷으로 그의 이름을 조사하다보니 밀러는 일산교회와 응암교회의 설립자라고 소개되어 있음을 발견하게 된다. 또 그는 1905년 11월부터 감리교와 장로교 합동으로 영어로 간행하기 시작한 선교사 잡지 《코리아 미션 필드》에 많은 글을 써 남기기도 했다. 주로 한국에서의 기독교 선교 문제와 교육, 여행 등을 주제로 한 것들이다. 1933년 봄에는 밀러의 한국 선교 생활 33주년을 기념하는 기념행사가 서울에서 있었다는 기록도 당시 《동아일보》 등에 보인다.

과학자로서보다 선교사로서 더 활발히 활동

밀러는 1935년 9월부터 1년 동안 안식년을 맞아 미국에 돌아가서는 연희전문학교를 위한 모금 활동에 열심이기도 했다. 한국으로 돌아와서는 학교 도서관에 199권의 책을 기증했다는 기록도 보인다. 그는 1941년 12월 27일 일제의 경찰에 간첩 혐의로 체포되어 이듬해 5월 26일까지 반 년 동안 용산 감옥에 투옥되었다. 언더우드와 함께 그는 조선을 떠나지 않으려고 끝까지 노력했지만, 이쯤 되어서는 어쩔 도리가 없었다. 언더우드와 밀러는 결국 며칠 뒤인 6월 1일 일본 경찰에 의해 추방되었다.

이렇게 미국으로 추방당한 밀러는 1942년부터 미국에 살면서 전쟁이 끝날 때까지 '미국의 소리'라는 한국어 방송 프로그램을 담당하여 일했다. 그리고 한국이 해방되자 미군과 함께 한국에 왔으나 곧 돌아갔다. 전쟁이 끝난 1953년 7월 연희대학교는 장기 근속자들을 표창하는 행사를 가졌는데, 이때 그는 26년 근속자로 표창을 받기도 했다.

밀러는 1966년 6월 6일 미국에서 작고했지만, 그의 유언에 따라 지금 양화진에 묻혀 있다. 그리고 그와 함께 양화진에는 그의 어머니와 1905~1912년 사이에 두 번이나 정신여학교 5대와 8대 교장을 지냈고, 찬송가 수십 곡을 번역했으며 정신학교 옛 교가도 작사 작곡했던 그의 아내 마티 밀러도 함께 묻혀 있다.

사후에 밝혀진 어두운 사생활
알베르트 아인슈타인
Albert Einstein 1879~1955

1934년《과학조선》에 처음 소개

알베르트 아인슈타인(Albert Einstein, 1879~1955)의 상대성이론이 발표된 것이 1905년이니 벌써 100년이 지났다. 이 100년 동안 세상은 얼마나 많이 아인슈타인을 예찬해왔고 또 그 덕택에 세상을 보는 인간의 눈에는 얼마나 변화가 있었는지 돌이켜 생각해볼 일이다. 그런데 지금 우리들에게는 그리도 친숙한 이름이 되어버린 아인슈타인이 처음 이 땅에 알려진 것은 언제쯤일까? 아직 잘 조사해보지는 않았지만, 아마 1922년 11월 그가 일본을 방문했을 때가 아니었을까 생각된다.

1922년 그가 일본을 향해 항해하고 있을 때 스웨덴 노벨상위원회가 그에게 노벨물리학상을 주기로 했다는 반가운 소식을 전해 들었다. 그런데 이상한 것은 그에게 준다는 노벨상은 1922년도의 물리학상이 아니라 1921년도의 물리학상이었다. 노벨상 수상자 명단을 보면 1921년도 물리학상을 아인슈타인이 받은 것으로 적어 놓고 있지만 그런 결정은 1년 동안 본인에게도 알려지지 않았던 것이다. 사실 그의 노벨상은 더 이상한 측면을 가지고 있다. 왜냐하면 그의 대표적 업적인 상대성이론으로 상을 준 것이 아니라, 엉뚱하게도 광전(光電) 효과의 연구를 포함한 이론물리학 연구에 대해 상을 준 것이라 되어 있기 때문이다.

1922년 일본을 방문했던 그는 식민지였던 조선을 찾아온 일은 없었다. 아마 1955년 죽을 때까지 아인슈타인은 한국이라는 나라에 대해 거의 아는 바가 없었을 것으로 보인다. 이래저래 20세기 최고의 과학자 아인슈타인은 한국과는 직접 관련이 없는 채 살다간 인물이었다. 그럼에도 불구하고 지금의 한국에서 아마 가장 유명한 과학자는 다른 사람이 아닌 아인슈타인일 것으로 보인다. 그러나 해방 이전의 우리 선조들의 그에 대한 지식이란 엉성하기 짝이 없는 형편이었다.

1934년 1월호 《과학조선》에 나오는 아인슈타인을 소개하는 기사에는 제목이 〈휘어진 광선(光線)〉이라 붙여져 있다. 1930년대 중반의 이 땅에서는 아인슈타인은 그리 중요한 과학자로 여겨지지 않았음을 알 수가 있다. 그 이유로는 몇 가지를 들 수 있는데 가장 중요한 이유는 한국의 과학수준이 극히 낮았기 때문에 이론물리학의 가장 높은 수준을 대표하는 그의 이론을 이해할만한 사람들이 적었다는 점을 들 수 있다.

나치스 배척으로 미국 망명

또 한 가지 이유로는 정치적 배경으로 당시 일본은 독일 과학을 중점적으로 받아들이고 있을 때여서 미국 영향은 오히려 점차 줄어들고 있을 때였다. 그런데 독일에서는 이미 1920년대부터 아인슈타인 배척운동이 자라고 있었다. 나치스의 인종 편견이 물리학과 과학부문에도 영향을 주기 시작하여 독일의 '민족과학'을 주장하고 있었던 것이다.

독일의 카이저 빌헬름연구소에 소속되어 베를린대학교 교수로 있던 아인슈타인은 1933년에 이미 미국으로 망명하여 프레스턴고등연구소에 소속되어 있을 때였다. 바로 이런 이유들 때문에 아인슈타인의 이름은 일제시대 이 나라에서는 전혀 유명해지기 어려웠다고도 할 수 있다. 그런 가운데 1934년 《과학조선》의 기사는 실렸던 것이다. 2쪽에 걸친 이 글을 쓴 사람은 'YK生'이라 밝혀져 있다. 당시 《과학조선》을 발행하며 과학대중화운동에 앞장서고 있던 김용관(金容瓘, 1897~1967)의 글임이 분명하다.

이 글에서 김용관은 아인슈타인에 대해서, '유태인 과학자로서 히틀러의 유태인 배척 때문에 추방당하여 지금 네덜란드에 망명 중'이라고 소개하고 있다. 그는 이어 상대성이론을 설명하고 그 한 부분을 이루는 아인슈타인의 주장으로 빛은 태양 근처를 지나면서 굴절하게 될 것이라는 그의 예언이 어떻게 적중되었던가를 해설하고 있다. 아인슈타인은 빛도 일종의 물질이니 마치 어떤 물체라도 태양 같은 큰 질량을 가진 천체에는 끌려갈 수 있는 것처럼 광선도 태양에 끌려갈 것을 예언했다는 것이다. 그런데 그의 이와 같은 예언이 1919년 5월 29일 브라질에서 영국의 관측대에 의해 일식 때 관측되었던 것이다. 그 결과가 그해 11월 6일 정식으로 발표되자 세계 사람들은 아인슈타인의 위대한 발견에 크게 주목하게 되어 그의 이름이 세계에 유명하게 되었다는 것이다.

《뉴욕타임스》에 실린 아인슈타인
질량과 에너지에 관한 공식(E=mc2)이 배경 그림에 나와 있다. '에너지 보존의 법칙'으로 불리는 이 공식은 '물질의 전체 에너지는 질량에 광속의 제곱을 곱한 값과 같다'는 것을 의미한다.

독일 남부에서 전기상 아들로 태어나

20세기의 위대한 과학자 아인슈타인에 대해서는 많은 일화와 성스러운 인간적 모습만이 널리 알려져 있다. 아인슈타인은 1879년 3월 14일 독일 남부의 도시 울름에서 태어났다. 그의 아버지는 전기상을 경영하고 있었는데 그런대로 사업은 잘 되었던 것 같다. 그의 어머니는 베토벤, 브람스, 모차르트 등을 좋아한 여성이었고 그 영향으로 아인슈타인은 6세부터 바이올린을 공부하여 평생 음악을 사랑했고 바이올린을 연주하기도 했다.

그러나 그가 15세 때 그의 아버지는 사업에 실패하여 그의 가족은 이탈리아의 친척 곁으로 이사가게 되었고 아인슈타인은 그동안 살고 있던 뮌헨에 그대로 머물게 되었다. 이 시절의 소년 아인슈타인은 고등학교 교육을 정말로 견디기 어려워했던 것으로 보인다. 여하튼 16세에 그는 학교를 그만두고 잠깐 방황하던 끝에 이듬해 1895년에는 취리히에 있는 스위스연방공과대학에 지원했으나 낙방했고, 대학 입시준

비를 위해 아라우고등학교에 들어갔다. 이 학교는 아인슈타인에게 아주 자유로운 학교 분위기를 제공했던 것으로 보인다. 그는 여기서 수학, 물리 등에 크게 취미를 붙여 드디어 1896년 10월에는 취리히공과대학에 입학자격을 얻을 수 있었다.

17세 때 대학 지원 '낙방' 시련

1900년 이 대학을 졸업했을 때 그는 아주 훌륭한 성적을 올린 것으로 밝혀져 있지만 그를 기다리는 것은 좋은 직장도 모교의 교수자리도 아니었다. 그에게 그런 기회가 주어지지 않은 가장 중요한 원인은 그가 스위스 시민도, 독일인도 아니었던 때문이었던 것 같다. 실제로 그가 남긴 유명한 말 한 가지는 바로 그가 독일의 유태인으로 스위스에서 공부했다는 배경을 잘 지적하고 있다.

> 만약 내 이론이 맞을 경우 독일인들은 나를 독일인이라 하고, 스위스인들은 내가 스위스 사람이라 말할 것이다. 그러나 내가 실패한다면 스위스인들은 나를 독일인이라 하고, 독일인들은 나를 유태인이라 할 것이다.

대학을 졸업한 지 2년 뒤인 1902년 그는 스위스 특허국의 심사관 자리에 취직하게 되었다. 그리고 여기서 그의 주요 연구업적이 생산될 수 있었다. 또 경제적 안정을 얻어 이듬해 1월에는 대학 때의 여자 친구와 결혼도 하게 되었다. 밀레바 마리치(Mileva Maric)라는 아인슈타인의 첫 부인은 세르비아 여성으로 아주 똑똑한 것으로 밝혀져 있고 아인슈타인에게 두 아들을 낳아주었다. 그러나 11년 뒤에는 아인슈타인과 별거에 들어갔고 1919년에는 이혼하게 된다.

사촌과 재혼 등 어두운 구석 밝혀져

이때 이미 아인슈타인은 그의 사촌 엘자와 깊이 사귀고 있었고 둘은 1919년 결혼한다. 아인슈타인이 세계적 명성을 누리는 동안 이를 즐긴 것은 조강지처가 아니라 재혼한 그의 사촌이었던 것이다. 독일이 먼저 원자탄을 만들 것을 걱정하여 그가 1939년 루즈벨트 대통령에게 원자탄 개발을 건의했다는 사실은 잘 알려진 일이고, 또 전쟁이 끝난 후 그가 세계 평화운동에 열성이었던 것도 잘 알려진 일이다. 그러나 최근에는 그의 사생활을 파헤친 폭로성 전기가 나와 아인슈타인이 그의 첫 아내와의 사이에 낳은 첫 딸을 평생 쳐다보지도 않았다거나 그의 아들도 아인슈타인을 전혀 존경하지 않는다는 등의 어두운 구석이 밝혀지고 있다. 그의 상대성이론은 과학사에 가장 위대한 업적의 하나로 길이 남게 되었지만 그의 성인(聖人) 같기만 하던 모습은 결국 허구였다는 것이 차츰 드러나고 있는 것이다.

중국 과학사 개척자 영국의
조지프 니덤
Joseph Needham 1900~1995

우리에게 가장 많은 영향을 남긴 외국의 과학자로는 조지프 니덤을 꼽아도 좋을 것이다. 그의 영향은 앞으로도 상당 기간 동안 지속될 것이 분명하다. 우리나라의 과학기술 전통을 말하는 사람 치고 그의 이름을 거론하지 않는 사람이 없을 것이기 때문이다. 1995년 3월 24일에 95세를 일기로 세상을 떠났으니 바로 우리와 같은 시대를 살다 간 사람이다. 또 이 영국의 과학자는 일생을 과학자로 시작했지만, 그가 인류에게 오래 기억될 까닭은 과학자였기 때문이라기보다는 중국 과학사에 위대한 업적을 남긴 까닭이다.

조지프 테렌스 몽고메리 니덤(Joseph Terence Montgomery Needham, 1900~1995)은 1900년 12월 9일 런던의 마취전문 외과의사 조지프 니

덤과 음악가이며 작곡가 알리샤 몽고메리 부부 사이의 유일한 자식으로 태어났다. 오운들고등학교를 다니며 이미 재주를 드러내기 시작했다는 그는 케임브리지대학교에 들어가서는 생화학에 빠져 들었는데, 그것은 당시 그 대학에는 이 방면의 훌륭한 교수 홉킨스가 여러 재능 있는 젊은이들을 끌어 들이고 있었기 때문이기도 했다. 케임브리지대학교에는 지금도 뉴턴의 동상이 서 있을 뿐 아니라, 진화론으로 유명한 찰스 다윈 등 이루 헤아리기 어려울 정도로 유명한 과학자들을 배출했던 과학의 명문이다.

29세 때 스탠퍼드대학교 교수로

니덤 역시 그런 선배들을 따라 과학자의 길을 충실히 걷고 있었고 24살이던 1924년에는 박사학위를 받고 2년 선배인 도로시 모일과 결혼했다. 그들 부부는 생화학자로서 이름을 날리기 시작했다. 이들 부부는 영국 역사상 최초로 부부가 함께 영국왕립학회의 회원이 되었던 기록을 남기기도 했다. 영국왕립학회는 1661년 창설된 전통 있는 최고의 과학단체로 엄격한 추천 과정을 거쳐 회원이 추대되기 때문에 니덤 부부가 함께 여기 추대되었다는 것만으로도 그들의 과학적 명성이 대단했음을 알 수 있다.

막 발달하기 시작한 생화학에 매진하던 니덤은 1931년에는 《화학적 발생학》이란 책을 쓰고, 이어 1934년에는 《발생학의 역사》 등 저술에도 열심이었고, 29세에 이미 스탠퍼드대학교의 교수가 된 것을 시작으로 30대 중반까지는 미국, 영국의 여러 대학에서 강연을 하기도 했다.

이렇게 생화학자로서 하늘을 찌를 듯이 성공하고 있던 37세의 니덤에게 어느 날 케임브리지대학교 교정에서는 전혀 새로운 사건이 벌어졌다. 마침 영국으로 유학 왔던 3명의 중국인 과학자들을 만나게 되었던 것이다. 그 세 사람 가운데에는 특히 젊은 처녀 한 사람도 있었는데, 이들과 만나면서 니덤에게는 전혀 새로운 세계가 펼쳐지기 시작했다. 특히 당시 33세의 루꿰이전[魯桂珍]에게 그는 독일어를 가르치기로 되어 있었는데, 이런저런 과정을 거치다가 그는 그만 독일어를 가르치기보다는 '미스 루꿰이전'에게서 중국어를 배우기 로 했다. 한번 중국 문명에 눈을 뜨기 시작한 니덤은 그 놀라운 세계에 황홀해져 더욱 열심히 중국어를 공부했고, 언젠가는 중국 과학사를 써보리라는 결심까지 하기 시작했다.

이미 생화학자로 명성을 날리던 중년의 니덤은 정말로 42살 때 기회가 오자 중국으로 날아갔다. 마침 충칭[重慶]으로 피해 있던 장제스[蔣介石]의 국민당 정부에 과학기술 원조를 해주기 위해 중영과학합작관(中英科學合作館)이 발족되었는데, 그 책임자로 전란 속의 중국에 가게된 것이다. 그는 영국에서의 편한 생활과 이미 이룩한 생화학자로서의 위치를 던져 버리고 전란에 휘말린 중국의 피난 수도로 향한 것이다.

중국에서 4년간 중국 과학사 연구

그때부터 그의 중국 과학사 연구는 시작되었다. 자료의 수집이 아주 활발하게 진행되었음은 물론이다. 4년 동안의 중국 생활은 전쟁이 끝나면서 저절로 마감되었다. 그와 잘 알던 줄리언 헉슬리(Julian Huxley)

가 2차세계대전 종전 직후 유네스코 창설을 맡게 되자 그를 도와 파리에 가서 유네스코 과학책임자로 1946년부터 1948년까지 2년 동안 근무하게 된 것이다. 오늘 우리들은 '유네스코'라고 간단히 말하지만 이 국제기구는 '유엔교육과학문화기구'란 말을 줄인 것이다. 이 이름에 '과학'이란 부분을 넣게 만든 사람이 바로 니덤이었던 것이다.

1948년 케임브리지대학교로 돌아오면서 니덤의 중국 과학사 연구는 더욱 본격화되었다. 이미 연구하고 구상했던 그의 중국 과학사 작품은 1945년부터 책이 되어 출판되기 시작했다. 《중국의 과학과 문명(Science Civilization in China)》이라는 제목으로 나오기 시작한 이 거창한 책은 완성되지 못한 채 그는 죽고 말았다. 《중국의 과학과 문명》은 처음부터 여러 권으로 기획되었는데, 그것을 나눠 소개해보자.

제1부 – 서론(1권)

제2부 – 과학사상사(1권)

제3부 – 수학, 천문학, 지학(1권)

제4부 – 물리학과 물리기술(3권)

제5부 – 화학과 화학기술(8권)

제6부 – 생물학과 생물기술(3권)

제7부 – 과학기술과 사회

괄호 속에는 이미 책으로 출간된 숫자를 표시했는데 3부까지는 이미 정리가 완료된 것으로, 말하자면 과학사상사와 순수과학 분야는 비교적 간단히 정리를 마치고 있는 셈이다.

그런데 비해 응용분야, 즉 기술의 여러 측면을 소개하는 노력은 아주 상세하게 계획되어 아직도 니덤이 죽은 후 니덤연구소의 과제로 남아 있다. 이미 그는 정신력이 쇠잔하기 훨씬 전부터 전 세계의 중국 과학사 전공 학자들에게 그 구체적이고 상세한 집필 계획을 세웠고, 많은 경우 이미 원고가 완성되어 있는 모양이다. 앞으로 시간만 지나면 다른 부분도 책이 되어 나올 것으로 보인다.

이미 중국에서는 타이완과 베이징에서 각기 10권 이상을 번역해 놓고 있고, 일본 역시 4부 시작부분까지를 한참 전에 11권으로 번역해 놓은 일이 있다. 우리나라에는 일본 것을 옮겨 3권이 나와 있는데, 1부가 한 권, 그리고 2부를 두 권으로 나눠 옮겨 놓은 것이다. 니덤의 중국 과학사 연구 성과에 대해서는 아무리 칭찬해도 모자랄 지경이라고 많은 사람들이 입을 모은다. 그에게 노벨평화상을 주어야 한다고 주장한 이름난 학자도 있을 지경이었다.

그의 중국 과학사 연구는 1950년대까지 아직 동양을 미개지역이라고 믿던 서양 사람들에게 큰 충격을 주었다. 동양 문명의 대표로서의 중국 과학기술 수준이 대단했다는 사실을 처음 서양에 상세하게 알렸던 것이다. 실제로 그는 2차세계대전 동안 온갖 시련을 당했던 중국인들에게 놀라운 자신감을 갖게 해주는 데에도 크게 기여한 셈이다.

14세기까지는 서양보다는 온갖 면에서 중국이 앞서 있었다는 강한 주장을 앞세운 그의 중국 과학사 연구는 수많은 서양인들을 중국 연구에 쏠리게도 했고, 중국 지식층에게는 자신감을 주기도 했다. 타이완과 베이징의 중국인들이 모두 그를 크게 환영했음은 물론이다. 그는 중국에서 여러 가지 표창을 받았고, 중국을 방문할 때마다 저우언라이

[周恩來] 등 정치인까지 크게 환영을 해주었을 지경이다. 게다가 그는 청년시절부터 사회주의자에다가, 특히 마르크스주의자이기도 했다. 그렇다고 그가 종교를 아편이라 매도하는 그런 마르크스주의자는 아니었다.

그는 영국 정교회의 독실한 추종자이기도 했다. 여하튼 1952년 중공이 한국전쟁에서 세균전을 몰래하고 있다고 미국을 비난하자 니덤은 이를 조사하러 베이징에 갔던 국제 과학조사단의 단원이었다. 그리고 그 보고에서 그는 중공 측에 동조하는 듯한 결과를 낸 일이 있다. 말하자면 그는 한국전쟁 때에는 우리의 적성국가편을 들고 있었던 셈이라 할 것이다. 막연한 중공의 주장에 쉽게 동조한 그를 미국은 블랙리스트에 올려 미국 입국을 거절하는 명단에 포함시키기도 했을 정도였다. 바로 그런 연유도 있었기 때문에 그는 평생 한국 방문을 하지 못하고 말았다고도 할 수 있다.

한국 과학사 연구에도 관심

그는 한국 과학사에도 큰 관심을 보였다. 이런 일만 아니라면 분명히 한국에 오고 싶어 했을 그였건만 그는 구체적으로는 한국에 가고 싶다는 의견을 말한 적은 없는 것으로 보인다. 또 1981년 여름 내가 그를 처음 만났을 때만 해도 82세의 니덤은 아직 정정하게 루마니아의 국제 과학사회의에 참석하고 있었다.

그때쯤 한국의 과학사학자들 사이에 그를 한번 초청하자는 논의가 있었지만 구체화된 일은 없다. 하지만 1990년 8월 그의 니덤연구소 옆의 케임브리지대학교에서 열린 동아시아과학사회의에서 다시 그를 만났을 때 그는 나를 알아보지도 못하는 듯했다. 얼굴을 들이대고 말해도 별로 표정의 변화를 읽을 수 없었고 물론 말도 하지 못했다. 그러나 내가 논문 발표를 시작하자 바로 그는 조수가 밀어주는 휠체어를 타고 강당에 들어와 내 발표를 다 듣고 나갔다.

1986년 그는 동료 몇 명과 함께 이미 연구했던 한국 과학사 논문들을 모아 《서운관의 천문기구와 시계(The Hall of Heavenly Records)》란 제목의 영어 책을 역시 케임브리지대학교 출판부에서 내기도 했다. 그는 이미 《중국의 과학과 문명》 3권 부록 한 페이지를 써서 한국 과학사 연구가 중국 과학사 연구에 절대 필요하건만 제대로 되지 않고 있는 현실을 안타깝게 표현한 일도 있다. 그는 또 《중국의 과학과 문명》 속에서 기회만 있으면 한국 과학사 부분에 대해서도 논평을 가하고 있다. 그런 가운데에는 물론 잘못된 부분이 적지 않다. 특히 세종 때 우리 발명 측우기가 중국의 것이라고 강변하는 대목은 나를 아주 슬프게 해주는 부분이다. 중국 학자들의 주장만 읽고 중국인들의 주장을 그대로 전하고 있기 때문이다.

니덤은 갔지만, 그의 영향은 앞으로 아주 오래 지속될 것이 확실하다. 그런데 그가 잘못 소개한 우리 과학문화에 대한 평가는 어떻게 해야 할 것인가? 또 그 원인을 제공했던 중국 과학사학자들의 잘못된 생각은 또 어떻게 고쳐가야 한다는 말인가?

경성제대 교수 지낸 일본의 과학사학자
야지마 스케도시
矢島祐利 1903~1995

1940년대 이후 1990년대까지 반세기 동안 일본에서 수많은 과학사 관련 책을 써서 과학의 대중화에 크게 이바지한 야지마 스케도시[矢島祐利, 1903~1995]는 우리 역사와도 관계가 있다. 해방 직전 약 3년 동안 그는 경성제국대학의 물리학 교수였기 때문이다. 지금까지 그의 경성제국대학 교수 시절의 활동에 대해서나, 또는 당시 그의 제자였던 조선인들에 관해서는 연구가 거의 되어 있지 않다. 물론 해방 후 그가 일본에 돌아가 살면서 또는 그 후에 얼마나 한국인 또는 조선인과 관계하고 있었는지도 알 길이 없다.

1941년 경성제국대학에 이공학부 7개과 추가

원래 그는 일본 도치기현에서 태어났고, 도쿄제국대학 물리학과를 나와 모교 강사를 지내다가 경성제국대학 교수가 되어 서울로 부임해왔다. 당시 경성제국대학에는 그와 비슷하게 일본 도쿄제국대학에서 자리를 옮겨 취임한 교수들이 여럿이었고, 야지마 스케도시 역시 그런 경우에 해당했다. 그것은 원래 경성제국대학의 이공학부 설립과 초기 운영이 모두 도쿄제국대학 교수 야마가 신지[山家信次, 1887~1954]에 의해 주도되었기 때문이다. 야마가 신지는 도쿄제국대학 공학부 화약과를 졸업하고, 일본 해군의 화약전문가로 활약하며 뒷날 해군중장까지 승진한 인물이다. 그는 동시에 도쿄제국대학 공학부 교수였는데, 1937년 말 중장으로 예편한 다음부터 경성제국대학 이공학부 창설위원회를 만들어 서울에 경성제국대학 이공학부를 만드는 작업을 맡아 진행했다.

1931년 만주사변을 계기로 중국대륙 침략 병참기지로서 조선의 중요성을 인식한 일제는 중화학공업 건설에 나섰고, 이에 필요한 고도의 기술 및 공업을 뒷받침해주기 위해서는 식민지 조선에도 이공학부 대학과정을 만들 필요성을 느끼게 되었다. 그때까지 한반도 안에는 제대로 된 4년제 이공계 대학은 하나도 없었다. 그 결과 1941년 봄 경성제국대학에는 이공학부가 추가되었다.

원래 1924년 법문학부와 의학부로만 시작되었던 식민지 조선 최초의 본격적 대학에 새로 이공학부가 생겨 물리학·화학·토목공학·기계공학·전기공학·응용화학·채광야금의 7개과가 생겨난 것이다. 일본 해군의 화약청장 등을 역임한 해군중장 출신의 도쿄제국대학 교수

야마가 신지는 1942년까지 교수 27명과 조교수 21명을 충원했다. 야지마 스케도시가 도쿄대학교 강사에서 경성제국대학 물리학 교수가 되어 부임한 것은 이때의 일이다.

당시 기록을 보면 그는 경성제국대학 이공학부의 이론 물리학 교수로 밝혀져 있다. 특히 그의 전공은 전자기학이라고 기록되고 있다. 물리학과의 첫 주임 교수는 오쓰카 아키로大塚明郎였다. 그런데 오쓰카 아키로는 이공학부장이던 야마가 신지가 경성제국대학 총장에 취임하자 이공학부장을 맡게 되었고, 야지마 스케도시가 오쓰카 아키로 자리를 이어 받아 주임 교수를 맡게 되었다. 이 시기의 그의 조수는 조선 학생 전평수(全平水)였다. 당시 경성제국대학 시스템은 각 전문분야별로 '강좌'가 설치되었고, 각 강좌에는 담당교수 1명, 조교수 1명, 조수 몇 명을 두는 제도였다. 강좌에서는 각각의 전문 영역의 학과목을 담당했다.

이공학부는 7개 학과 및 공통과학(교양담당)에 합계 39개 강좌에 65명의 전임교수가 있었으며, 학생 정원은 320명이었다. 해방 전까지 이곳을 졸업한 조선인은 총 37명(선과 1명 포함)으로 당시 일본에 유학한 조선인에 비해서도 매우 적은 인원이었다. 이처럼 경성제국대학의 재학생이나 졸업생의 규모가 작았던 것은 학부의 역사가 짧았을 뿐만 아니라, 경성제국대학 이공학부가 인력 양성보다는 교수들의 연구 활동을 중시했기 때문으로 보인다. 또한 조선인은 대학 진학 과정에 차별까지 받았기 때문에 경성제국대학에서조차 그 수가 일본 학생보다 적었다. 심지어 물리학과가 처음 생긴 1941년을 보면 교수가 6명 정도였는데 비해 학생은 단 2명뿐이었다.

3년간 경성제국대학 물리학과 교수로 재직

야지마 스케도시는 1942년부터 해방 때인 1945년까지 서울에서 물리학과 교수로 있었던 것으로 보인다. 하지만 그가 서울에서만 살았던 것은 아니었다. 아마 자주 일본에 돌아가 활약한 것이 분명하다. 그는 1926년 세이코와 결혼했으니까 부인도 서울에 와서 살았을 것으로 보인다. 그의 부인 세이코는 원래 일본의 전통 연극 가부키로 유명한 집의 딸인데, 어려서 결핵성척추염에 걸려 갈비뼈 둘을 절제해내는 수술을 받고 건강이 좋지 않은 채 살았던 것 같다. 여자 대학을 다니다가 병에 걸렸던 그녀는 결혼 이후 가정학, 민속학을 공부하여 어느 정도 성공하기도 했다. 그는 1953년에 《가사와 잡용》이란 이름의 179쪽짜리 책을 부인과 공동으로 낸 일이 있는데, 이 책은 집안일의 이모저모와 생활의 지혜 등을 엮은 가정상비용 안내서였다. 또 1988년 1월 부인이 대장암으로 사망하자 자료를 정리하여 1989년에 《세이코의 발자취》란 책을 내어 부인을 추억하기도 했다.

야지마 스케도시의 지도를 받은 당시 경성제국대학 물리학과 학생은 별로 없기 때문에 당시의 그에 대해 자료를 얻기는 어렵다. 다만 그의 조수였던 전평수에 대해서는 앞으로 연구해볼 가치가 충분하다. 해방과 함께 그는 서울대학교 교수가 되었다. 말하자면 지금의 서울대학교 물리학과 교수였던 셈이다. 최규남, 박철재, 도상록, 정근, 전평수, 김종철, 이용태 등이 처음 서울대학교 물리학과 교수가 되었고, 이어서 권영대, 한준택이 합류했다.

대중적인 수많은 과학사 저서 번역·저술

전자기학을 담당한 경성제국대학 이론물리학 교수였던 야지마 스케도시는 서울에 있을 때부터 물리학보다는 과학사에 더 관심을 갖고 있었던 것으로 보인다. 일본과학사학회의 일지를 보면, 그는 1942년 11월 28일 도쿄에 있는 일본의사회관에서 열린 13회 일본과학사학회 월례회에서 '지나 및 조선에서의 과학사 단편'이란 발표를 한 것으로 나와 있다. 경성제국대학 교수로 있을 때 그는 일본에 건너가 이 발표를 했던 것을 알 수 있다.

일본과학사학회는 1941년에 창립되었다. 그는 학회의 창립 회원이었던 것이 분명하다. 그가 서울에 있을 때 이 학회에 가서 중국과 한국에서의 과학사에 대해 발표했다는 것은 바로 학회 창립 1년 뒤의 일이었다. 일본과학사학회는 학회의 시작과 함께 《과학사 연구》라는 학회지를 발행하기 시작하여 오늘에 이르고 있다. 야지마 스케도시는 바로 이 학회지에 수많은 글을 발표했는데, 주로 외국의 과학사학자 그리고 과학자들에 대한 소개를 하고 있다. 1995년 야지마 스케도시가 죽자, 그를 추도하는 글이 《과학사 연구》 34권(1995년 겨울)에 실린 것은 그가 이렇게 학회를 통해 크게 활약했기 때문일 것이다.

하지만 과학사학자 야지마 스케도시는 실제로 대중적인 수많은 책을 통해 일본의 대표적 과학사학자로 자리 잡았다. 경성제국대학 물리학 교수였을 때 그가 낸 책은 1941년 다른 사람과 함께 외국 책을 번역한 《전기학 실험연구》 1·2(1941)가 전부였던 모양이다. 하지만 전쟁이 끝나고 일본으로 돌아간 그는 연달아 과학사의 여러 분야를 섭렵하며 책을 출간했다.

1947년에는 자신의 전공분야인 전자기학의 역사를 정리해 《전자이론의 발전사》라는 170쪽짜리 책으로 냈는데, 파라디에서 맥스웰까지의 전자기학 발달을 개관하고 있다. 하지만 그 다음부터는 과학사의 범위를 넓혀 《과학사와 과학》, 《물리학사》, 《세계의 과학》, 《일본의 과학》을 내고는, 1950년대로 들어오면 《맥스웰》, 《세계의 과학자》 등을 연달아 출간했다. 《근세 과학사》, 《과학사상사 입문》이 그 뒤를 이었다.

그의 수많은 과학사 저서 가운데 특히 1977~1978년에 번역한 메이슨의 《과학의 역사》는 나에게 더욱 의미가 있다. 이 책은 내가 1981년 우리말로 번역해 같은 제목으로 출판되어 한국에 과학사를 보급하는 데 크게 기여했기 때문이다. 또 그는 일본에 아라비아 과학사를 소개한 것으로도 기억되고 있다. 1965년에 낸 그의 책 《아라비아 과학 이야기》는 그 후에도 계속 발행되고 있으며, 1977년에는 《아라비아 과학사 서설》이라는 445쪽짜리 대작이 나오기도 했다.

그는 19세기 중반 영국의 과학대중화에 크게 기여한 물리학자 존 틴달을 일본에 소개하는 데에도 열성이었다. 1948년에 이미 틴달의 《알프스의 빙하》를 2권으로, 그리고 1950년에 《알프스 여행에서》를 번역했던 야지마는 틴달의 《촛불의 과학》을 1984년에 번역했고, 이어 1987년 《알프스 기행》을 냈다. 특히 그는 1980년 자신의 자서전을 《과학사가(科學史家)의 회상》이란 제목으로 출판했는데, 이 책에는 '아인슈타인의 내일(來日)부터 60년'이라는 부제를 달고 있다. 아인슈타인이 일본을 방문한 뒤 60년 동안의 일본 과학 발전과 과학사를 되돌아 본다는 뜻에서 그런 부제를 달았던 것 같다.

의학

기원전 4세기 진맥법 개발한
중국의 의성 편작
扁鵲 기원전 401~기원전 310

몇 십 년도 더 된 일이지만 내가 고등학교에서 배운 송강(松江) 정철(鄭澈, 1536~1593)의《사미인곡(思美人曲)》가운데에는 이런 대목이 있다.

  편작이 열이 오나 이 병을 어이하리.

  편작(扁鵲, 기원전 401~기원전 310) 같은 명의(名醫)가 와도 내 병은 고칠 수 없으리라는 의미이다. 비슷하게 편작을 최대의 명의라 생각한 우리 선조들의 생각은 200년 전의 여류 작품《조침문(弔針文)》에도 보인다.

편작의 신술(神術)로도 장생불사(長生不死) 못 했네.

《사미인곡》, 《조침문》에도 등장

임진왜란 때 고관을 지낸 정철은 여러 차례 유배도 당하고 문필로 후세에 이름을 남긴 당대의 대표적 학자이다. 그에 비하면 200여 년 뒤의 유(兪)씨 부인은 이름도 아무 것도 알려지지 않은 채 겨우 성(姓)만 전해지는 여류 수필가이다. 그녀의 《조침문》이란 27년이나 써왔던 귀중한 바늘이 부러지는 것을 보고 애통해하는 마음을 수필로 기록한 작품이다. 이 두 고전이 모두 편작을 최고의 명의로 꼽고 있는 것이다. 우리 역사에 언제부터 편작의 이름이 등장했는지는 아직 밝혀져 있지 않다. 하지만 조선시대에는 대표적 명의로 꼽히고 있었음을 알 수 있다.

편작은 실재했던 인물 같기는 하지만 상당 부분은 전설 속의 주인공으로 보이기도 하다. 그러나 요즘 중국 과학사학자들은 그가 기원전 401년에 나서 기원전 310년에 죽었다고 쓰기도 한다. 그러니까 기원전 4세기 사람이란 뜻이다. 그것은 중국의 전국시대를 가리킨다. 그의 일생에 대해서는 중국의 고전적 역사책인 사마천(司馬遷)의 《사기(史記)》 〈열전(列傳)〉에 그의 일생을 설명한 글이 남아 있다.

이에 따르면 편작은 이름이 진월인(秦越人)이고, 발해(勃海)의 정(鄭)나라 출신이다. 지금으로 치면 중국 허베이성 또는 산둥성 출신이다. 동아시아의 대표적 의성(醫聖)으로 추앙된 편작에게는 당연히 알 듯 모를 듯한 전설이 많다. 그는 젊었을 때 여관 주인 노릇을 했는데, 여관에 자주 찾아오는 손님 가운데 장상군(長桑君)이란 이상한 사람을 좋아하여 잘 대우해주었다. 그러자 그가 나이 들어 죽을 때 편작에게 비방을 가르쳐 주었다. 이리하여 그가 명의가 될 수 있었다는 것이다.

편작은 괵나라를 지나가다가 그 나라 사람들이 태자가 죽었다고 우는 소리를 듣고 이를 잘 살펴본 끝에 죽었다는 태자를 살려냈다고도 전해진다. 사실 그는 이미 죽은 사람을 살려낸 것이 아니라 아직 죽지 않은 태자를 잘 살펴 진단한 끝에 치료하게 된 것일 뿐이라고 말했다고 한다. 여기서 나타나는 그의 의학방법은 바로 한의학의 특징의 하나인 사진법(四診法)이라는 진단방법이다. '사진(四診)'이란 물론 글자 그대로 4가지 진단을 말하는데 망진(望診), 문진(聞診), 문진(問診), 절진(切診)을 말한다. 이 4가지 진단법은 환자의 안색과 피부 등 용태를 살피는 망색(望色), 소리를 들어 보는 문성(聞聲), 환자에게 병세를 물어 보는 문병(問病), 그리고 맥을 짚어 보는 절맥(切脈)을 가리킨다. 특히 한의학사에서는 편작이 진맥법을 창시한 원조라고 한다. 《사기》〈편작전〉 끝에 있는 다음과 같은 논평 때문에 시작된 학설이다. 즉 《사기》에 의하면 오늘날 진맥을 말할 때 사람들은 그것이 편작이 시작한 것이라 말한다는 것이다.

다음은 역시 《사기》〈편작전〉에 나오는 일화다. 전국시대 제나라에 환공(桓公)이 임금으로 있을 때였다. 제나라가 한참 강성할 때였다. 이때 편작이 제를 방문하게 되니 환공이 듣고 편작을 온갖 예우를 다하여 대접했다. 그런데 편작이 환공의 얼굴을 유심히 바라보다가 말하기를, 지금 왕의 병이 깊지 않으니 즉시 치료하면 쉽게 치료할 수 있을 것이라 했다. 하지만 즉시 치료하지 않으면 병이 깊어져 치료하기 어려워진다는 경고도 곁들였다. 그러나 환공은 멀쩡한 자신을 환자로 취급한다고 생각하며 언짢아했다.

그 후 닷새 뒤 편작이 다시 환공을 보고 하는 말이 왕의 병은 혈맥에 들어갔으니 빨리 치료하지 않으면 더욱 치료하기 힘들다고 말했다. 환공은 심히 불쾌하게 생각했고, 편작은 물러나 다시 닷새가 지나자 환공에게 아무 말 없이 떠나려 했다. 환공은 사람을 시켜 편작을 불러오게 하여 떠나려는 까닭을 물었다. 편작은 "병이 가까이 있을 때는 탕약과 뜸으로 치료할 수 있고, 혈맥에 있을 때는 침의 효력으로 치료가 가능하고, 장 위에 있을 때는 주료의 효력으로 치료가 가능하지만, 일단 골수에 들어가면 아무리 뛰어난 명의라도 치료할 방법이 없습니다. 그런데 왕의 병이 골수에 자리 잡고 있어 이제 치료를 권하지 못하겠습니다"라고 대답하고 길을 떠났다.

병의 '육불치론'도 내놓아

다시 닷새가 지나 환공은 몸져누웠고 곧 세상을 떠났다는 것이다. 그래서 나온 편작의 말이 '병을 고치기 어려운 6가지 경우', 즉 육불치론(六不治論)이다.

첫째, 교만하여 이치를 깨닫지 못하는 경우, 둘째, 몸을 가볍게 여기고 오직 재물만 중히 여기는 경우, 셋째, 먹고 입는 것이 알맞지 않은 경우, 넷째, 음양의 조화를 꾀하지 못하는 경우, 다섯째, 몸이 약을 받아들이지 못하는 경우, 여섯째, 무당을 섬기고 의원을 믿지 않는 경우 등이다.

또 편작은 심장 수술의 원조라는 뜻의 일화도 전해진다. 이 이야기는 중국의 고전《열자(列子)》〈탕문편(湯問篇)〉에 나온다.

　노나라의 공호와 조나라의 제영이 편작에게 병을 치료받았다. 치료를 마친 편작은 그들에게 이렇게 말했다. "그대들의 병은 밖으로부터 내장을 침범해 생긴 병이기에 처음부터 약과 침으로 고칠 수 있는 것이었소. 그런데 지금 그대들에게는 타고난 지병이 있는데, 몸과 함께 자라고 있소. 이제 그대들을 위해 그 병을 다스리려고 하는데 어떻소?" 이 말에 두 사람은 물었다. "원컨대 먼저 그 증상을 듣고 싶습니다." 편작이 설명했다. "공호 그대는 의지는 강한데 기가 약하고, 제영 그대는 의지가 약한데 기가 강하오. 만약 그대들의 심장을 서로 바꾼다면 좋은 방향으로 균등해질 것이오."

　편작은 두 사람에게 독주를 마시게 하니 사흘 동안이나 혼수상태가 계속 되었다. 편작은 그동안에 두 사람의 가슴을 갈라 심장을 바꾸어 놓아 두 사람의 서로 극단적인 성격을 균형있게 바꾸었다는 것이다. 최근 몇 십 년밖에 안된 심장 이식의 역사가 이미 2000여 년 전에 편작에 의해 시작되었다는 말이다.

　물론《열자》의 기록을 그대로 믿을 수는 없다. 도교의 고전에 속하는 《열자》는 저자도 확실하지 않지만, 아마 2000년 전 자리 잡은 중국의 고전인 것으로 보인다. 그 가운데에는 환상적인 이야기가 제법 많아서 다 믿을 수 없는 내용인 것이 많다. 여하간 이런 저런 전설을 통해 편작은 '동양의학의 아버지'로 역사 속에 굳건히 자리 잡은 것이 사실이다. 마치 서양에서 그리스의 히포크라테스가 수많은 전설 가운데 역시 '서양 의학의 아버지'로 자리 잡은 것처럼 말이다. 특히 그가 육불치론의 마지막으로 의사를 믿지 않고 무당을 믿는(信巫不信醫) 세태를 한탄

한 것은 주목할 만한 일이다. 서양에서는 히포크라테스를 경계로, 그리고 동양에서는 편작을 경계로, 의학은 무당의 세계에서 의사의 일로 바뀌고 있었다는 역사적 과정을 반영하는 것으로 보이기 때문이다.

편작의 죽음 역시 증명할 수 없는 전설로 장식되어 있다. 진(秦)나라에 태의령(太醫令) 이혜(李醯)가 자객을 보내 그를 살해했다는 것이다. 태의령이라면 물론 진나라의 의학의 대표자란 의미겠는데, 군주와 고관대작을 돌보는 태의를 마다하고, 모두가 편작만 찾으니 태의령의 체면은 말이 아니었다는 것이다. 결국 편작은 태의령 이혜 등에게 질시와 원망의 대상이 되어 암살당했다는 것이다.

편작의 묘 둘레에 있는 흙은 약으로 쓰이고 흙 속에서 나오는 흑갈색의 돌은 치료제로 쓰이는데 그 효험이 대단하다는 기록도 있고, 쑥이 많이 있는데 이 쑥의 약효가 다른 곳의 쑥에 비하여 월등히 뛰어났다는 기록도 있다. 편작의 묘는 린커우현[林口縣]에 있으며 편작을 기리는 사당의 이름은 약왕사(藥王祠)다. 사당 앞에는 수백 평의 땅이 있어, 병자가 점을 보아 점괘가 지시하는 방향의 흙을 약으로 사용하면 만병통치 한다고도 전한다. 흙의 빛깔과 맛이 모두 다른데, 약효가 얼마나 뛰어났던지 많은 사람들이 흙을 채취하여 산이 평지로 변했다고 한다. 편작은 이와 같이 중국에서도 오늘까지 명의의 대명사로 불리고 있다.

사상의학의 토대 제공한 중국의
장중경
張仲景 150~219

오늘날 한국의 한의학과 관련해서는 허준(許浚, 1539~1615)의 《동의보감》과 이제마(李濟馬, 1838~1900)의 《동의수세보원》을 가장 대표적 고전으로 꼽는다. 이 가운데 특히 이제마가 내세운 사상의학은 아주 유명할 뿐 아니라 많은 한의사들이 그의 이론을 연구하고 또 따르는 것으로 보인다. 사상의학은 사람의 체질 구성을 태양·태음·소양·소음의 넷으로 분류하고 체질에 따라 서로 다른 진단과 치료를 꾀하는 의학이다. 그런데 이 사상의학의 근본을 찾다보면 《주역》을 떠올리기 십상이지만, 그것을 의학상의 이론으로 정립한 원조를 찾는다면 1800년 전 후한시대의 장중경(張仲景, 150~219)을 꼽을 수 있다.

전염병 창궐하자 관직 버리고 의학 연구 정진

장중경은 이름이 원래 장기(張機)이지만, 대체로 그의 자(字)였던 '중경 (仲景)'이 이름처럼 되어 '장중경'으로 더 널리 알려져 있다. 중국에서 만 그런 것이 아니라 한국에서도 그의 이름은 장중경으로 더 잘 통한 다. 장중경은 후한 말기에 난양[南陽]에서 태어났다. 지금으로 치면 중 국 허난성의 난양시[南陽市]이다.

그의 생애 기간은 중국 역사상 전쟁과 질병이 크게 번졌던 그런 고약 한 시기로도 꼽힌다. 그의 집안 사람들 약 200명 가운데 3분의 2가 전염 병 등으로 사망했는데, 이들 사망자의 70퍼센트는 상한증(傷寒症)이었 다고 그는 회고하고 있다. 196~220년 사이의 일이라니 장중경이 50살 전후 때의 일이다. 장중경의 생애에 대해서는 영제 때(168~189)에는 장 사태수를 역임했다고 전해진다. 그러나 이 기록에 대해서는 이견도 없 지 않아서 그가 과연 지방관 자리(태수)에 있었는지는 분명하지 않다. 잦은 전쟁으로 천하가 시끄러운 시기에 관직에 있었던 장중경은 당시 정치가 부패한데다 전염병까지 유행하여 자신의 친척들이 수없이 병 으로 죽는 것을 보고 벼슬을 버리고 의학 연구에 정진했다. 그는 고향 의 의학자 장백조(張伯祖)를 스승으로 따르며 의학을 공부했는데, 당시 의 사람들은 장중경이 그의 스승을 뛰어넘는 학식과 경험이 있다고 인 정했다.

당시 사람들은 혼란기에 의사를 믿지 않고, 점쟁이나 굿에 기대는 풍 조가 강했다. 그는 의사들이 너무 건성건성 환자를 보기 때문이라면서 스스로는 아주 열심히 환자들을 살피고 연구하는 태도를 가졌다. 먼저 환자의 기색을 잘 살피고 소리 내는 것도 잘 들어보고 물론 병자의 느낌 등을 잘 물어본다. 맥을 짚어보고 병의 진행 상태를 조사한 다음 진단을 내린다. 이렇게 면밀한 의료행위를 거듭해 인근에 명성을 떨쳤고, 그것이 그의 이름을 후세에 '의성(醫聖)'으로까지 남기게 된 셈이다.

유명한 일화로는 이런 전설이 남아 있기도 하다. 그는 수무현에서 의사 노릇을 했는데 20세 남짓의 왕찬이란 청년을 본 일이 있다. 그는 왕찬이 병색인 것을 보고, "자네 지금 이미 병이 들어 있군. 빨리 치료를 시작해야겠어. 당장 오석탕을 복용하면 혹시 병의 뿌리를 뽑을 수도 있을 것 같네. 만약 그리 하지 않는다면 40세 전후가 되면 눈썹이 모두 빠지고 의사로서도 고치기 어려울 뿐 아니라, 생명의 위험이 있을 걸세!"라고 말했다. 하지만 그 청년은 이 의사가 제 자랑을 하려고 헛소리를 한다고 생각하고 시키는 대로 하지 않았다. 얼마 후 장중경은 이 청년을 다시 만나 처방한 대로 약을 먹고 있는지 물었다. 그 청년은 복용했노라고 대답했지만, 그의 기색을 살핀 장중경은 "자네 모양을 보니 약을 먹지 않은 것이 확실하군. 왜 자네는 의사 말을 듣지 않고 자기 생명을 경시하는가?"라고 힐책했다는 것이다. 그러나 괜찮아 보이던 왕찬은 40세가 되던 해에 정말로 눈썹이 빠지더니 반년 뒤 사망했다. 당시 사람들은 그가 마풍병에 걸렸다고 짐작했다. 이는 오랜 잠복기간을 가진 전염성 질환이다. 쉽게 진단하기도 어렵지만 고치기는 더욱 어려운 것으로 알려졌던 질환이었다.

임상 경험에 옛 의학서적 참고해《상한잡병론》저술

장중경이 《상한론(傷寒論)》이라는 명저를 후세에 남기게 된 것은 그렇게 그가 임상 경험을 쌓으면서, 이미 그전부터 전해지던 의학서를 통달했던 때문이다. 그의 《상한론》이 나오기 직전의 중국에는 이미 여러 가지 의학서가 나와 있었다고 전해진다. 《한서》예문지에는 한나라 때까지 이미 중국에서 나와 있었던 대표적 의학서적으로 《의경 7가》를 기록하고 있다. 약 2000년 전 한나라 때 이미 대표적인 의서에 7가지가 있었다는 뜻이다. 그것들 이름은 《황제내경》, 《황제외경》, 《편작내경》, 《편작외경》, 《백씨내경》, 《백씨외경》, 《방편》 등이다. 이 가운데 《황제내경》만이 오늘날까지 남아 있고 다른 것들은 모두 사라졌다.

분명히 장중경 당시에는 이런 책들이 모두 있었고, 그는 이런 책들을 종합하고 자신의 의사로서의 경험을 덧붙여 책을 쓴 것으로 보인다. 그의 기록을 보면 자신이 《소문》, 《팔십일난》, 《음양대론》 등을 연구에 사용했다고 밝힌 부분도 있다. 이런 옛 서적을 부지런히 참고하고 널리 여러 처방 등을 찾아내어 지은 책이 《상한잡병론》이라는 것이다. 당시 상한이란 열을 내면서 갑자기 시작되는 질병을 일반적으로 가리킨 표현이었다. 《소문》〈열론편〉을 보면 "열병이란 것은 무릇 상한으로 생긴다"는 표현이 있다. 이런 표현으로도 그 의미를 알 수 있다. 발열성 전염병, 즉 지금으로 치면 장티푸스, 디프테리아, 인플루엔자, 말라리아 등은 모두 여기 속한다.

원래 《상한잡병론(傷寒雜病論)》16권은 전란 틈에 제대로 계승되지는 못했던 것을 서진의 태의 왕숙화(王叔和, 210~285)가 정리해 남겨 후세에 전한 것이다. 마치 친 제자인 것처럼 왕숙화는 장중경의 책을 잘 정리했다는 평가를 받는다. 이때 《상한잡병론》은 2가지 책으로 분리된다. 《상한론》과 《금궤옥함요략방》이다. 앞의 책은 상한, 뒤의 것은 잡병으로 분류 정리 되었다는 것이다. 그랬던 것이 북송 중기에는 다시 정리되어 《상한론》 10권, 《금궤옥함경》 8권, 《금궤요략방》 3권이 되었다. 두 번째 것은 널리 보급되지 못했으나, 첫 번째와 세 번째는 아주 널리 퍼졌고 지금까지도 남아 있다.

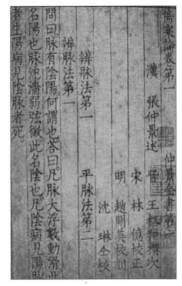

장중경의 《상한잡병론》

장중경의 저작은 《상한잡병론》만이 아니었다는 설도 있다. 《요부인방》 2권, 《오장론》 1권, 《구치론》 1권 등도 그의 저작이었다고 전해지기도 하지만 애석하게도 이런 책들은 남아 있지 않다. 그 밖에도 이름만으로 전해지는 경우로는 《황소약방》 25권, 《변상한》 10권, 《요상한신험방》 1권, 《평병요방》 1권 등이 있다.

6가지 체질로 사람 구분해 치료법 제시

《상한론》은 6경(經)을 변증하고 외감열병에 대해 다루고 있다. 그리고 《금궤요략》은 장부변증을 통해 각종 잡병을 다룬다는 일반적 설명도 있다. 요컨대 사람이 병에 걸리는 것을 시간의 경과와 함께 변해가는 상태를 분류하여 그에 맞는 치료 원칙이나 처방과 응용을 서술한 경험 의학서라 할 수 있다. 여기 등장하는 여러 가지 구성 가운데에는 6경, 8강(綱), 4진(診), 8법(法) 같은 것들이 있다. 예를 들면 질병에 대한 '변증론치'를 하는 것인데, 팔강변증과 육경론치라 하기도 한다. 8강 또는 8강령은 음(陰), 양(陽), 표(表), 리(裏), 한(寒), 열(熱), 허(虛), 실 (實)을 말하며, 보다 진단을 정확하게 하기 위해 복잡하기 마련인 증세 등을 구별하는 기준이다. 이를 다시 음양을 기준삼아 구분하여 한증, 허증, 이증은 음병으로 보고, 반대로 열증, 실증, 표증은 양병으로 본 다. 여기 부수적으로 진단을 위한 방법 4진이 있다.

치료에는 6경이 기준이 된다. 장중경은 사람을 체질 등에 따라 6가 지로 나눴는데, 3양경(태양, 양명, 소양)과 3음경(태음, 소음, 궐음)이다. 치 료 방법상으로는 땀을 내게 하고, 토하게 하며, 배설, 소화 등의 여러 가지를 고려한다하여 8법(한, 토, 하, 화, 온, 청, 보, 소)을 말하기도 한다. 이 가운데 '6경'이 바로 우리나라 이제마의 《동의수세보원》이 주장한 '사상'과 연결되는 것임을 짐작하게 한다.

우두 발명해 천연두 퇴치한
영국의 에드워드 제너

Edward Jenner 1749~1823

한말의 야사(野史) 《매천야록(梅泉野錄)》에 의하면 우리나라에 처음으로 우두 접종을 도입한 사람은 "영국의 의사 점나(占那)와 지석영(池錫永)"이라 되어 있다. 원래 《매천야록》은 한말의 시인이며 애국자였던 황현(黃玹, 1855~1910)의 작품인데, 1910년 나라가 망하자 그는 절명시 4수를 남기고 음독 자결했다. 이 책은 시대별로 여러 가지 역사적 사실을 설명하고 있는데, 거의 마지막 부분 융희(隆熙) 2년의 사건 가운데 이 우두 이야기가 들어 있다.

버클리에서 목사 아들로 태어나

물론 서양 문물에는 거의 문외한이었던 황현은 영국 사람 '점나(占那)'가 누군지 알았을 리가 없다. 하지만 지석영(池錫永, 1855~1935)이라면 당시 국내에서 제법 유명한 사람이어서 이름만은 알았을 것으로 보인다. 지석영은 바로 우리나라에서 처음으로 우두를 널리 보급한 공로자로 잘 알려져 있다. 그가 우두를 배운 것은 1870년대 후반부터였고, 본격적으로 우두를 국내에 보급하기는 1882년 이후였다. 《매천야록》에 의하면 마치 우두가 융희 2년, 즉 1908년에야 널리 알려진 것처럼 되어 있는 것 역시 잘못된 일이다.

영국인 '점나'는 오늘날 우리들에게는 유명한 우두의 발명자 에드워드 제너(Edward Jenner, 1749~1823)를 가리킨다. 제너를 중국에서 표기할 때 '점나'라 했기 때문에 당시 우리나라에도 그렇게 알려졌던 것이다. 하기는 그보다 좀 뒤에 나온 다른 책에는 제너의 이름이 '차나(遮拿)'라는 다른 한자로 표기되어 있기도 하다. 1776년에 영국 의사 '차나'가 우두를 발명했다는 표현은 장지연(張志淵)의 《만국사물기원역사》에 보인다. 역시 중국식 표기에서 나온 것임을 알 수 있다.

우리나라에 엉뚱한 표기로나마 알려지기 1세기 이상 전에 이미 제너는 영국에서 우두를 발명했고 그 결과 세계적인 명성을 얻었다. 제너는 1749년 5월 17일 영국 글루스터의 버클리라는 작은 마을에서 목사 스티븐 제너와 사라 제너의 아홉 명 아이들 가운데 여덟째로 태어났다. 그런데 5살 때에는 이미 부모를 잃었고 곧 결혼한 누나 메리의 도움으로 자라게 되었다. 그는 이미 14살 때까지 그 지역 의사의 조수 노릇을 하며 의학을 공부했다.

1770년 누나는 그를 런던에 보내 의학을 공부하게 해주었다. 성조지 병원에서 그는 당대의 유명한 의학자 존 헌터 아래서 의학을 공부하고 1727년 23세에 의사가 되어 고향으로 돌아왔다. 그리고 그 후 거의 고향을 떠나지 않은 채 38년 동안을 살다가 세상을 떠났다. 동물학과 식물학에도 밝았던 그는 그의 스승 헌터와 평생 교류하며 지냈다. 그리고 우두의 발명 이외에도 활발하게 학문 활동을 하여 많은 과학상의 업적을 남겼다.

제너가 우두를 발명한 것은 바로 이 고향에서였다. 그리고 그가 우두를 생각하게 된 것은 어려서부터 들었던 정보를 뒤에 계속해 유념하고 있었던 까닭이었다. 어려서부터 그는 목동이나 우유를 짜는 여인들은 천연두에 걸리지 않는다는 말을 많이 들었다. 왜 그럴까? 이를 곱씹어 생각하며 의사 노릇을 하던 그에게 기회가 찾아온 것은 아마 1790년대 중반의 일이었던 것 같다.

'목동은 천연두에 안 걸린다'에서 착안

여하튼 그는 1796년 5월 14일 역사상에 남을 유명한 실험을 실행했다. 우유를 짜는 여인의 손등에 난 물집에서 진물을 묻혀 내 8살짜리 건강한 소년 팔뚝에 두 곳을 상처 내어 진물을 묻혀 준 것이다. 정원사의 아들인 그 아이는 7월 1일에는 이렇게 접종한 소의 천연두(cowpox)에서 나아진 것이 확인되었다. 이번에는 사람의 천연두(smallpox)를 같은 방법으로 그 소년에게 옮겨 보려 했다. 물론 그 소년은 그 천연두에 걸리지 않았다. 소의 천연두 진물로 이미 그는 천연두에 대한 면역성을 얻었기 때문이라고 그는 판단했다.

인류역사상 면역성을 이용하여 무서운 전염병을 퇴치할 수 있게 된 첫 성공이었다. 이를 바탕으로 그는 1789년에 《우두의 원인과 효과에 관한 연구(An Inquiry into the Causes and Effects of the Variolae Vaccinae)》라는 소책자를 발표했다. 이에 대한 반향은 매우 컸으며 이 책자를 둘러싼 찬반양론 또한 격렬하여 영국에서는 반대론이 강했고, 여러 외국에서는 찬성의 소리가 높았다. 그러나 이론상의 찬반이야 어쨌거나 우두의 효과는 놀라운 것이었다. 우두 접종의 효과는 곧 널리 인정되어 1803년 런던에 우두 접종 보급을 위해 '왕립제너협회'가 설립되었다. 가난한 사람들에게는 무료로 접종을 해주었고 그 결과 천연두로 인한 사망자의 수가 격감되어 영국 의회는 그에게 상금(3만 파운드)을 주기로 결의하기도 했다.

천연두란 인류역사상 가장 무서운 전염병의 하나였다. 18세기 100년 동안에만 전 세계에서 6000만 명이 목숨을 잃었다는 통계가 나와 있을 지경이었다. 서양만이 아니라 동양에서도 그 피해는 무시무시했고, 우리나라 기록에서도 얼마든지 천연두의 유행과 그 피해가 기록되어 있다. 두창(痘瘡)·포창(疱瘡)이라고도 하며 속칭으로는 마마라고 한다. 높은 열과 특징적인 두드러기, 그리고 앓고 나면 얼굴에 남는 곰보로 악명이 높던 전염병이다. 제너 덕택에 천연두는 급격히 사라져 1967년 이래 세계보건기구(WHO)에서 천연두 근절계획을 추진한 결과 1977년에 극히 적은 발병률을 보였고 그 후 2년간 환자발생이 없었기 때문에 1979년 10월에 천연두 근절선언을 공포함으로써 종두 시행은 사실상 중단되었다. 1993년 천연두는 완전히 사라졌다고 발표되기도 했다.

제너의 우두법 이전에도 동양과 서양에서는 이미 비슷한 면역법이 시험되어 왔다. 예를 들면 중국과 우리나라에서는 인두법(人痘法)이라 하여 천연두에 걸린 사람의 진물을 건강한 사람의 코에 묻히면 면역성이 생긴다는 사실을 조금씩 실험적으로 알아내고 있었다. 그러나 이 방법은 위험해서 널리 시행되지는 않았던 것이 분명하다. 그런 가운데 실학자 정약용(丁若鏞)은 1798년(정조 22) 《마과회통(麻科會通)》을 썼는데, 그 끝에는 아주 가볍게 지나가는 투로 당시 중국에 소개되고 있던 우두법을 소개한 적이 있다. 제너의 이름은 전혀 없이 서양 사람 피어슨이란 이름만 있는데, 어쩌면 정약용 자신이 이미 그 시기에 우두를 실험적으로 실시했을 가능성이 있다.

또 19세기 초 이규경(李圭景)의 《오주연문장전산고》에는 1854년(철종 5)에 평안도, 황해도에서 어린이의 팔 위에 침으로 조그만 상처를 만들어 우두즙을 마찰하면 틀림없이 효과를 거둘 수 있으며, 강원도에서도 팔 위에 접종하는 우두종법이 실시되고 있다는 소문을 기록하고 있다. 당시 중국 베이징에 비밀리 내왕하던 천주교 관계자들이 우두법을 자세히 듣고 실시하기 시작했던 듯하다. 그러나 이 방법은 발전되어 뿌리내리지 못하고, 서학(西學)의 탄압과 함께 중단되었다.

우리나라에서는 지석영이 최초로 보급

결국 1867년(고종 13) 일본과 수호조약이 체결되자 지석영은 그의 스승 박영선(朴永善)에서 일본 가는 길에 일본의 종두법에 관한 정보를 알아와 달라고 부탁했다. 박영선이 일본에서 구해다 전한 구가 가쓰아키[久我克明]의 《종두귀감(種痘龜鑑)》을 연구한 지석영은 1879년 일본 해군이 세운 부산의 제생의원(濟生醫院)에 가서 2개월간 종두법을 공부했다. 그리고 두묘(痘苗) 3병과 종두침 2개를 얻고 12월 하순 서울로 돌아오다가 처가인 충청도 충주 덕산면에서 40여 명에게 종두를 실시하게 되었다. 이것이 최초로 실시한 우두이다. 그리고 그 이듬해 서울로 돌아와 종두를 계속했는데, 가지고 올라온 두묘로서는 양이 부족하여 1880년 일본에 가서 송아지에서 우두약을 만들어 보관하는 법 등을 배우고 두묘 50병을 가지고 귀국했다. 1894년 갑오개혁 이후 우두는 이 땅에 빠르게 보급되었다.

평생을 시골 의사로 일하면서 우두법을 창안한 제너는 사실은 우두 이외에도 여러 가지로 활동한 과학자였다. 1789년에 그는 영국왕립학회 회원이 되었는데, 당시 과학자들 사이에 명성을 얻고 있었던 때문이다. 그는 뻐꾸기가 둥지를 트는 법을 연구하기도 했고 철새는 멀리 이주했다가 돌아오는 것이라고 주장하기도 했다. 당시 많은 사람들은 철새란 다른 나라로 이동하는 줄을 모른 채 집단 동면한다고 생각하고 있었다.

1809년에 제너는 영국지질학회 회원이 되는데, 평생 화석에 취미를 갖고 그 마을을 흐르는 세번강에서 수집 연구한 결과로 지질학과 화석학에서 상당한 공헌이 있었던 까닭이다. 가장 놀라운 그의 업적으로는 바다공룡 플레시오사우르스(Plesiosaurus)의 화석을 발견한 것을 들 수 있다. 그는 이미 1816년에 '화석이란 사라진 시대의 기념물'이라 하여, 프랑스의 학자 퀴비에가 생각하던 결론과 같은 생각을 발표하기도 했다. 그때 학자들은 아직도 화석은 지금도 어딘가에 살아 있는 생물의 흔적이라 여기고 있던 때였다.

그는 39세이던 1788년에서야 12세 아래의 캐서린 킹스코트와 결혼했다. 둘 사이에서는 세 아이가 태어났다. 1789년에 난 제너는 12세이 되던 1810년 결핵으로 세상을 떠났고, 둘째인 딸 캐서린은 1749년에 태어났는데, 그가 살아있을 동안 결혼은 했지만 자식은 없었다. 1797년생의 셋째 로버트는 평생 결혼하지 않았다. 또 그의 아내는 처음부터 몸이 약했던 것으로 보이는데, 결국 1815년 9월 결핵으로 세상을 떴다. 1823년 1월 추운 날 그는 아침 식사에 나타나지 않았다. 조카가 가보니 그는 중풍으로 도서실에서 의식을 잃고 쓰러져 있었다. 다음날 1월 26일 새벽 2시 73세의 제너는 운명했고 이웃 버클리교회에 묻혔다. 부모, 아내 그리고 아들이 이미 묻혀 있는 곳에 함께 묻혔다. 그의 집은 지금 박물관이 되었고, 그가 기른 포도밭의 포도는 지금도 무성하여 방문객들에게 팔리고 있다. 이 박물관을 인터넷으로 방문할 사람을 위해 그 주소를 다음에 적어둔다.(www.jennermuseum.com)

《조선견문기》 쓴 독일 의사
필립 시볼트
Phillip Siebolt 1796~1866

《조선견문기(朝鮮見聞記)》라는 책이 있다. 1832년에 독일인 의사 필립 프란츠 폰 시볼트(Phillip Franz von Siebolt, 1796~1866)가 쓴 책인데 당시 우리나라를 서양에 소개한 글이다. 이 책은 그리 길지도 않고 그 내용도 좀 빈약한 편이지만 우리나라에도 이미 1987년에 번역되어 나와 있다.

1987년에 이미 국내 번역 출간

바로 조선의 견문기를 쓴 이 시볼트가 일본 근대 과학사에 빼놓을 수 없는 유명한 인물이다. 일본 역사에서의 시볼트에 대해서는 이미 수십 년 전부터 알고 있고 또 그의 중요성을 여러 번 글로 쓴 일도 있다.

어느 날 우연히 내 책장에 꽂혀 있는 시볼트의 《조선견문기》에 눈이 닿으면서 나는 일본 과학사의 시볼트를 연상하고 그 책을 꺼내 읽기 시작했다. 그리고 바로 그것이 같은 인물이란 것을 알게 되었다. 나는 바로 《조선견문기》를 전부 읽어 내려갔다. 시볼트는 우리나라를 다녀간 적이 없다. 그는 일본에 살면서 일본에 표류해 간 조선인들을 만나 취재해서 글을 썼고 조선어에 대한 지식을 쌓아 그것을 비교적 자세하게 소개하고 있다.

또 중국에 표류해 갔다가 조선을 거쳐 돌아온 일본 어부의 견문기록, 일본 역사책에서 뽑아낸 조선 역사에 관한 글들도 들어 있다. 그가 《조선견문기》 서문에 써 놓은 것처럼 시볼트는 1823~1829년까지 일본 나가사키[長崎]에서 살다가 돌아간 독일 의사이다. 그는 독일에 돌아간 다음 여러 권으로 일본을 소개하는 책들을 냈는데, 이 《조선견문기》는 그가 쓴 책들 가운데 일부를 구성하고 있을 뿐이다.

네덜란드 군의로 일본에 파견

시볼트는 남부 독일에서 태어나 그곳 대학에서 의학 등을 공부하고 1822년 네덜란드의 동인도회사 군의(軍醫)로 취직해서 이듬해 일본에 오게 되었다. 나가사키에는 당시 네덜란드 사람들이 상주하면서 일본과 무역을 계속하고 있었는데 바로 그곳의 네덜란드의 상관(商館)에 주재 의사로 일하게 되었던 까닭이다. 이미 일본에 네덜란드 사람들이 활동하기 시작한 지 1세기가 지나서 나가사키에는 일본 청년들이 몰려들어 네덜란드어를 배우고 그 말을 이용해서 서양의 근대 과학을 익히고 있었다.

시볼트는 바로 이런 청년들을 모아 놓고 서양의 의학을 가르쳤다. 의학을 가르치다보니 자연히 근대 생물학과 박물학에 대해서도 가르치게 되었다. 또 1826년에는 네덜란드 상관의 우두머리를 따라 당시 일본의 서울이었던 에도[江戶, 지금의 도쿄]에 가서 일본의 지도적 지식인들과 과학자들을 만나 그들에게도 영향을 주었다. 그가 남긴 역사상의 업적으로는 두 가지를 꼽을 수 있다. 하나는 그가 나가사키의 나루다끼[鳴龍]란 곳에 병원을 차리고 그곳에서 의학 및 과학을 가르쳤다는 사실이다.

일본의 자연, 유럽에 소개

두 번째로는 그가 일본에 있는 동안 수집한 자료와 지식을 정리하여 서양에 일본의 자연을 소개했다. 1835~1844년까지 《일본의 식물》을 썼고, 1833~1850년 사이에는 《일본의 동물》을 썼다. 그뿐만 아니라 《일본》이라는 대작을 써서 서양에 당시로서는 가장 완벽한 일본의 모든 것을 안내하는 책을 썼다는 점은 주목할 일이다.

요컨대 시볼트는 일본 과학사에 이바지한 공헌으로 기억되는 인물이면서 동시에 일본을 서양에 소개한 공으로도 기억된다고 할 수 있다. 그런데 일본 역사책에는 그가 1828년 귀국하려 했을 때 일어난 '시볼트 사건'으로 잘 알려져 있다. 그가 가지고 나가려 했던 물품 가운데 금수품이 있어 크게 말썽이 일어났던 때문이다. 이 사건은 일본에서 아주 유명한데 그만큼 그는 당시 아주 많은 자료를 가지고 나갔다는 사실을 반증하는 사건이라고도 할 수 있다. 특히 그는 당시 일본에 관한 상세한 지도 등을 가지고 나가려다가 말썽이 났다. 이 사건에 연루되어 많은 일본인들이 처벌받았음은 물론 시볼트도 1년 이상 출국이 금지되었다.

그 후 그는 네덜란드와 독일에서 연구생활을 계속하다가 일본이 정식으로 개국한 다음 네덜란드의 동인도회사의 고문으로 1859년 다시 일본에 왔고 한때 일본 막부정권의 외교 고문까지 하며 살다가 1863년 고향 독일로 귀국했다. 그리고 3년 뒤인 1866년 10월 18일 뮌헨에서 죽었다.

여하튼 일본 과학사에서 시볼트는 개국 이전에 활약했던 서양인 가운데 가장 일본 근대 과학 발전에 이바지했던 두세 명의 은인 가운데 하나로 꼽히고 있을 정도이다. 특히 그의 일본인 제자 가운데 여러 명이 일본 근대 과학의 개척자로 기억되고 있기 때문이다. 대표적 제자로 두 사람만 들어보자. 이토 게이스케[伊藤圭介, 1803~1901]는 나고야[名古屋] 출신으로 일본 역사에서는 대표적 박물학자로 손꼽히고 있다. 1827년 25세 때 이미 그는 나가사키로 시볼트를 찾아가 짧은 기간 동안 그에게 직접 교육을 받았다.

이때 시볼트에게서 얻어온 책 하나가 스웨덴 학자가 쓴 일본 식물에 관한 책이었다. 그는 이 책에 크게 감동을 받아 그 후 일본의 식물을 연구하는 길로 들어서서 세계에 일본을 소개하는 학자로 성장하게 된다. 또 그는 고향에 돌아온 바로 다음 칼 폰 린네(Carl von Linne, 1707~1778)의 제자였던 스웨덴 식물학자 칼 툰베리(Carl Thunberg, 1743~1828)의 《일본식물론(Flora Japonica)》을 일본어로 옮기고 주석을 달아《태서본

초명소(泰西本草名疏)》(1829)라는 책을 냈다. 툰베리는 1775년 나가사키에 도착하여 1년 동안 일본 식물 800여 종을 채집하고 연구한 끝에 돌아갔는데 스웨덴의 웁살라대학교 교수가 되어 1784년에 이 책을 냈던 것이다.

또 한 명의 제자로 흔히 꼽는 사람은 다카노 조에이(高野長英, 1804~1850)이다. 1825년 나가사키에서 시볼트 제자가 되었던 그는 시볼트에게서 배운 것을 바탕으로 연구를 계속하여 1832년《의원추요(醫原樞要)》라는 책을 냈는데 일본 최초로 서양 근대 생리학을 소개한 책이다. 또 그는 탈레스에서 라이프니츠까지의 서양 자연철학을 소개한 책을 쓰기도 했고 병서를 쓰기도 했다. 그 밖에도 서양 과학을 소개하는 글을 많이 쓴 것 같으나 남아 있는 것은 드물다.

딸은 일본 최초의 여의사

그 밖에도 여러 근대 과학자가 시볼트의 직간접적 제자라고 할 수 있기 때문에 일본에서는 시볼트에 대한 기념사업이 여러 가지로 활발하다. 게다가 시볼트가 남긴 일화 가운데에는 그가 유곽의 창녀와 관계해서 딸을 얻었다는 사실도 있다. 당시 21세였던 이 창녀가 시볼트의 아이를 임신했다는 사실은 그해 2월 19일자의 포주 보고서에 기록되어 남아 있기도 하다. 그런데 흥미로운 사실은 이때 얻은 혼혈아가 뒤에 일본 최초의 산부인과 여의사가 되었다는 점이다. 이 사실도 보기에 따라서는 시볼트가 일본 근대 의학에 남긴 업적이라 할 수도 있겠다.

그런데 일본 학자들의 주장에 의하면 그가 일본을 이렇게 열심히 연구한 것은 당시 네덜란드 사람들의 동양 식민지 경영이 어려워지고 있었기 때문에 네덜란드의 동인도회사가 막대한 자금을 그에게 지원하여 일본에 대한 정보를 체계적으로 얻으려 했다는 것이다. 그가 일본 지도를 밀수출하려다가 걸렸던 것도 이런 네덜란드인들의 목적 때문이었다고 해석하고 있다. 실제로 그는 도쿄를 여행하는 동안에도 기압계, 온도계, 고도계 등을 가지고 다니며 각 지역의 기상 정보까지 수집했던 것이 밝혀져 있다. 당시 서양인들의 노력이 부분적으로는 그들의 식민지 개척정신과 연관되었음을 보여준다. 그리고 시볼트의 《조선견문기》역시 이런 의미를 깔고 있다고도 할 수 있을 것 같다.

저술 통해 서양 의학 소개한
영국 선교사 벤자민 홉슨

Benjamin Hobson 1816~1873

임오군란이 일어나기 얼마 전에 조선왕조는 최초로 서양과의 교류를 시작했다. 그해 1882년에 조선은 미국과 수호통상조약을 맺었고, 그에 이어 서양 각국은 다투어 통상관계를 맺기 시작했던 것이다. 우리나라가 오랜 은둔의 나라에서 처음으로 세계로 나가기 시작한 셈이다.

그런데 바로 그해 가을에 우리 근대사의 유명한 상소로 꼽히는 지석영(池錫永, 1855~1935)의 '개화상소'란 것이 있다. 오랫동안 굳게 닫혀 있던 나라를 열고 개화하기 위해서는 이런 책을 읽고 또 널리 보급해야 한다고 1882년 9월 지석영이 상소를 올려 추천한 책들은 다음과 같다. 김옥균의 《기화근사(箕和近事)》, 박영효의 《지구도경(地球圖經)》, 안종수(安宗洙)의 《농정신편(農政新編)》, 김경수(金景遂)의 《공보초략(公報

抄略)》등과 외국인이 지은《만국공법(萬國公法)》,《조선책략(朝鮮策略)》,
《보법전기(普法戰紀)》,《박물신편(博物新扁)》등이 그것이다.

《박물신편》 지석영이 상소로 추천

이 가운데 마지막 책《박물신편》을 지은 영국의 의사이며 선교사가 벤
자민 홉슨[Benjamin Hobson, 합신(合信), 1816~1873]이다.《박물신편》이
당시 얼마나 우리 선조들에게 개화사상을 익히는 데 널리 사용되었는
지는 지금 잘 밝혀져 있지는 않다. 하지만 그가 지은 책들은 개화기 우
리나라 지식인들에게 적지 않은 영향을 준 것만은 분명하며, 그 대표
적인 책 하나가 바로 지석영이 배워야한다고 상소했던《박물신편》이
다. 자연과학 전반을 다룬 이 책 이외에도 의사였던 홉슨은 의학책을
4가지 지었는데, 이 의학서 역시 우리나라에 근대 서양의학을 소개하
는 데 결정적으로 기여했다고 할 수 있다. 1866년에 최한기(崔漢綺)가
지은《신기천험(神機踐驗)》이란 책은 다름 아닌 홉슨의 4가지 의학서와
《박물신편》등을 참고해서 편집해낸 것으로 밝혀졌기 때문이다. 1850년
대 중국에서 홉슨이 발행했던 책들이 10여 년 후에 최한기에 의해 이
땅에 전해지고 있었음을 보여준다. 1882년의 지석영의 상소문이 이 책
을 거론했던 것은 바로 홉슨의 책들이 당시 조선에 제법 보급되어 있
었던 것을 짐작하게 한다.

홉슨은 영국 런던선교회(The London Mission)의 선교사이며 런던대학
교 의과를 졸업한 의사로서 1839년 아내 애비진과 함께 교회의 파견으
로 중국에 오게 되었다. 그해 12월 18일 마카오에 도착한 이들 부부는

그곳에서 의약학을 통한 선교에 종사하다가 1843년에는 홍콩으로 자리를 옮기게 되었다. 그러다 1845년에 그의 아내가 죽자 그는 한때 영국으로 돌아가기도 했다. 그러나 1847년에 그는 다시 중국으로 돌아왔는데, 이때 이미 그는 초기 중국 선교사로 명성을 남기고 있는 로버트 모리슨(Robert Morrison, 1782~1834)의 딸과 결혼했다. 그리고 1848년부터 광저우[廣州]에서 병원을 열고 환자를 진료하면서 선교에 힘쓰게 되었다.

모리슨은 중국에 개신교를 소개한 초기의 대표적 선교사로, 바로 홉슨이 소속되었던 런던선교회 소속이었다. 아직 기독교 선교가 금지되었던 1807년 영국의 동인도회사 소속의 번역자로 중국에 온 모리슨은 말하자면 비밀리에 선교 사업에 종사했고 성서의 번역에도 힘썼다. 그리고 그가 죽으면서 중국에서의 선교는 자유로워졌고, 그 때문에 그를 기념하는 학교가 1835년부터 발기되어 1839년 마카오에서 정식으로 문을 열었다. 이 학교의 첫 졸업생 중 하나가 바로 룽훙[容閎, 1828~1912]이다. 룽훙은 중국인 최초의 서양 유학생으로 그의 회고록《서학동점기(西學東漸記)》는 우리나라에도 번역되어 있다.

룽훙의《서학동점기》를 보면 그 자신에게 이 학교 입학을 연락해준 인물이 바로 홉슨이라고 기록하고 있다. 1835년 겨우 8세에 아버지를 따라 마카오에 갔던 룽훙은 거기서 선교사 부인이 시작한 서양 학교에서 공부할 기회를 얻었다. 그러나 그 학교가 바로 문을 닫는 바람에 그는 고향으로 돌아와 집안일을 돕고 있다가, 마침 마카오의 서양 사람이 하는 출판사에서 인쇄된 책의 쪽수를 맞춰 정리해주는 일을 맡아 하는 심부름꾼으로 일하기 시작한 때였다. 이미 영어 알파벳과 아라비아 숫자 정도는 알고 있었기 때문에 이런 일은 12세 소년에게 어렵지 않은 것이었다. 홉슨은 두 달 동안 자기가 하고 있던 병원에서 룽훙을 데리고 있다가 모리슨학교에 입학하게 해주었다. 룽훙은 그것이 1841년이었다고 적고 있다. 아마 이런 첫 연락을 홉슨이 해준 것 빼고는 그들 두 사람의 관계는 더 발전한 것으로는 보이지 않는다.

이렇게 초기에 광저우에서 병원을 차려 놓고 선교사이며 의사로서 봉사활동을 하던 홉슨은 교회의 일과 함께 중국인들에게 서양의 과학과 의학을 소개하는 데 힘을 기울이고 있었다. 1843년 8월 22일~9월 4일에 각 선교회의 선교사들이 홍콩에서 《성경》 개정을 위한 회의를 개최한 일이 있다. 이 회의에는 중국에서 활동하던 여러 교파의 목사들이 참석했는데, 런던선교회 소속이 제일 많은 듯했고 그 한 사람으로 홉슨도 참석했다. 그밖에도 그는 1853년 《요한복음》을 번역했다는 기록도 보인다. 그러나 그가 주로 이름을 남긴 것은 기독교 선교 때문이 아니라 서양 과학과 의학을 소개한 책 때문이다.

물리·화학·천문학·동식물 등 소개

1854년 건강이 나빠진 그는 상하이에서 얼마동안 휴양을 취하기도 했으나 바로 광저우로 돌아갔다. 바로 이 시기에 그는 《박물신편》을 상하이에서 펴낸 것으로 보인다. 1856년에는 2차 아편전쟁으로 병원을 꾸려 가기 어렵게 되자 그는 홍콩으로 이사했다. 그리고 이듬해는 상하이로 옮겨 인제(仁濟)의원에서 의사로 일하기도 했으나, 1858년 12월 18일 상하이를 떠나 바로 영국으로 귀국하고 말았다. 상하이의 황푸강黃浦

江 강변에는 왕도(王韜)를 비롯한 당대의 중국인들과 친지들이 그를 전송하기도 했다. 이 시기 동안 그는 정력적으로 과학과 의학서를 써냈다.

《박물신편》은 1855년 상하이에서 출판되었다. 기상·물리·화학의 기초적인 것이 1집에, 천문학이 2집, 그리고 3집에는 동식물에 관한 기초지식이 나열되어 있는 기초과학서로 132쪽이다. 1집은 5편으로 구성되었는데 지기론(地氣論), 열론(熱論), 수질론(水質論), 광론(光論), 전기론(電氣論) 등이다. 지기론은 공기에 관한 여러 가지를 설명하고 있는데 풍우침, 한서침, 산소, 질소, 탄산가스, 황산을 비롯한 몇 가지 산(酸) 등이 설명되어 있고, '물질불멸의 법칙(物質不滅定律)', '만유인력의 법칙' 등이 설명되어 있다. 열론은 열의 생산 이용 등을 설명하고 화륜선과 증기기관의 원리도 설명하고 있다. 다음 수질론, 광론, 전기론이 각각 물, 빛, 전기에 관한 내용을 담고 있다. 또 수질론에는 세상을 구성하는 원질(元質)이 모두 56종이라 소개하고 있는데 원소를 가리킨다. 2집 천문학 부분은 이미 홉슨이 1849년 따로 출판했던 25쪽의 《천문약론(天文略論)》을 여기 포함시킨 것이다. 26절로 구성되었는데 지구, 낮과 밤, 행성, 각국 토지와 인물의 차이, 4대주, 인구론, 지구의 공전과 계절, 월식, 바다의 조석, 수성, 금성, 화성, 소행성, 목성, 토성, 천왕성, 혜성, 항성 등을 소개하고 있다. 중국에서 코페르니쿠스의 지동설을 포함한 서양 근대 천문학 지식을 소개한 최초의 문헌이라고 평가되기도 한다. 3집에서는 짐승과 새 그리고 곤충 등을 소개하고 있다. 원숭이, 코끼리, 호랑이, 표범, 곰, 낙타에서부터 온갖 새 등을 소개하고 당시 유럽 학계에서 알고 있는 동물이 30만 종이라고 기록하고 있다. 또 동물을 8종류로 분류하는 방법에 대해서도 소개하고 있다.

중국 청소년들에 영향 준 과학도서

《박물신편》은 당시 중국의
청소년들에게 크게 영향을
준 것으로 밝혀지고 있다.
예를 들면 유리 막대를 마찰
하여 전기를 일으키면 작은
종이 조각이 끌려가는 현상
을 읽고 이를 실험하면서 서
양 과학의 놀라운 발달에 주

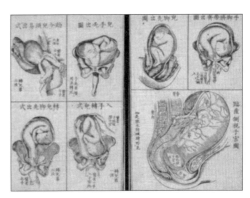

《부영신설》(1858)

목한 중국의 젊은이들이 당시에 많았다. 그리고 그들 가운데 일부가
결국 과학자로 성장하기도 했다. 더구나 이 책은 일본에서 1868년과
1876년에 각각 출판되었는데, 중국판보다 더 상세한 주석을 달았을 정
도였다. 지석영이 1882년의 개화상소에서 이 책을 강력하게 추천하고
나선 것은 바로 이런 배경을 이해할 때 더 잘 알 수가 있을 듯하다. 또
《박물신편》은 1883년에 우리나라 첫 근대 신문 《한성순보》를 발행할
때 많은 기사를 이 책에서 베껴낸 것으로 밝혀지고 있기도 하다. 개화
기 우리나라에 근대 과학을 소개하는 데에 절대적인 영향을 주었다고
할 수 있다.

홉슨의 의학서 역시 대단히 중요한데, 《전체신론(全體新論)》, 《서의약
론(西醫略論)》, 《내과신설(內科新說)》, 《부영신설(婦嬰新說)》이 그것이며,
이들은 뒷날 《합신씨의서오종(合信氏醫書五種)》이란 책으로 묶여 나오기
도 했다. 이들 역시 일본에서 1857년부터 3년 사이에 모두 출간되었고,

《전체신론》은 1874년에도 다시 출간되었을 정도였다. 또 바로 이 의학서와 《박물신편》이 우리나라에서는 최한기의 《신기천험》(1866) 8권의 대본이 되어 주었던 셈이다. 하지만 이 책들은 우리나라에서 일본에서처럼 주석을 붙여서나 그대로라도 출판된 것으로는 보이지 않는다.

그런데 최한기는 그의 《신기천험》 1~2권을 거의 홉슨의 《전체신론》을 토대로 썼음이 밝혀져 있다. 이는 최한기의 서문에도 이미 밝혀져 있는 사실이다. 최한기는 몇 가지 중요한 점은 수정해서 썼는데, 예를 들면 기독교적인 표현을 없애고, 홉슨의 '조화(造化)', '신령(神靈)' 등은 반드시 '운화(運化)', '기화(氣化)'라는 표현으로 바꾸었다. 그러나 특히 최한기의 《신기천험》이 원래의 홉슨 책보다 못한 부분은 원저에는 113장의 해부도 등 그림이 있는데, 최한기의 《신기천험》에는 이 그림이 한 장도 없다는 점이다. 최한기의 대표작 가운데 하나인 《신기천험》이 바로 홉슨이 중국에서 1851~1858년 사이에 내놓은 서양 과학과 의학서를 그대로 대본삼아 국내에 최초로 서양 과학과 의학을 소개한 중요한 사건이다. 그러나 1859년 영국으로 돌아간 홉슨이 그 후 어떻게 지냈는지 또 최한기가 그의 책 내용을 국내에 소개한 과정과 그 영향 등에 대해서는 아직 연구하지 못하고 있다.

우리나라에 처음 상륙한 미국인 의사
호러스 알렌
Horace Allen 1858~1932

우리 역사에 처음 등장하는 서양인 의사로는 호러스 알렌[Horace Allen, 안련(安連), 1858~1932]을 꼽는다. 한창 나이에 그는 1884~1905년까지 20년 동안 이 땅에 살면서 우리나라에 최초로 서양 근대 의학을 전했다.

세브란스의학전문학교 전신인 광혜원 설립

지금 서울대학교와 연세대학교에는 모두 의학박물관이 세워져 있고, 또 알렌이 시작한 근대식 병원을 그들 병원의 시작으로 꼽고 있기도 하다. 원래 알렌은 1885년(고종 22) 서울 재동(齋洞)에 광혜원(廣惠院)을 세웠는데, 이것이 이 땅의 첫 근대식 병원이다. 그 후 곧 제중원(濟衆

院)으로 이름을 바꿨다. 또 10년 뒤인 1904년에는 미국인 실업가 세브란스의 후원으로 도동(桃洞)에 새로 집을 짓고 이전하면서 세브란스병원으로 이름을 바꿨다. 원래 국립병원이라는 점에서는 국립 서울대학교병원을 연상할 수도 있고, 세브란스를 생각하면 오늘의 연세대학교병원의 시조라고도 할 수 있다.

미국 오하이오주에서 태어나 1881년 그곳 웨슬리언대학교를 졸업한 알렌은 1883년 같은 주의 마이애미의과대학을 졸업하여 의사가 되었다. 졸업과 함께 프랜시스 메센저와 결혼하고는 바로 선교사가 되어 중국에 왔다. 미국 장로교 선교부 의사로서 중국에 온 그는 중국에서의 활동이 여의치 못한 채 상하이에 머물고 있었다. 그런 상태에서 그는 한국에 근무하겠다고 자원하고 나섰고 선교 본부는 그의 소원을 받아들였다. 한국에서 기독교를 선교하면서 의사로서 활동하기 시작한 첫 서양 사람이 된 것이다. 그때 그의 나이 겨우 26세 밖에 되지 않는 때였다.

의사가 된 지 겨우 1년 지난 젊은이였지만, 당시의 조선은 근대 의학이라는 면에서는 형편없이 뒤진 나라였고 당연히 알렌에게는 할 일이 많았다. 오랜 쇄국 끝에 나라 문을 연 것이 겨우 8년 전인 1876년이었으니까 조선에 들어오자마자 알렌에게는 일감이 쏟아져 들어왔다. 의사로서 근대 의학을 시행하고 교육하는 일이 있었고, 선교사로서는 기독교 선교를 하는 일도 있었다. 그리고 조금 자리가 잡히자 외국과의 교섭 경험이 없던 조선 정부에 서양 사람들과의 외교를 도와주는 일도 하게 되었고, 더 많은 경우 조선에 들어와 여러 가지 사업을 해서 돈을 벌려던 서양 사람들에게 그런 기회를 알선해주는 일도 하게 되었다.

광혜원

　실제로 알렌은 한국 최초의 근대 의사로서 널리 알려져 있지만, 기독
교 측에서는 최초의 선교사로도 주목하고 있다. 서울의 남대문 교회는
1998년 9월 20일과 27일에 '알렌 기념강좌'를 실시했다고 기록되어 있
고, 알렌이 시작한 제중원에서 이 교회가 태동했기 때문에 이를 기념
하는 강좌를 연 것이라 설명하고 있다. 9월 20일이라면 알렌이 한국에
도착한 1884년 바로 그날이다.

　알렌이 이렇게 환영받아 교회와 의술을 함께 성공적으로 시작할 수
있었던 가장 큰 이유는 바로 그가 한국에 도착한 최초의 의사였기 때문
이라고 할 수 있다. 그보다 한 해 앞서 서울에 도착한 초대 미국 공사
(公使) 푸트에게는 의사가 필요한 상황이어서 푸트는 알렌을 즉시 미국
공사관의 공의(公醫)로 임명했기 때문이다. 물론 당시 서울에는 몇몇
외교관이 주재하기 시작할 때여서, 의사로서의 알렌의 역할이 중요해

질 수밖에 없었다. 그는 점점 그의 활동 범위를 넓혀 영국, 중국, 일본 공사관의 의사로도 활동하게 되었다. 공사관의 의사로 임명됨에 따라 그 당시 선교사의 자격으로는 입국이 거부되던 상황에서 알렌의 한국 주재는 가능했다. 알렌은 미국 공사관 직원의 협조로 공사관 근처에 한 국식 기와집을 한 채 사서 생활하기에 적합하도록 수리했다. 그리고 10월에 상하이로 가서 가족들을 데리고 10월 26일 서울로 다시 돌아 왔다. 그의 집에는 일본인 요리사와 중국인 유모(乳母)와 이하영(李夏 榮, 1858~1919)이라는 한국어 선생이 같이 살았다.

알렌이 매입한 선교를 위한 가옥은 1882년 임오군란 때 살해된 사람 이 살던 집으로 흉가(凶家)라고 하여 비어 있었다. 알렌의 첫 한국어 선 생 이하영은 후에 미국주재 한국 대리공사가 되었고, 두 번째 선생 노 춘경(盧春京)은 국내에서 처음으로 1886년 7월 1일 세례를 받았다고 기독교 역사에 적혀 있다.

알렌이 집까지 얻어 자리 잡고 난 다음 결정적으로 중요한 사건이 일 어났다. 그 때문에 그는 이 땅에서 의사로서의 위치를 확립하고, 결국 서양 의학은 크게 위신을 세울 수 있었고, 또 덩달아 기독교 선교에도 큰 도움을 받게 된다. 그것은 1884년 12월 4일 우정국 개국일에 일어 난 갑신정변이다. 김옥균, 박영효, 홍영식 등 개화파가 사대당(事大黨) 일파를 제거하려고 쿠데타를 일으켰던 것이다. 연회장에서 다과가 나 오고 있을 때 갑자기 문 밖에서 '불이야' 하는 소리가 들려왔다. 그리 고 뛰어나오던 민영익은 일곱 군데나 칼에 맞아 큰 상처를 입었는데, 그중 두 군데는 거의 치명적이었다.

민영익 치료 계기로 시의에 발탁

1884년 12월 5일에 쓴 알렌의 일기에 "어젯밤은 서울에 있는 외국 사람들에게는 매우 중대한 사건이 발생한 밤이었다"고 쓰여 있다. 자객(刺客)의 칼에 맞은 민영익은 민비의 조카로 얼마 전에 한미조약의 비준을 교환하기 위하여 미국을 다녀온 사신이었다.

때마침 한국 정부의 외교 고문으로 와 있던 독일인 묄렌도르프의 관저에 당도하니 한의들이 열네 사람이나 모여 앉아 있었다. 이런 외과적 치명상을 한의학이 어쩔 도리가 없는 일이었다. 알렌의 치료가 민영익의 생명을 구하게 된 것이다. 서양의술의 신비스런 효과는 왕실의 신망으로 이어졌고, 따라서 공개적인 선교 활동의 길이 열렸다. 1885년 1월 27일 민영익은 회복되어 알렌에게 10만 냥을 보내 사례했다.

민영익과의 인연으로 그는 고종의 시의(侍醫)가 되었고, 몰려드는 환자를 다 치료할 수 없을 정도로 인기가 높았다. 1885년 1월 22일 알렌은 서울 주재 미국 대리공사 조지 포크[George Foulk, 복구(福久)]를 통하여 국립병원 설립안을 제출했다. 알렌은 자신은 보수 없이 일하겠지만, 건물 하나와 한 해의 경상비와 약품 값으로 3000달러를 제공해 달라고 요청했다. 이렇게 설립된 최초의 서양식 병원 제중원에는 1886년 의학교도 부설하게 된다. 당시 정부는 전국에 의학에 소질이 있는 똑똑한 사람들을 올려보내라고 공문을 보내 16명을 선발했다. 3개월 교육 후 4명이 탈락하고 12명이 남아 근대 서양 의학을 배우게 된 것이다.

천연두로 시력 잃은 이승만도 치료

알렌에게는 두 가지 유명한 일화가 전해진다. 1897년 의사로 있다가 한국 주재 공사가 된 알렌은 당시 친로(親露) 내각 대신들을 정릉의 집으로 초대했다. 칵테일을 마시자 알렌은 유성기(留聲機)를 꺼내 놓았다. 물론 거기에 참석한 대신들로서도 처음 보는 진기한 물건이었다. 그때의 축음기는 납으로 만든 원통(圓筒) 레코드였다. 녹음과 재생이 되는 녹음 및 축음기 겸용이었고, 그 소리란 '문풍지 떨듯' 했던 때였다. 소리가 나자 대신들은 눈을 둥그렇게 뜨고 놀라면서도 놀란 표정을 감췄다. 알렌은 곧 짧은 연설을 하고, 한 대신이 답사를 하게 했다. 이 연설과 답사는 몰래 녹음되었던 것이다. 약 30분 후에 그 녹음을 유성기로 틀어 재생시켜 놓았다. 그런데도 이 근엄한 한국 대신들은 눈만 약간 크게 떴을 뿐 여전히 청이불문(聽耳不聞) 한 채 천장을 보거나 창밖을 보거나 돌아앉거나 하며 결코 경악하지 않았다.

이승만(李承晩)이 어렸을 때 천연두로 시력을 몇 달 동안 잃었던 것을 고쳐준 것도 알렌이었다. 장님이 된 어린 아들 때문에 절망에 빠진 아버지 이경선(李慶善)은 6대 독자인 아들의 실명을 고치려 온갖 노력 끝에 드디어 알렌에게 데리고 왔다. 그는 물약을 주면서 3시간 만에 한 번씩 눈에 떨어뜨리면 사흘 후에 좋은 결과가 나타날 것이라고 말했다. 사흘째 되던 날은 마침 이승만의 열 번째 맞는 생일이었는데, 어머니가 밥상을 가져와 수저를 손에 쥐어 주었다. 그때 갑자기 소년 이승만은 마루에 있는 것이 보이기 시작했다. 그는 아버지를 향해 기어가면서 눈이 보인다고 소리쳤다. 기쁨에 어쩔 줄 모르던 그는 계란 한

줄을 선물로 들고 아이를 데리고 알렌에게 찾아갔다. 알렌은 선물을 사양하면서 당신 아들에게 계란이 더욱 필요하니 잘 먹이라고 했다는 일화이다.

미국 공사로 근무하면서 전기, 전화, 철도, 광산 등 많은 분야에서 한국의 근대화 작업에 많은 미국 기업가를 참여시키는 일에 열성이었던 알렌은 1905년 일본이 조선을 지배하게 되자 미국 공사 자리에서 밀려나, 고향 오하이오주 톨리도에 정착했다. 1930년에는 건강이 악화하며 두 다리를 절단하기에 이르렀고, 2년 뒤에 세상을 떠났다.

세브란스의학전문학교 설립한
캐나다 의사 올리버 에비슨

Oliver Avison 1860~1956

한국 의학사에서 가장 뚜렷한 이름으로 남을 인물 하나로 올리버 에비
슨(Oliver Avison, 1860~1956)을 꼽을 수 있다. 한국 이름은 어비신(魚丕
信)으로 알려져 있다. 이광린(李光麟, 1924~2006)이 《올리버 알 에비슨
의 생애》(1992)라는 책을 통해 이미 그의 생애를 소개한 적이 있다. 이
광린은 이 책을 쓰면서 관련 자료를 수집하기 위해 에비슨의 연고지를
찾고 미국과 캐나다 여러 곳을 뒤지기도 했다고 한다.

언더우드와 인연, 1893년 부산에

지금 연세대학교 의과대학의 전신인 '세브란스의학전문학교'의 설립자이며 초대 교장이던 에비슨은 원래 영국 출생이었지만, 1866년 6살 때 일가가 캐나다로 이민을 갔기 때문에 캐나다인으로 알려져 있다. 그는 자라서 초등학교 교사로 청년기를 시작했다. 하지만 더 공부하여 대학 교수가 되는 편이 좋겠다고 생각하여 대학으로 진학해 공부를 계속했다. 그는 캐나다의 토론토대학교에서 약학을 공부하고 이어 의과대학에 진학하여 의사가 되었다. 그리고 이어 모교의 교수가 되었다. 에비슨은 1885년 7월에는 제니 반스와 결혼하여 곧 아이들을 가지게 되었고, 대학 교수로서 안정된 생활을 하던 사람이었다. 그러던 그가 갑자기 1893년 6월 16일 부산에 도착하여 그 후 40년 동안 이 땅에서 의료 활동에 종사했던 것이다.

그가 조선에 오게 된 동기는 토론토를 방문했던 선교사 호러스 그랜트 언더우드[Horace Grant Underwood, 1859~1916, 원두우(元杜尤)]의 자극을 받아서였다고 알려져 있다. 일찍이 조선에 와서 선교와 교육 활동을 하고 있던 언더우드는 조선에서의 선교 및 교육의 중요성과 가치를 널리 선전했고, 이에 감동한 청년 의사 에비슨이 조선에 오기를 희망했고 그 뜻을 언더우드에게 전했던 것이다. 언더우드는 조선에 의사가 필요하다고 생각하여 선교 본부에 에비슨을 추천했다. 이렇게 조선에 온 에비슨은 그를 오게 만든 언더우드와 함께 오늘날의 연세대학교를 설립하게 된 셈이다. 오늘날 연세대학교가 학교 전체의 창시자로 언더우드를 꼽고, 의과대학의 창시자로 에비슨을 꼽는 것은 이 때문이다.

원래 이 땅에 서양식 의학이 자리 잡게 된 것은 1884년 갑신정변이 중대한 고비가 된다. 그 날 칼에 맞아 7군데 크게 상처를 입은 민영익(閔泳翊)은 때마침 미국 영사관에 와 있던 미국 의사 호러스 알렌[Horace

Allen, 1858~1932, 안연(安連)]의 도움을 받아 건강을 회복하게 된다. 그 덕분에 알렌은 1885년 이 나라에 처음으로 서양식 병원으로 제중원[濟衆院, 첫 이름은 광혜원(廣惠院)]을 차릴 수 있게 되었다. 하지만 이 병원은 전통 의료 밖에 모르던 조선 사람들에게 서양식 의료의 놀라운 세계를 맛보게 한 중대한 공은 있지만, 본격적인 의학 교육기관으로까지 발전되기는 어려웠다. 우선 재정 형편이 말이 아니었던 까닭이다.

미국의 부호 세브란스 후원 받아

바로 이 부분에서 알렌에 이어 1893년 11월부터 제중원을 맡은 에비슨은 놀라운 성공을 하게 된다. 원래 제중원은 서울 종로구 계동에서 시작했지만, 그 후 지금의 을지로 1가로 옮겨 있었다. 1884년 갑신정변에 가담하여 집안이 망하게 된 홍영식(洪英植)의 집을 정부에서 얻어 병원으로 쓰게 된 것이었다. 에비슨이 책임을 맡았던 초기까지 이 병원은 조선 정부가 운영의 책임을 맡고 있었다. 하지만 만성적 재정문제로 제대로 운영되지 못하던 병원은 이듬해 아예 미국 선교사들이 운영을 맡게 되고, 정식으로 에비슨이 책임자가 된 것이다.

그로부터 꼭 10년 동안 에비슨은 제중원을 운영해 이 땅의 근대 의학 건설에 크게 이바지했다. 그러다가 1904년 제중원은 사라지고 대신 세브란스병원이 태어났다. 1902년 선교부가 구입한 남대문 밖의 땅에 건물을 짓기 시작했고, 그 건물이 1904년 현대식 시설을 갖춘 병원으로 등장했던 것이다. 병원 건설을 위해 돈을 모으러 미국에 갔던 에비슨은 1899년 미국 클리블랜드시의 부자이며 자선가인 루이스 헨리 세

세브란스의학전문학교

브란스(Louis Henry Severance, 1838~1913)의 기부금 1만 5000달러를 얻
게 된 것이었다. 당시로서는 엄청난 금액이었고, 이 돈 덕분에 에비슨
이 1904년 병원을 신축하고 의학 교육기관을 확정할 수 있었다. 이것
이 바로 '세브란스병원'이며, '세브란스의학전문학교'이다. 지금까지 연
세대학교 부속 병원을 '세브란스'라 부르는 이유가 여기 있다. 1907년
세브란스는 자신의 개인 의사 러들러(A. I. Ludlow)를 데리고 조선을 방
문하여 그의 이름이 붙은 병원을 찾았으며 다시 3만 달러를 증여했다.
그 후 이때 따라왔던 러들러는 1911년 의료선교사로 내한하여 세브란
스병원에서 오랫동안 근무했다.

　1913년 아버지가 죽은 다음에도 그 아들과 딸이 세브란스를 지원했
다. 아들 존 세브란스와 딸 프렌티스가 1939년까지 지원한 돈은 20만
달러를 넘는 것으로 보인다. 1927년 세브란스 증축 때에만도 10만 달
러를 지원했다. 미국 스탠더드 석유회사 대주주였던 세브란스는 대단
한 부자가 되어 많은 기관과 대학 등에 막대한 지원금을 냈고, 그 흔적

이 지금도 고향 클리블랜드는 물론 그 일대에 여러 모습으로 남아 있다. 지원을 받은 대학 여러 곳에는 그의 이름을 딴 건물이 남아 있기도 하다. 그러나 우리나라에서는 막상 그를 기념하는 책 한 권도 나온 일이 없는 듯하다.

일제시대를 통해 세브란스병원은 가장 훌륭한 의료시설이었고, 또 가장 중요한 의학 교육기관이었다. 물론 일본 식민지 정부가 세운 의학교와 의료기관도 점점 충실해졌다. 세브란스가 처음 제대로 훈련받은 의사를 졸업시킨 것은 1908년 6월 3일이었는데 7명이 졸업했다. 김필순(金弼淳), 신창희(申昌熙), 김희영(金熙榮), 홍종은(洪鐘殷), 홍석후(洪錫厚), 주현칙(朱賢則), 박서양(朴瑞陽) 등 7명이다. 이들 가운데 특히 김필순과 홍석후가 에비슨을 도와 의학책 번역에 힘쓴 것으로 기록되어 있다. 김필순은 105인사건 이후 만주로 피하여 의사 노릇을 하면서 독립운동을 도왔고, 홍석후는 한국 최초의 안과 전문의가 되어 세브란스의학전문학교의 안과 교수가 되었다. 1934년 에비슨이 세브란스를 사임할 때까지 세브란스 졸업생은 352명이 되었다.

1934년까지 의료인 352명 양성

1898년에 에비슨은 조수들을 데리고 의학책을 번역하기 시작했고, 그렇게 번역된 교재를 가지고 1901년에는 제대로 의학 교육을 시작했다. 당시 제중원의 책임자로서 에비슨이 가장 먼저 번역한 책은 그레이(H. Gray)의 《인체해부학(Anatomy)》으로 1899년에 발간되었으나 현재는 전하지 않는다. 지금 알려져 있는 의학 교재는 32종 정도로, 남아 있는 것은 《약물학》, 《화학》, 《해부학》, 《생리교과서》, 《진단학》, 《산과학》, 《외과학》 등 10종 정도다. 이 번역에 실질적 주역을 담당한 김필순, 홍석후 등은 10여 년 뒤에서야 세브란스 1회 졸업생이 된 것이다.

또 1916년부터 연희전문학교 교장도 겸임하던 에비슨은 1934년 은퇴하면서 세브란스의학전문학교 교장 자리는 오긍선(吳兢善)에게, 연희전문 교장은 언더우드 2세, 즉 원한경(元漢慶)에게 넘겨주었다. 75세가 되던 1935년 12월 2일 미국으로 돌아간 에비슨은 1940년 80회 생일을 맞아서는 한국 생활을 회고하는 글 《한국 생활의 회고(Memoirs of Life in Korea)》를 남기기도 했는데, 한국에서는 《구한말비록(舊韓末秘錄)》 2권(1984)으로 번역되어 나와 있다.

부인은 그들이 미국으로 은퇴한 이듬해 1936년 미국에서 별세하여 캐나다에 묻혔고, 76세의 에비슨은 재혼해 20년을 더 살다가 1956년 8월 28일 미국 플로리다주 피터스버그에서 96세로 세상을 떠나 부인 곁으로 돌아갔다. 그들 사이에서는 아들 7명과 딸 3명이 태어났는데, 셋째 고든은 의사가 되어 한국에서 선교의사로 활약하기도 하고 1924년 광주 기독교청년회 농업 확장 일을 하다가 귀국했고, 첫 딸 리라도 한국에서 3년 동안 일하다가 미국으로 가 결혼했다. 넷째 더글라스는 세브란스병원 소아과 교수, 병원장, 부교장을 역임한 다음 1952년 전쟁 중에 캐나다 밴쿠버에서 죽어 화장했는데, 1953년 세브란스 학교장으로 다시 장례식을 하고 서울의 양화진외국인선교묘원에 안장했다.

에비슨의 동상은 지금 연세대학교에 세워져 있다. 원래 그의 동상은 일제시대 1928년 3월에 졸업생들에 의해 병실 남쪽에 세워져 있었다. 하지만 1943년 그 동상은 일제가 전쟁에 필요한 대포와 총탄을 만든다

하여 징발되어 사라졌고 동상대만 서 있었다. 지금은 장소가 바뀌어 원래의 세브란스의학전문대학 터인 남대문 근처가 아니라 신촌의 연세대학교 의과대학 동북쪽에 그의 동상이 건립되어 있는데 1966년 6월 다시 세운 것이다.

한국에 근대 의학 심어준
미국의 선교사 로제타 홀
Rosetta Hall 1865~1951

대구대학교에는 '로제타 셔우드 홀 기념관'이 있다. 이 땅에 첫 발을 디딘 후 43년 동안 한국의 장애인을 위한 특수교육 분야를 개척한 선구자 로제타 셔우드 홀[Rosetta Sherwood Hall, 허을(許乙), 1865~1951]을 기념하기 위한 것이다. 홀은 우리나라에서 뚜렷한 활동을 했던 선교사이며 의사였다. 그러나 사실 홀은 혼자가 아니라 남편 윌리엄 제임스 홀[William James Hall, 하악(賀樂), 1860~1895], 그리고 이들의 아들 셔우드 홀(Sherwood Hall, 1893~1991) 등 세 사람 모두가 한국에서 활동한 선교사이며 의사였다. 홀은 미국 뉴욕의 리버티 출생으로 필라델피아 여자 의과대학을 졸업하여 의사가 되었다. 5살 많은 남편 제임스는 캐나다 온타리오주의 가난한 집안에서 태어나 어려서는 목수가 되려했으나 건강을 해쳐 집에서 쉬다가 1880년 고등학교를 나왔고, 이어 교사 자격을 얻어 교사 노릇을 얼마동안 했다. 교사 생활로 돈을 모은 그는 퀸스대학교에 진학했으나 고등학교 때부터 사회봉사가 목표였기 때문에 뉴욕의 벨뷰병원 의과대학으로 옮겨 국제의료봉사에 눈을 뜨게 되었다. 1889년 그는 의대를 졸업하고 진료소를 꾸려가고 있었는데, 그때 두 사람은 만나게 되어 곧 사랑에 빠졌고, 둘이서 함께 선교의(宣敎醫)로 활동할 것을 결심했다. 미국 감리교 선교회가 그들의 한국 파견을 결정했다.

남편과 함께 선교의 활약

1890년 8월 먼저 홀이 서울로 출발했고, 다음 해 12월에 제임스가 서울에 도착했다. 그래서 그들의 사랑은 1892년 6월 27일 교회에서 한국 최초의 서양식 교회 결혼식을 거행하며 열매를 맺었다. 그리고 남편은 바로 평양에서 개척교회를 만들어 활동을 시작했고, 아내는 얼마 뒤에 평양으로 가서 활동하게 되었다. 지금 이화여자대학교 부속병원의 전신인 보구여관(保救女館)에서 여자 환자를 돌보는 일을 했다. 잠자리를 제공하는 여관(旅館)인 줄로 오해하기 쉬운 이름이지만, 당시 정동에 있던 여성 전문병원이다. 사실은 여기서 이미 홀은 우리 역사에 중요한 한 가지 공을 남기기 시작한다. 이곳 의사 노릇을 하면서 그녀는 이화학당에서 생리학과 약물학을 가르치기도 했다. 그때 학생 가운데 한 명이 김점동(金點童, 1876~1910)이었고, 김점동은 뒤에 이 선교의사와의 인연으로 미국에 유학하여 최초의 한국인 여의사가 되었던 것이다.

김점동은 미국에 가기 전에 평양
에서 홀 선교의사를 돕고 있던 박
유산과 결혼했는데, 이 때문에 그
녀 이름은 우리 역사에 '박 에스
터'로 더 알려져 있기도 하다.

김점동 부부와 로제타 홀 가족(1890년대)

1892년에 남편을 따라 평양에서
의료선교를 시작한 홀은 1894년
5월에 평양에서 부인병 진료소를
개설했다. 그러나 그곳 사람들의
서양인에 대한 반감과 기독교에
대한 반발 등으로 어려움만 겪던
남편은 말라리아에 걸려 1895년 11월 24일 서울에서 세상을 떠나고 말
았다. 한참 청일전쟁이 전국을 휩쓸고 혼란이 극심하던 때였다. 그들
사이에는 아들 셔우드가 태어나 1살이었고 홀은 다시 임신 중이었다.
11월 27일 배재학당에서 영결식을 마친 홀은 바로 고향으로 돌아갔다.
그러나 홀은 그냥 미국에 주저 앉은 것이 아니었다. 그녀는 1896년 1월
에 아이를 순산했는데, 딸 에디스 마거릿 홀(Edith Margaret Hall, 1895~
1898)이었다. 그리고 아들 셔우드와 딸 에디스를 데리고 1897년 11월
한국으로 돌아왔다. 그동안 모금한 돈으로는 이미 평양에 남편을 기념
하기 위한 병원을 운영하고 있었고, 또 그녀는 미국에 있는 동안 미국
의 점자를 배워 그것을 한국에서 이용할 길을 궁리하고 있었다. 그녀
는 원래 평양에서 선교 일을 돕고 있던 오석형의 딸 봉래가 눈먼 아이
인 것을 안타깝게 여겨 그 아이를 가르치고 있었는데, 그 아이를 더 잘

가르치기 위해서도, 또 다른 한국의 맹인을 위해서도 점자를 익혀야겠다고 결심했던 것 같다. 그렇게 배운 점자로 그녀는 한국에 맞는 방법을 고안해서 우리나라 최초의 점자를 만들어 《성경》의 4복음서를 점역(點譯)해내기도 했다. 지금은 다른 방법의 점자가 사용되기에 이르렀다지만 홀이 한국 점자의 창시자이며 농아학교의 창시자로 꼽히는 것은 당연한 일이다.

한국 최초의 점자 만들어

홀은 1898년 6월 18일 여성진료소의 문을 열었다. 평양감사의 아내의 병을 낫게 해준 결과, 치료소 이름은 평양감사가 지어준대로 '광혜여원(廣惠女院, Women's Dispensary of Extended Grace)'이라 했다. 홀 부부가 평양에서 이미 시작했던 의료 활동은 '평양홀병원'으로 1897년 2월에 다시 문을 열었고, 이제 '광혜여원'도 다시 열려 평양 지역의 의료 혜택이 안정되기에 이른 셈이었다.

당시는 아직 여자가 남자 의사의 진찰을 받으려하지 않는 때였다. 몇 안 되는 선교 여의사들의 활동이 중요한 것은 이 때문이기도 했다. 환자들이 대부분 하층계급에 속한 사람들이었다. "왜냐하면 상류층의 여성들은 대낮에 거리를 나다닐 수가 없기 때문"이라고 홀은 기록하고 있다. 따라서 그녀는 "밤에도 병원 문을 열어 어떤 계층의 여자 환자라도 치료를 받도록 하고 싶다"고 했다. 원래 처음 조선에 온 선교사들은 여자와 어린이만을 따로 치료할 수 있는 병원이 필요하다고 보고했고, 그 요청에 따라 1887년 메타 하워드(Meta Howard)가 최초의 선교 여의사로 조선에 파송된 일이 있다. 하워드는 조선에서 수천 명의 여성들과 어린이들을 치료했으나 건강이 악화되어 1889년에 미국으로 돌아갔다.

홀은 바로 그 뒤를 잇기 위해 조선에 파견되었던 셈이다. 홀은 1890년 10월 13일자 일기에서 그 당시의 병원에 대한 이야기를 다음과 같이 하고 있다.

도착 첫날 병원을 갔는데 집에서 가까웠다. …… 병원과 시료원을 돌아본 나는 기쁨을 감출 수가 없었다. 예상했던 것보다 훨씬 훌륭했기 때문이다. 약간 구조를 고친 조선집이었지만 보기에도 훌륭하고 병원으로서 부족함이 없었다. …… 방들은 온돌이며 환자들은 따뜻한 방바닥 위에서 쉬고 있다. 의사가 환자를 진찰할 때에는 바닥에 앉아야 하므로 습관이 될 때까지는 이 자세가 매우 힘이 든다. 그러나 전반적으로 볼 때 이런 방법이 좋은 것 같다. 첫째 이유는 환자들이 조선 사람이기 때문이다. 그들은 서양 침대는 매우 춥다고 생각한다. 내 생각으로는 해롭지 않은 풍속을 고쳐야 할 필요가 없다고 본다. 방바닥이 따뜻해서 잠자기에는 참으로 편안하다. 둘째는 환자가 침대 밖으로 나올 염려가 없다. 방 전체가 하나의 침대나 마찬가지니까. 셋째, 온돌방은 청결하여 소독하기가 매우 쉽다…… 병원에는 약품이 꽤 많이 준비되어 있었다. ……

퇴임 후에는 아들이 이어

전혀 딴판인 문화에 처음 접한 이국의 젊은 여성으로서는 아주 훌륭한 태도임을 알 수 있다. 의료 활동을 계속한 홀은 후진 양성에도 관심을 가져 이미 그녀 아래 교육받은 여의사 3명이 조선총독부 의사자격시험에 합격한 일도 있다. 1928년에는 경성여자의학강습소를 서울에 세워 여자 의사 양성의 길을 정식으로 열기도 했다. 그전에 있던 조선여자의학강습소를 활성화한 것으로 보인다. 여하간 이 학교는 그녀가 은퇴하여 미국으로 돌아간 다음에는 몇 차례 이름을 바꾸면서 결국 수도여자의과대학, 우석의과대학에서 고려대학교 의과대학으로 이어져 내려오게 되었다. 홀은 1933년 정년퇴임하여 귀국했고, 아들 셔우드가 그 뒤를 이었다. 1951년 4월 5일 85세를 일기로 세상을 떠난 그녀는 고인의 뜻에 따라 서울 양화진외국인선교사묘원에 안장됐다.

근대 의학의 씨앗 뿌린 독일의
리하르트 분쉬
Richard Wünsch 1869~1911

리하르트 분쉬[Richard Wünsch, 부언사(富彦士), 1869~1911]는 1901년부터 4년간 고종의 시의로 일했던 독일인 의사이다. 19세기는 독일 의학이 세계를 선도했고, 그래서 자연스럽게 독일 의사를 조선 왕실에서 초대했던 것이다. 하지만 1901년 11월 2일 제물포항에 도착한 분쉬는 1905년 4월까지 거의 4년간 서울에 살았다. 명색은 시의였으나 실제로 고종의 건강을 위해 일한 것은 별로 없는 듯하다. 그냥 구색 갖추기 위해 서양 의사 하나를 어의로 두었던 듯하다.

처음으로 근대적인 방역대책 입안·실행

하지만 분쉬의 서울 근무 4년은 우리 의학사에 뚜렷한 자취를 남기고 있다. 대한의학회와 독일계 제약회사인 한국 베링거인겔하임이 1990년에 이미 '분쉬의학상'을 제정하여 해마다 의학상의 뚜렷한 업적을 낸 의학자와 과학자에게 상을 주고 있는 것은 이 때문이다. '고종 임금의 시의'로 이 땅에 온 분쉬는 그의 본래 목표인 임금의 담당 의사로서는 큰 역할을 할 수 없었지만, 우리 의학사에 큰 업적을 남겼던 것이다. 우리 선조들의 의학 수준이 아직 형편없던 시절에 그는 전염병이 창궐할 때에는 그것을 막기 위한 여러 가지 예방조치를 취하는 일을 도와주었다. 또 그는 전통적 의사들이 진을 치고 있던 왕실에 근대 의학의 혜택을 주기 어려웠지만, 오히려 조선의 민간인 진료에는 여러 가지 업적을 남겼다. 그보다 좀 전에 와서 활약했던 미국 의사 알렌[Horace Allen, 안련(安蓮), 1858~1932], 캐나다 의사 에비슨[Avison, 어비신(魚丕信), 1860~1956] 등과 함께 이 땅에 근대 의학의 씨앗을 뿌린 인물로 꼽을 수 있다.

그는 1869년 독일 슐레지엔에서 제지공장 주인의 아들로 태어나 1894년 그라이프스발트대학교에서 의사 자격을 얻었다. 유명한 의학자 비르효 교수 아래서 수련의로 일하던 그는 일본왕실의 시의로 도쿄대학교 내과 교수로 있던 벨츠의 주선으로 1901년 11월 조선에 부임해왔다. 약 4년간 고종을 실제로 진료도 했고 임금이 자주 감기 걸리는 원인을 집무실의 비과학적인 난방 구조와 비단옷의 열전도 문제 등에 있다고 지적하기도 했다. 하지만 임금에 대한 진료는 이 정도 뿐이었고, 오히려 서울 시내에서 개인 진료소를 열어 당시 많아지고 있던 외국인과 일부 조선인을 위한 의료봉사에 크게 기여했다.

예를 들면 1902년 8월 16일 그의 일기를 보면, 그는 조선에 온 후 처음으로 아이를 받았다고 기록하고 있다. 하지만 조선의 여성은 아직 남자 의사를 기피하여, 이 경우 심한 열과 진통이 사흘이나 계속되자 분쉬에게 데려오기는 했으나, 골반이 좁아 아기는 죽고 태아를 절단해 꺼냈다고 한다. 같은 주일에 프랑스 여인의 해산도 도왔는데, 역시 골반 비정상으로 난산이었지만 그녀는 순산했다. 당시 조선 사람들이 갖고 있던 심각한 의료 의식을 엿볼 수 있다. 또 흥미로운 사실은 이런 도움에 대해 그는 조선인 환자 가족으로부터 참외 한 개를 받았다고 써 놓고 있다. 실제로 당시 많은 조선인에게 그는 여러 가지 진단과 치료를 해주었으나 거의 보수를 받는 일은 없었다. 아직 의사에게 무엇을 주어야 할지 의료 수가에 대한 규정이나 의식이 없었기 때문이다. 기껏 달걀이나 닭을 치료비로 내놓는 경우가 있던 시절이었다.

그는 당시 서울에 살고 있던 몇 안 되는 의사 가운데 외과 수술에 가장 탁월했다고도 알려져 있다. 또 분쉬는 근대적인 방역 대책을 처음으로 입안하여 실행했던 의료 정책가이기도 했다. 1902년 서울에 육군 병원이 생기자 분쉬는 에비슨 등과 함께 고문을 맡았는데, 그해 여름 콜레라가 만연하자 방역에 필요한 항목을 구체적으로 나열한 건의문을 내부대신에게 보내고 직접 방역활동을 벌이기도 했다.

일기·편지 등에 흥미로운 조선의 실상 기록

분쉬는 1900년대 초의 우리나라를 이해하는 데 크게 도움을 주고 있다. 그가 사망한 지 65년 만인 1976년 그의 딸이 편찬해낸 그의 전기가 한국에서는 《고종의 독일인 의사 분쉬》(1999)라는 이름으로 번역돼 나왔기 때문이다. 1901년 조선에 온 그는 뒤에 그의 부인이 된 마리 숄과 자신의 부모 등에게 편지를 보냈고 일기도 썼다. 이런 자료를 엮어낸 책은 *Azt in Ostasien*(1976)인데 '동아시아의 의사'란 뜻이다. 이 책을 낸 딸은 1991년 '분쉬의학상'이 제정되면서 한국 초청을 받았지만 시상식 직전 작고했다.

그의 일기와 편지는 1900년대 초 조선의 실상을 흥미롭게 전하고 있다. 서양인들의 눈으로 볼 때 미개한 나라일 뿐이었던 조선에서 외국인들이 어떻게 살고 있었던가를 엿볼 수 있는 자료가 많다. 1901년 11월 2일 조선에 온 분쉬는 1905년 4월 말 조선을 떠났다.

원래 그는 1901년 5월쯤 조선에 초청되었던 것으로 보이며 3년 계약으로 고종의 독일주재 명예영사 마이어와 분쉬 사이에 맺어졌다. 마이어는 당시 중국과 인천, 런던 등에 큰 상관을 벌이고 있던 국제무역상사의 주인이었고 그의 조선 대리인은 발터였다. 6월에 런던을 방문했던 분쉬는 이탈리아로 가서 9월 3일 독일 기선 '교주호'를 타고 발터와 함께 조선으로 떠났다. 10월 25일 상하이에 도착했고, 11월 2일 인천항으로 들어왔다. 분쉬 기록에 의하면 제물포에 도착한 날은 일본왕의 생일이었는데, 5000명이 축하를 했다고 한다. 인천에 이미 일본인이 많았음을 알 수 있다. 1884년 문을 연 '마이어상사'는 1907년에

‘발터상사’로 바뀌고, 다시 ‘세창양행’이 되어 구한말 조선에 서양 문물을 들여오는 주요 창구 노릇을 했다.

1901년 연말의 일기를 보면, 당시 조선에는 서양인 60명 정도가 살았고 독일인은 7명뿐이었다. 그 가운데는 고향이 같은 에케르트(Eckert, 1852~1916)도 있었는데, 그는 1879~1898년까지 일본에 살다가 1901년 조선군악대 악장이 되었던 인물이다. 당시 애국가를 작곡한 것으로 알려졌는데, 아직 미혼이었던 분쉬는 그의 딸 가운데 한 명과 데이트도 했던 듯하다. 또 백만장자 콜브란의 딸 이야기도 등장하지만, 막상 그는 조선에 있는 동안 마땅한 규수를 만나지는 못했던 것 같다.

분쉬는 입국한 지 여러 달 만인 12월에서야 언덕 위의 집을 구입하게 되었다. 여자 선교사 2명이 살던 곳이었는데 수위, 경호원, 요리사, 사환 등을 그대로 인수했고 부엌, 땔감, 석탄도 인수했다고 기록하고 있다. 어찌 보면 후진국에 들어와 호사스런 생활을 하게 되었던 셈이다. 곧 그는 고종을 배알했고 통역을 배당받았는데, 김치 냄새를 지독하게 풍기던 그 통역은 혁명사상을 가졌다 하여 곧 체포되었다고 한다. 이어서 그는 당시 난방 없는 조선의 옥살이가 얼마나 혹독했는지도 소개하고 있다. 밤 사이 17명이 얼어 죽었고, 그전 해에는 하루 사이 40명이 얼어 죽기도 했다는 것이다.

그는 혼자 살면서 자주 손탁호텔에 가서 식사를 해결했다. 독일 여인 손탁(1854~1925)이 서울에 세운 최초의 서양식 호텔은 고종의 절대적 신임을 얻은 그녀가 1895년 고종으로부터 서울 정동의 땅과 집을 하사받아 만들었는데, 이 집은 외국인들의 집회소 구실을 했고 청일전쟁 뒤에는 미국이 주축이 되어 조직한 정동구락부가 되어 서울의 외교 중심지가 되었다. 1902년 지은 이 호텔은 1917년 이화학당에서 구입했다. 또 1904년 3월에는 이토 히로부미가 바로 그 호텔에서 만찬을 했는데 분쉬도 초대되어 갔지만 그와 대화는 거의 못했고 함께 참석했던 민영환은 불쾌한 표정이었다는 기록도 남기고 있다.

일본 압력으로 조선 떠나며 3등 훈장 수여

1905년 초 제물포에서 러일전쟁이 시작되자 분쉬는 더 이상 조선에 남아 살기가 어려워졌다. 그의 기록에 의하면 1905년 1월 고종은 통역 고희성을 보내 그에게 병원을 지어주겠다며 그대로 머물기를 청한 듯하지만, 그는 10만 엔과 에비슨이 사용하던 제중원을 달라고 했다. 당시 그 병원 시가가 3만 1000엔이었다고도 적고 있다. 여하간 이런 접촉은 별로 효과를 보지 못한 채 분쉬는 러일전쟁에서 승리한 일본의 압력으로 1905년 4월 일본으로 떠났다. 1905년 4월 23일 조선을 떠나며 배 위에서 부모에게 쓴 편지를 보면 고종은 그에게 1년치 월급과 3등 훈장까지 주었다.

　일본에서 그는 벨츠 박사 후임으로 도쿄대학 교수 자리를 원했지만, 실패하고 2년을 일본에서 지내다가 독일로 돌아갔다. 그는 1908년 다시 아시아로 진출하여 중국의 독일 조차지인 청두에 가서 일하다가 열악한 병원 환경과 격무로 장티푸스에 걸려 1911년 3월 41세의 젊은 나이로 사망했다. 부인은 딸과 아들을 데리고 독일로 귀국했는데, 아들은 곧 죽고 얼마 후 부인도 사망했다. 뒤에 책을 남긴 딸은 어려서 고아가 되어 어렵게 살았다고 한다.

적리균 세계 최초로 발견한 세균학자
일본의 시가 기요시
志賀潔 1870~1957

일본 센다이[仙台]의 시내 한복판에는 공원이 있고 그 가운데에 흉상이
세워져 있다. 내가 도호쿠대학 객원교수로 센다이에 머물던 1999년 봄
우연히 시내 구경을 나왔다가 그 동상을 보고 동상에 쓰인 내용을 읽
어본 적이 있다. 그 동상의 주인공이 센다이 출신이고 경성제국대학
총장을 지냈다는 설명이 우선 눈에 띄었다. 그가 바로 일본의 세균학
자 시가 기요시[志賀潔, 1870~1957]라는 인물이다. 일본의 과학사를 읽
으면서 눈에 익은 인물임은 물론이다. 그런데 그가 경성제국대학 총장
을 지냈다니 이것은 나도 그때 처음 알게 된 사실이다.

1870년 일본 센다이 출생

센다이 공원의 시가 기요시 동상

시가 기요시는 1870년 12월 18일 원래 센다이의 사무라이 사토 신지[佐藤信]의 둘째 아들로 태어났다. 그가 태어난 해 는 바로 일본이 1868년의 메이지유신 이라는 일대 변혁을 거쳐 근대 국가로 성장하기 시작하던 시기였다. 그는 비 교적 초기에 근대 의학을 공부하게 되 었고, 그 덕택에 1897년에는 적리(赤 痢)의 병균을 세계에서 처음으로 발견한 것으로 세계적인 명성을 얻게 되었다. 이 때문에 센다이 출신의 이 세균학자를 시가지 한복판의 공 원에 동상으로 세우게 된 것이다. 시가 기요시의 동상은 실물 크기의 흉상(胸像)으로 양복 차림의 상반신이다. 그리고 그 옆에는 비교적 상 세히 그의 일생을 설명하는 글이 다른 돌에 새겨져 있다.

그는 원래 센다이 출신으로 여기 가타히라쵸[片平丁]소학교를 졸업하 고 도쿄로 가서 공부했다는 사실, 그리고 그 후의 활동이 순서대로 기 록되어 있다. 그리고 이런 긴 설명 다음에 마지막으로 그는 1920년 가 을에 초청을 받고 조선총독부 의원장(醫院長) 및 경성의학전문학교 교 장에 취임했고, 1929년에는 경성제국대학 총장에 취임했다고 정리하 고 있다. 그의 이력 가운데에는 바로 경성제국대학 총장이 마지막으로 기록되어 있다.

실제로 그가 경성제국대학 총장을 한 것은 1929~1931년까지이다.

그가 그 2년 동안 어떻게 자신의 일을 해냈던가는 아직 알 길이 없다. 또 그는 그에 앞서 경성의학전문학교 교장을 9년 동안이나 했던 것으로 보인다. 그동안 그는 또한 총독부의원의 원장을 지내기도 했는데, 그가 11년 동안 한국에서 근무하는 동안 얼마나 많은 조선 사람들과 사귀고, 어떻게 조선에 영향을 미쳤는지는 아직 연구된 바가 없다. 사실 어떻게 보자면 좋건 싫건 이 36년 동안의 일제시대 역시 우리 역사임이 분명하다. 그동안 우리나라 사람들과 밀접한 관련 속에서 활동할 수밖에 없었던 일본인들 역시 우리 역사의 일부로 취급하여 설명할 필요가 있다는 생각이 든다.

하지만 일제시대의 우리 의학사를 서술하면서 경성제국대학의 의학부에 대한 설명은 거의 무시할 정도만 남아 있다. 물론 당시 식민지 조선 안에서 활동하던 일본인 의학자들에 대해서도 아무 말이 없다. 그래서 국내 자료로는 아직 그의 국내 활동을 알 수가 없는 것이다. 예를 들면 오래전이기는 하지만 고려대학교에서 발간한 《한국현대문화사대계》에는 3권에 과학기술사를 다루고, 또 2권에는 교육을 다루면서 경성제국대학의 의학부 이름이 나오지만, 일본인 이름이라고는 한사람도 없다. 당연히 우리 자료에서는 시가 기요시라는 일본의 의학자에 대해 이름조차 찾아보기가 어렵다. 그가 경성의학전문학교 교장, 경성제국대학 의학부장, 그리고 총장으로서 10여 년 동안 이 땅에서 일한 사실은 흔적을 찾아볼 길이 없는 것이다.

원래 그는 1870년 센다이에서 태어나 초등학교만 다닌 다음 1886년에는 이미 도쿄로 떠났다. 도쿄에서 먼저 독일어를 배우러 독일어학교에 들어갔고, 다음해에는 앞으로 대학을 가야겠다는 결심하에 대학예

비학교에 다니기 시작했다. 바로 이때쯤 그는 이름을 어머니 집안으로 고쳤다, 어머니 생가의 양자로 들어간 셈이다. 그래서 그의 아버지 성(姓)은 '사토[佐藤]'이지만, 그의 성은 '시가[志賀]'로 바뀐 것이다. 도쿄제국대학 의학부에 들어간 그가 대학을 졸업한 것은 1896년의 일이었다. 당시 이미 일본은 서양 과학기술의 상당부분을 흡수하여 자기 나라 출신의 과학자, 기술자, 의학자들을 유럽이나 미국에 유학 보냈다가 귀국시켜 도쿄제국대학 등의 교수로도 활용하고 있을 때였다.

독일 유학, 28세 때 적리균 발견

그러나 바로 그렇게 외국에서 훈련받은 뛰어난 인재 가운데에는 대학, 특히 도쿄제국대학에 자리를 얻지 못하고 헤매는 신식(新式) 학자들이 생기고 있을 그런 때였다. 그런 의학자의 한사람이 기타자토 시바사부로[北里柴三郎, 1852~1931]였다. 도쿄제국대학 의학부를 이미 1883년에 졸업한 그는 1885년 독일에 유학하여 당시 세계적인 명성을 떨치고 있던 로베르트 코흐(Robert Koch, 1843~1910)의 아래에서 연구하고, 파상풍균의 인공 배양에 성공했을 뿐 아니라, 베링과 함께 디프테리아균과 파상풍균의 항독소를 발견하여 혈청요법의 기초를 마련하여 세계적인 명성을 얻었다. 그렇지만 그가 1892년 귀국했을 때 그에게는 아무런 자리도 주어지지 않았던 모양이다. 그는 경응의숙(慶應義塾)을 세운 일본 문명개화운동의 기수 후쿠자와 유키치[福澤諭吉, 1835~1901]의 주선으로 도쿄의 시바공원 안에 전염병연구소를 차릴 수가 있게 되었다. 후쿠자와는 일본 돈 1만 엔짜리에 그의 초상이 나오는 인물로 김옥균과 친했던 사람이기도 하다.

1896년 도쿄제국대학을 졸업한 시가 기요시가 처음 직장으로 잡은 것은 바로 이 전염병연구소였다. 당연히 그는 전염병과 면역학 방면에 관심을 갖고 연구를 시작했고, 오래지 않아 적리균을 발견할 수가 있었다. 때마침 적리는 도쿄 일대를 포함한 지역에서 위세를 떨치고 있어서 당연히 그의 연구대상이 되었고 또 쉽게 연구 자료를 얻을 수가 있었던 덕분이었다. 그가 발견한 간균(桿菌)에 대해 그는 논문을 써서 1897년 12월 《세균학잡지》에 이를 발표했다. 대학을 갓 졸업한 만 28세도 되지 않은 젊은이가 세계적인 학자로 발돋움하기 시작한 것이었다.

그 덕택에 그는 1901년 쉽게 독일 유학의 기회도 얻을 수 있게 되었다. 독일에 유학한 그는 1905년까지 프랑크푸르트에서 에를리히의 지도 아래 생물화학이나 면역학, 그리고 결핵의 화학요법 등에 전념했다. 귀국 후에도 그는 그전에 근무하던 전염병연구소에서 특히 장내(腸內) 전염병이나 결핵의 연구를 계속했다. 그리고 발진티푸스, 각기병, 나병 등에도 연구 업적을 남기기 시작했다. 1911년 로마에서 세계결핵예방학회가 열렸을 때 일본 대표로 그가 참석하게 된 것은 이런 연구 배경 때문이기도 했다.

하지만 1914년에 그가 소속되어 있던 전염병연구소는 그동안 소속되었던 내무성을 떠나 문부성으로 옮겨지게 되었다. 자세한 사정은 아직 알 수 없지만 기타자토 시바사부로와 그를 따르던 시가 기요시는 모두 그렇게 자리가 바뀌는 것을 좋아하지 않았던 것이 분명하다. 그들은 함께 연구소를 떠나 새로 기타자토연구소를 차리게 되었다. 그전에 이미 시가는 세계적으로도 인정을 받고 있었다. 예를 들면 적리균의 일족에는 그의 발견의 공로를 인정하여 '시겔라(Shigella)'라는 이름이 항상 붙여지게 될 지경이었다. 당연히 새로 세운 기타자토연구소에서 그는 혈청과 백신 제조 연구 방면의 부장 자리를 얻고 있었다.

한국에서 11년간 근무한 후 귀국

그리고 1920년 그는 드디어 도쿄에 있는 경응의숙의 의학부 교수가 되었다. 바로 후쿠자와 유키치가 세운 대학이다. 그때 그는 정부에서 조선총독부의 의원장을 맡아달라는 부탁을 받게 된 것이다. 당시 일본의 식민지 조선에는 총독부의원(總督府醫院)이라는 종합병원이 있었다. 구왕실에서 이미 세웠던 대한의원을 일제가 인수하여 체제 등을 바꾼 셈이라 할 수 있다. 이 병원에는 내과, 외과, 산부인과, 소아과, 피부과, 이비과 등을 두고 있었으며 당시 가장 크고 종합적인 의료기관이었다. 그는 바로 이 기구의 우두머리가 되어 조선에 가게 된 것이었다. 또한 경성의학전문학교 교장의 자리도 차지하게 되었는데, 이 기관은 총독부 학무국 소속이었지만 실제로는 총독부의원 아래 있었던 것으로 보인다.

당연히 이들 기관은 1926년 4월 경성제국대학 의학부가 문을 열자 이름을 바꿨고 그 부속병원이 되었다. 그가 처음으로 생긴 경성제국대학의 의학부 부장 겸 부속병원장이 된 것은 물론이다. 그는 1920년대 동안 이 땅에서 의학계의 최고 자리를 차지하고 적지 않은 영향을 미쳤을 것이라고 생각된다. 그는 2년 뒤인 1931년 경성제국대학 총장을 끝으로 공직 생활을 마감하고 도쿄로 돌아갔다. 만 61세 때의 일임을

조선 총독부의원

알 수 있다. 그리고 일본에서 그는 한국에 오기 전에 소속되었던 북리 연구소의 고문 자리를 맡으며 한가하게 여생을 보낸 것으로 보인다.

　일본 정부는 전쟁 중인 1944년 그에게 문화훈장을 비롯한 훈장을 수여했고, 센다이는 1949년에 그를 센다이 명예시민으로 추대했다. 그는 만년을 고향 센다이에서 보냈다. 때로는 외국에 나가 영예로운 대접을 받기도 하며 여생을 보낸 그는 수필에도 재능이 있어 글을 여러 편 남겼다. 그는 1957년 1월 25일 88세를 일기로 세상을 떠나 센다이 북산 (北山)의 린노지[輪王寺]에 묻혀 있다. 센다이 복판의 고도타이[勾當台] 공원에 서있는 그의 흉상은 출생 100주년을 기념하여 1969년 10월 17일에 세운 것이라고 밝혀져 있다.

한국 의학사 연구에 일생 바친
일본의 미키 사카에
三木榮 1903~1992

미키 사카에[三木榮, 1903~1992]는 일본 사람으로 한국 의학사의 개척자라 할 수 있다. 그가 남긴 《조선의학사 및 질병사(朝鮮醫學史及疾病史)》는 앞으로도 오랫동안 우리 의학의 역사를 공부하는 사람들에게 없어서는 안 될 중요한 책이 될 것이다. 이 책과 어깨를 나란히 할 책으로는 물론 김두종(金斗鍾, 1896~1989)의 《한국의학사》를 들 수 있다. 이 두 책은 서로 대조적이면서도 일본어와 한국어로 쓰인 대표적인 한국 의학사로 자리 잡고 있다. 일본 오사카 남쪽으로 이어진 도시인 사카이 출신인 그는 사카이중학교와 제7고등학교를 나왔다. 그리고 당시 일본 서쪽의 대표적 국립대학이던 규슈제국대학 의학부를 1927년 졸업하여 내과의사가 되었다. 그는 졸업 후 바로 경성제국대학에 발령받아 조선에 부임하면서, 조선 의학사 연구에 관심을 갖게 되었다. 1932년 의학박사학위를 받고, 이듬해에 경성제국대학 의학부 조교수가 되면서 그는 조선의 의학사에 눈을 뜨고 평생을 조선 의학사 연구에 바치게 되었다.

김두종과 한국 의학사 연구에 쌍벽 이뤄

그가 그의 책 서문에서 밝히고 있는 것처럼 처음에는 일반적인 조선의 역사에 대해 책들을 읽고 연구를 시작했고, 이어서 의학 관련 자료 또는 사료를 섭렵하게 된다. 그런 가운데 그는 한국의학사 연구가 대단히 중요함에도 불구하고 그때까지 전혀 연구된 일이 없다는 데 주목했다.

중국 의학에 관해서는 천팡시엔[陳邦賢]의 《중국의학사》(1919)와 왕지민[王吉民]의 영문판 《중국의사(中國醫史)》, 일본에서는 자신의 스승이기도 한 후지카와 유[富士川游]의 《일본의학사》(1904) 등이 있었지만, 조선에는 아직 의학사가 전혀 정리되어 있지 않았다. 서문에서 밝히고 있는 것처럼 미키 사카에는 바로 한국 의학사에서 중국의 천팡시엔, 일본의 후지카와 유 같은 대학자가 되기를 바랐던 것이었다. 그리고 어느 의미에서는 바로 이 목표를 달성한 셈이다.

물론 이 대목에서 우리는 한국인으로 비슷한 업적을 세운 김두종을 말하지 않을 수가 없다. 경상도 함안 출신인 김두종은 1924년에 일본 교토의학전문학교를 졸업한 뒤 1945년에는 만주의과대학의 동아의학 연구소에서 박사학위를 받았다. 해방 당시까지 그는 만주에서 일하고 있었음을 보여준다. 그의 전공 역시 한국 의학사이며 《한국의학사》

(1962)와 《한국의학사대연표》(1966)는 그의 야심적인 의학사 연구결과로 꼽을 수 있다. 이들 두 학자의 연구와 성과는 그들의 연구서 제목부터가 서로 비슷하다. 미키 사카에가 《조선의학사 및 질병사》(1955)와 《조선의사연표(朝鮮醫史年表)》(1985), 《조선의서지(朝鮮醫書誌)》(1956)를 그의 3부작으로 꼽는 것과 비슷하게, 김두종의 앞의 두 가지 업적은 미키 사카에의 처음 두 가지와 일치한다. 김두종은 미키 사카에와는 달리 한국의 의학만을 조사하여 따로 책으로 내놓은 일은 없지만, 김두종의 《한국고인쇄기술사》는 적지 않은 의학서를 다루고 있어서, 미키 사카에의 《조선의서지》에 상응한다고도 할만하다.

　이처럼 두 학자의 연구는 일치하는 부분이 많다. 하지만 두 학자는 서로를 그리 친하게 여기지는 않았던 것으로 보인다. 7세 연상인 김두종은 미키 사카에 보다는 약간 늦게 의학사 연구에 몰두했고, 책도 조금 늦게 발행했다. 그 덕택에 김두종의 《한국의학사》는 이미 여러 곳에서 미키의 연구를 인용하고 있다. 또 미키 사카에 역시 그의 책에 붙인 서문에서 김두종에게 감사한다는 말을 넣고 있기는 하다. 하지만 둘은 서로 경쟁하는 입장이어서 그리 친하게 사귈 수 없었을 것이다. 게다가 미키 사카에는 일본에서 정규 제국대학교 의학부를 졸업하고 곧 조선에 들어와 경성제국대학에서 교수가 되어 활약했으니, 온갖 혜택을 다 누리며 학자 생활을 할 수 있었다. 하지만 김두종의 경우 일본의 교토부립의학전문학교를 나와서 바로 만주 하얼빈에 건너가 내과 의사로 일하다가, 1936년에야 만주의과대학의 동양의학연구소에 연구원으로 들어가면서 학문의 길에 본격 진입했다. 아무래도 서울에서 온갖 혜택을 누리며 한국 의학사를 연구한 미키 사카에에 비하면, 김두종은 한국 의학사 연구에 많은 불편과 불리함을 면할 수 없었을 것이다. 김두종은 해방 후에야 비로소 서울의과대학교 교수로, 의학협회 회장, 숙명여자대학교 총장, 성균관대학교 이사장, 과학사학회 회장 등 온갖 영예를 누렸다.

자비로《조선의학사 및 질병사》출간

미키 사카에의 3부작에 대해 좀 더 자세히 살펴보자.《조선의학사 및 질병사》는 1955년 12월에 100부만 출판되었는데, 자비로 출판해 자가판이란 설명이 붙어 있다. B5판으로 총 1540쪽이었다고 기록되어 있다. 물론 여기에 도판 3, 부표 14 등이 붙어 있었다. 그 후 수정판이 활자로 정식 인쇄되어 보급되었다. 1962년 수정판은 같은 크기인데,《조선의학사》가 본문 403쪽,《조선질병사》가 본문 123쪽이다. 여기에 여러 가지 부록이 많이 붙어 책은 훨씬 두꺼워졌다. 흥미로운 것은 책 끝에 이 책 역시 500부만 한정으로 출판했다고 밝힌 점이다. 출판사가 돈을 대지 않아서 역시 자비로 책을 낸 것이다. 내가 가지고 있는 것은 아마도 한국에서 뒤에 해적판으로 영인해낸 것으로 보인다.《조선의서지》는 1956년 10월 역시 B5판으로 출간되었다. 도판 80, 부표 3, 총 540쪽으로 120부를 역시 자비로 발행한 것이었다. 원래 '조선의적고(朝鮮醫籍考)'라는 제목 아래《중외의사신보》등에 연재했던 원고를 정리한 것이다. 그는 이 연구를 1932년 11월에 시작하여 1935년 1월까지 연재 발표했다. 1944년 수원도립병원장을 떠나 귀국한 다음 오랫동안의 추가 연구를 거쳐 1956년 책 모양을 갖추게 되었음을 알 수 있다.

《조선의사연표》는 이미 해방 전에 대강의 원고가 완성되었지만, 제대로 책으로는 내지 않고 있다가, 1985년 6월 이 책을 마지막으로 출간함으로써 그의 조선 의학지 3부작을 완간한 것이다. 마지막 책의 서문에서 그는 "나는 1928년 처음으로 한국 의학사 연구를 시작한 이후 마치 연인을 생각하듯이 이 일에 열심이었다"고 밝히고 있다. 정말로 그의 일생은 한국 의학사를 위한 것이었음이 분명하다. 수원도립병원 원장을 끝으로 공식적 자리를 떠난 그는 1944년 귀국하여 고향 사카이시의 집에서도 연구를 그치지 않았다. 전쟁 막판의 온갖 고난에도 불구하고 그의 연구는 계속된 것이다. 실로 학자로서의 미키 사카에는 대단한 의지와 집념을 가지고 한국 의학사를 연구했고, 또 그의 연구 성과에 대해 크게 자랑스럽게 생각한 것이 분명하다.

이런 연구를 통해 그는 한국 의학사에 관해 다음 8가지를 주장하고 있다. ① 고대 삼국의 의학은 중국의 영향 아래 성장하여 일본에 큰 영향을 주었다. ② 중국 송나라 때 의학서와 약재는 고려 의학을 풍부하게 했다. ③ 조선 초기 《향약집성방》, 《의방유취》와 다른 의서의 발간은 한국 의학사의 최성기를 보여주며 그것은 일본과 중국 의학을 이해하는데 도움이 된다. ④ 조선 전기에 발달한 종기 치료방법은 조선의 독특한 것이다. ⑤《동의보감》은 일본과 중국에서도 이용된 명저로 더 깊은 연구가 필요하다. ⑥ 임진왜란 때 조선 의학은 일본에 전해져 큰 영향을 주었다. ⑦ 조선의 전염병 유행은 일본과 연계되어 있어서 연관된 연구가 중요하다. ⑧ 동아시아 3국의 의학서는 사라진 경우 등이 있어서 비교 연구가 필요하다.

한국 의학사를 '동아시아 3국 연결고리'로 강조

그는 주로 한국 의학사를 동아시아 3국 의학사 연구에 필요하다는 점에서 강조하고 있다. 실제로 그는 이런 입장에서 한국 의학사가 중국 의존적이라는 측면을 너무나 강조했다. 또 일제시기 동안 일본의 근대 의학이 한국에 크게 중요한 역할을 한 것처럼 말하고 있기도 하다. 그는 "조선 의학에 통하지 않고서는 일본과 중국 의학을 말할 수 없다(不通朝鮮醫學 不可以說日本及中國醫學)"고 단언하면서, 이를 일부러 한문식 표현으로 서문에 써 놓고 있다. 한국 의학사를 동아시아 3국의 연결고리로서만 강조하고 있다는 인상을 주기에 충분하다.

1962년의 《조선의학사 및 질병사》 개정판 서문에서 그는 "20년의 연구 기간이 한순간처럼 느껴진다"며, 고마운 이들의 이름을 적고 있다. 일본의 역사학자 등이 나열되었는데, 그 가운데는 한국인의 이름도 있다. 이태호, 이능화, 김돈희, 송석하, 박봉수, 지석영, 최남선, 장지태, 정인보, 이인영, 황의돈, 이병도 등이다. 그리고 개정판에 붙이는 24명의 고마운 사람 명단 가운데 유일한 한국인으로 김두종이 들어있다. 또 여기에는 당시 서울대학교 교수였던 이병도의 서문도 있다. 그는 "외우 삼목영(미키 사카에) 박사가 젊은 날의 대부분을 한국에서 지냈는데 헌신적이고도 희생적 노력으로 이 책을 썼다"고 서술하고 있다. 또 그는 "1876년 한일 회담이 열렸을 때 일본의 미야모토(宮本) 이사관이 《의방유취》 266권 264책을 가져왔는데, 이는 에도 말기 호고독지(好古篤志)의 의가(醫家) 기타무라 나오히로(喜多村直寬)가 조선 초기에 편찬 간행된 천하무비(天下無比)의 의학의 대보감을 자가에서 복각한 것"이란 대목을 이 책에서 인용하고 있다. 이병도는 다시 한일회담이 열리는 때에 미키 사카에의 책이 나오게 된 것을 축하하고, 그 학문적 기여함이 크다고 설명하고 있다. 카이스트 교수 신동원의 논문 〈미키 사카에의 한국 의학사 연구〉에서 "비록 식민지적 상황의 한계가 보인다고 해도 미키 사카에의 한국 의학사 연구의 가치를 폄하해서는 안 될 것"이라 평가하고 있다. 그에 의하면 오늘날 활성화하고 있는 한국 의학사 연구에서 사실과 해석 및 평가의 70~80퍼센트 이상은 미키 사카에에게서 비롯한다는 것이다.

기술·발명

후한시대의 천문기구 창시자
중국의 장형

張衡 78~139

장형(張衡, 78~139)은 한나라 때 중국의 과학자이다. 후한(後漢)의 천문학자인 장형은 그 이름보다 아마 혼천의(渾天儀)로 더 유명할 것이다. 지금은 우리나라에도 웬만한 과학관에는 혼천의란 이름의 옛날 천문기구가 전시되어 있는데, 그 기구의 창시자가 바로 장형이라 할 수 있다. 자는 평자(平子)이고 허난성[河南省] 난양[南陽] 출신으로 어려서부터 글에 능했지만, 특히 천문학에 관심이 깊어 결국 천문학자로 크게 성공했다.

우리 기록으로 보면 그의 이름은 세종 때 이순지(李純之)가 쓴 책《제가역상집(諸家曆象集)》에 여러 차례 나온다. 세종 27년(1445)에 간행되어 현재 규장각에 목활자본으로 남아 있는 이 책은 영인되어 널리 보급되어 있고 번역도 되어 있다. 내용은 권1 천문(天文), 권2 역법(曆法), 권3 의상(儀象), 권4 구루(晷漏)로 되어 있는데, 지은이가 옛 서적에서 적절히 취해서 편찬한 것이다. 천문이나 역법이라면 금방 짐작하기 쉽지만 아마 독자 가운데는 권3의 의상과 권4의 구루란 말이 익숙하지 않을지 모른다. '의상'이란 지금 말로는 천문기구, 구루란 해시계와 물시계를 가리킨다.

최초의 지진계 후풍지동의도 발명

당연히 조선 초 우리 선조들이 친숙해 있던 중국의 천문학자들의 이론 등이 주로 소개되었는데 장형도 자주 등장한다. 하지만 장형은 중국 과학사상 혼천의로만 유명한 것이 아니다. 그는 혼천의 못지않게 132년에는 후풍지동의(候風地動儀)를 발명했다. 커다란 술통 같은 장치에는 8개 방향에 8마리의 용을 만들어 놓고, 그 입에 구슬을 머금게 해둔다. 그리고 그 앞 땅 위에는 8마리의 두꺼비가 입을 벌리고 앉아 있다. 지진이 일어나면 그 방향의 용의 입(龍口)으로부터 구슬이 튀어나와 두꺼비 입에 들어가게 만든 장치이다. 어느 쪽 구슬이 먼저 어떻게 떨어지는가를 보고 지진의 방향과 강도를 예보했다. 중국 과학사는 이 장치를 두고 중국에서 세계 최초의 지진계(地震計)를 발명했다고 크게 자랑하고 있다.

장형은 또한 일종의 자동 물시계의 원조라 할 수 있는 장치도 만들었다고 알려져 있다. 수운혼상(水運渾象)이라고 알려진 이 장치는 혼천의에다가 자동 물시계를 합친 장치로 아마 아주 초보적이기는 하지만 물시계를 어느 정도 저절로 움직이게 만들고, 그와 함께 그 시각의 하늘의 현상을 나타내는 그런 장치를 만들었던 것으로 보인다. 이런 장치는 중국에서도 꾸준히 발달했고, 또 그것이 바로 1434년 이후 세종 때 조선에서 장영실이 만든 자격루(自擊漏)와 옥루(玉漏)의 조상이기도 하다.

후풍지동의

원래 안제(安帝)의 부름을 받아 대사령(大史令)이 되었던 그는 만년에는 하간왕(河間王)의 재상(宰相)으로서 호족들의 발호를 견제하는 데에도 큰 공을 세웠다고 알려져 있다. 그는 별로 높지 않은 여러 관직에 있었지만, 그 가운데 14년이라는 가장 오랜 기간 근무한 관직은 태사령이고, 그 자리는 바로 천문 기상을 관측하고 달력과 시계를 만들고 또 조정하는 책임자의 자리를 의미한다. 그의 글로는 《시부(詩賦)》 등을 제외하고도 《영헌(靈憲)》, 《혼천의주(渾天儀注)》, 《현도(玄圖)》, 《산망론(算罔論)》 등의 학술적 저술이 있는데, 이들 책이 거의 다 천문학을 소재로 한 것도 이런 연유에서라 하겠다.

이 가운데 특히 처음 두 작품은 후세에 그를 이론천문학자로서의 위치를 확고하게 해주었다. 그는 혼천설(渾天說)을 창시한 것은 아니지만 가장 분명하게 그 학설을 확립하여 남긴 것으로 인정되고 있다. 당시의 대표적인 우주관은 개천설(蓋天說)과 혼천설 두 가지가 있었다. 대체로 말하자면 개천설은 하늘은 둥글고 땅은 평평하다는 기본적 생각을 대표하는 우주관이다. 천원지방(天圓地方: 하늘은 둥글고 땅은 네모나다)

이란 말은 여기서 유래한 대표적 우주관의 표현이라 할 수 있다.

'지구가 둥글다'는 혼천설 주장

동양의 고대 우주관은 대체로 땅은 평평하다는 투로 생각했음을 알 수가 있다. 하지만 지식층 사이에서는 땅이 그냥 평면이어서 우주의 실제 모양을 설명하기 어렵다는 생각이 강했다. 그래서 혼천설이 제법 지식층에게 널리 인정되었다고 여겨진다. 혼천설은 땅도 둥글다는 측면을 강조하는 우주관이다. 그렇다고 땅 모양이 지금 우리가 알 듯 그렇게 우주의 다른 천체나 마찬가지로 둥근 덩어리, 즉 지구(地球)라고 인정했다고는 보이지 않는다. 장형의 혼천설은 땅 모양을 구형 또는 반구형이라 생각했다고 현대의 학자들은 말한다. 또 어느 학자는 땅은 반구형이고 아랫부분은 물에 잠겨 있는 꼴이라고 해석했다. 여하간 개천설이 땅을 둥근 하늘 아래 놓여 있는 평평하거나 가운데가 불룩한 평면형이라 말한 것과는 달리 혼천설은 하늘도 둥글고, 땅도 그 안에 둥글게 자리 잡고 있다는 투로 말하고 있는 것만은 분명해보인다. 이 확실하지 않은 혼천설의 정체에 대해 우리나라 학자 이문규(李文揆)의 연구는 개천설과 혼천설의 차이를 이렇게 설명하고 있다.

하늘과 땅의 위치 관계에 대해서 개천설은 평행한 상하관계를 상정하고 있는 데 비해서 혼천설은 하늘이 땅을 밖에서 감싸고 있는 내외 구조로 파악했던 것이다.

이문규, 《고대 중국인이 바라본 하늘의 세계》

그는 장형의 경우 꼭 땅이 둥근지 평평한지에 대해서는 깊이 생각하지 않았을 수도 있다고 하는 논평을 덧붙이고 있기도 하다. 하기는 지금이야 과학이 크게 발달하여 땅이 둥글거나 평평하거나 두 가지 중의 하나를 꼭 선택해 말하지 않으면 안 되겠지만, 2000년 전의 장형이 살던 시대에는 아직 그것을 어느 쪽이라고 규정할 필요가 없었을 수도 있었겠다는 생각이 든다.

어쨌거나 장형이 더욱 완성했다는 혼천설은 동양의 지구설에 가까운 생각이었음은 분명하다. 그리고 역시 장형이 발달시켜 만들기도 했다는 혼천의는 바로 그런 생각을 바탕으로 제작되어 사용되었던 동양의 대표적 천문 관측기구였다. 혼천의는 선기옥형(璇璣玉衡)·혼의(渾儀)·심지어 혼상(渾象)이라고도 한다. 중국에서는 이미 장형 이전에 제작되기 시작했다고 알려져 있고, 우리나라의 경우는 삼국시대에 이미 만들어졌을 듯하지만 조선 초까지는 기록상 그것을 만들었다는 증거가 없다.

《세종실록》상으로는 1433년(세종 15) 정초·정인지 등이 고전을 조사하고 이천·장영실 등이 그것을 처음 만든 것처럼 보인다. 이로부터 천문학의 기본 기구로서 여러 차례 만들어진 것으로 보인다. 1657년(효종 8)에는 최유지가, 1669년(현종 10)에는 이민철과 송이영이 각각 만들었다. 이 가운데 송이영의 것은 서양식 자명종의 추시계 장치의 동력을 활용하여 더욱 정교한 혼천의로 남아 지금 고려대학교 박물관에 보존되어 있기도 하다.

중국 과학사가 가장 강조하는 그의 업적은 위에서 잠깐 설명한 132년의 후풍지동의 발명이다. 후풍이란 뜻은 아직 분명하게 밝혀져 있지 않지만, 후기(候氣)란 뜻으로 오늘의 표현으로는 에너지 같은 것을 뜻한다고 보인다. 이런 땅의 에너지가 뭉쳐 나와 땅을 진동시킨다는 당시의 생각을 나타냈을 것으로 보인다. 기록에 의하면 이렇게 만든 지동의로 138년 2월 3일 실제로 농서[隴西]에서 일어난 지진을 당시 중국의 서울 뤄양[洛陽]에서 관측했다는 것이다. 당시 낙양 사람들은 지진을 느끼지 못할 정도였는데, 며칠 뒤 정말로 그쪽에서 지진이 있었다는 사실이 보고되어, 장형의 지동의의 위력이 증명되었다. 이 사건을 중국 과학사는 세계 최초의 지진 관측으로 꼽고, 장형의 이 발명을 최초의 지진계로 칭송하고 있다.

지금 중국 과학박물관에는 어디나 이 지동의가 만들어져 전시되고 있음은 물론이다. 그런데 사실은 장형의 그것은 그 내부 구조를 정확히 알 수가 없다. 7세기 말 수(隋)나라 때 지동의를 설명하는 책이 나온 일이 있지만 그 책 역시 전하지 않는다. 결국 지금 제작된 장형의 지동의(지진계)는 1959년 왕진탁(王振鐸)이란 학자가 복원한 것이다. 엄밀하게 말하자면 1900년 전 장형의 지동의가 그대로 재현된 것인지 아무도 장담할 수는 없는 셈이다. 지금 우리가 볼 수 있는 장형의 지동의는 상상의 결과라고도 할 수 있는 셈이다.

한국인에게 가장 유명한 우리나라 과학기술자는 단연 장영실(蔣英實, 1390?~1440?)이다. 장영실은 자동으로 움직이면서 저절로 소리를 내는 장치가 달린 물시계 자격루(自擊漏)를 만든 발명가로 꼽힌다. 즉 우리나라의 경우 장영실 이후에야 그런 장치를 만드는 일이 계속되었다는 것이다. 그런데 중국은 자동 물시계를 장영실보다 훨씬 이전에 만들었다.

높이 11미터 천문시계, '수운의상대'

세계적으로 가장 유명한 인물로는 송나라 때의 소송(蘇頌, 1020~1101)을 들 수 있다. 남안(南安, 지금의 푸젠(福建)] 출신인 소송은 자(字)를 자용

소송의 수운의상대 복원도
11미터의 거대한 탑으로 1층에는 기계시계, 2층에는 혼상, 3층에는 혼천의가 설치되어 있었다.

(子瞻)이라 했다. 소송은 중앙과 지방의 관리로 크게 활약을 했고, 본초 분야에도 훌륭한 업적을 남긴 것으로 알려져 있다. 하지만 소송의 이름을 단연 빛나게 만든 것은 그가 1088년 완성한 '수운의상대(水運儀象臺)' 덕분이라 할만하다. 높이 11m의 3층 구조로 된 수운의상대는 제일 위층에 '혼의'를 설치해두었고 지붕을 열 수 있도록 했다.

지붕을 열면 즉시 하늘의 별들을 관측할 수 있었다는 뜻이다. 2층에는 혼상(渾象)이 설치되었다. 혼상은 하늘의 변화를 그대로 재현해 보여주는 장치이다. 세종 때 우리나라에서도 이런 비슷한 장치가 경회루 연못 북쪽에 설치되었던 일이 있다. 그리고 제일 아래층에는 동력장치와 시간을 알리는 시스템을 설치해 놓았다. 이 천문시계는 상당히 복잡하고 큰 규모였는데, 당시 이부(吏部)의 영사(令史) 자리에 있던 한공렴(韓公廉), 그리고 태사국(太史局)의 젊은 천문학자들의 협조를 얻어서 세울 수 있었다.

오늘날 전 세계의 과학사 책에는 거의 틀림없이 소송의 '수운의상대' 그림이 등장한다. 당연히 중국의 과학박물관들에서는 이 시설을 복원해 놓고 있다. 최근에는 일본 어느 박물관에서도 이를 만들어 세웠다고 한다. 그러나 우리나라에서는 책에서나 이를 찾아볼 수 있을 뿐인데,

예를 들면 조지프 니덤(Joseph Needham, 1900~1995)의 책이 그렇다.

중국 과학기술사의 세계적 권위자로 여러 해 동안 세계 학계에 군림했던 니덤은 《중국의 과학과 문명》이란 책을 여러 권으로 썼는데, 4권에 소송의 '수운의상대'를 설명해 놓았다. 특히 니덤의 주장을 모아 한 권으로 줄여서 소개한 로버트 템플(Robert Temple)이 쓴 《그림으로 보는 중국의 과학과 문명》이란 책에는 소송의 '수운의상대' 모형 사진이 나오는데, 3층 구조의 대강을 알 수 있다. 이 그림을 설명하면서 맨 위층에는 별의 위치를 관측하도록 동력구동식 혼천의가 있다고 써 있고, 그 아래층에는 천구의(天球儀)가 혼천의와 함께 연결된 채 움직이도록 장치되었다는 설명이 따른다. 여기 '천구의'라 한 것은 앞에서 '혼상'이라 한 것과 같은 뜻이다.

그런데 이 설명에서 '수운의상대'는 근본적으로 수차식(水車式) 탈진기(脫進機)라는 설명을 읽을 수가 있다. 물의 힘으로 움직이는 탈진기였다는 니덤의 주장은 그의 책에서는 본격적으로 이 탈진기가 결국 서양에 전해졌다는 주장으로 발전한다. 소송의 천문시계가 2세기 후에 서양에 알려져 서양에서 기계시계를 발달하게 해주었다는 것이다. 소송의 '수운의상대'가 서양 시계 발달의 원조라는 니덤의 주장에 대해 많은 서양의 시계사(時計史) 전문가들은 동의하지 않는다. 카를로 치폴라(Carlo Cipolla)나 다비드 랜디스(David Landes) 같은 학자들은 그들의 시계사에서 니덤의 이런 주장이 환상에 불과하다고 맹렬하게 비판한다.

랜디스는 그의 시계사 《시간의 혁명》에서 니덤이 환상에 지나치게 빠져 있다고 비판하면서, '그렇다면 그렇게 모든 과학기술 분야에서 앞섰던 중국에서 왜 근대 과학은 나오지 못했느냐'고 따지기도 한다. 기계시계야말로 서양 문명의 원조라 믿는 그에게 니덤의 주장은 마땅치 않았던 모양이다. 아마 이를 둘러싼 논쟁은 앞으로도 계속될 듯하다.

장사훈의 '태평혼의' 개량

소송의 '수운의상대'는 그에 의해 처음 발명된 것이 아니다. 중국 역사에는 그런 비슷한 장치가 여러 차례 나온 일이 있고, 소송 역시 앞서 제작된 일이 있었던 장치를 개량하여 이를 만들었을 뿐이기 때문이다. 중국 과학사에서는 소송의 '수운의상대'를 '자동천상연시의기(自動天象演示儀器)'의 대표작으로 꼽는다. '자동으로 하늘의 여러 현상(天象)을 보여주는(演示) 기구(儀器)'라는 뜻이다. 그 처음으로는 장형(張衡, 78~139)의 누수전(漏水轉) 혼천의를 먼저 꼽는다. 지름이 다섯 자(약 150센티미터) 정도였다고 하는 이것은 수운혼상(水運渾象)이라고도 불리는데, 별을 보여주면서 달의 움직임을 그대로 나타내준다. 당연히 달력처럼 쓰이기도 했을 것이다. 장형 후에도 몇 사람이 비슷한 장치를 만들었다는 기록이 남아 있다.

장형 다음으로 중요한 장치를 만든 인물로는 당나라 때의 승려 일행[一行, 속명 장수(張遂), 683~728]을 들 수 있다. 그는 725년(개원 13) 양영찬(梁令瓚)과 함께 '개원수운혼천부시도(開元水運渾天俯視圖)'라고 하는 대형 장치를 만들었다. 그리고 다음으로는 송나라 때 장사훈(張思訓)이 979년(태평흥국 4)에 만든 것으로 태평혼의(太平渾儀)가 있다. 이 장치는 높이가 열 자(약 3미터) 이상으로 해와 달, 그리고 행성들과 다른 주요 별자리의 움직이는 모습을 나타내준다. 나무 인형 셋이 각각 시간에 맞춰 나타나 방울, 북, 종을 울리고, 특히 물로 움직이다가 물이 얼어서 쓸 수 없는 겨울에는 수은으로 대체하기도 했다.

소송의 수운의상대는 바로 장사훈이 죽은 후 태평혼의가 사용되지 않자 이를 바탕으로 만들게 된 것이다. '원우혼천의상(元祐渾天儀象)'이라고도 부르는데, 그때의 송나라 연호가 원우였던 까닭이다. 그는 1086년 황실에 있던 옛 혼의(渾儀) 등을 조사·연구하여 '수운의상대' 건설을 건의했고, 그 후 가천의(假天儀) 만들기에 앞장서 지도했다. 이어 그 과정을 설명하는 책《신의상법요(新儀象法要)》(1092)를 지어 후세에 남겼다. 총 3권으로 된 이 책은 그가 만든 수운의상대의 구조와 작동 원리를 설명한 책이다. 그의 '수운의상대'는 그대로 후세에 전해진 것은 아니었지만, 바로 이 책을 통해 후세에 의해 재현되어 오늘날 세계박물관을 장식하게 된 셈이다. 그리고 이를 세계적으로 유명하게 만드는 데에는 바로 니덤의 역할이 아주 컸던 것이다.

소송은 단연 '수운의상대'라는 천문시계로 유명하지만 본초학(本草學)에서도 대단한 업적을 남긴 과학자라 할 수 있다. 그는 1082종의 약물이 포함된 약물학 서적인《가우보주신농본초(嘉祐補注神農本草)》21권을 1057년에 완성했다. 그에 이어 그는 전국의 그림이 있는 본초서들을 종합하여《도경본초(圖經本草)》를 완성하기도 했다. 도경이란 표현이 있는 것만으로도 이 책은 식물의 그림을 많이 넣었음을 알 수 있으나 유감스럽게도 지금은 전해지지 않는다.

정치·행정·교육자로도 맹활약

소송이 과학자로 이름을 남길 수 있었던 것은 과학기술을 중시하는 오늘날의 풍조 때문이라고도 할 수 있다. 예를 들면 그의 일생을 소개한 당시의 중국 역사서인 《송사(宋史)》〈소송의 전기(蘇頌傳)〉를 보면, 상당히 길게 기록된 그의 전기 대부분이 그가 평생에 얼마나 많은 관직에 나아가 정치가 또는 행정가, 교육자로 활약했던가를 상세하게 소개하고 있다. 그가 지은 본초서나 수운의상대 이야기는 아주 조금 나올 뿐이다. 소송 자신은 1042년, 23세에 왕안석(王安石, 1021~1086)과 동방(同榜)으로 진사가 되었다. '신법'으로 널리 알려진 당대의 대표적 개혁론자인 왕안석과 같이 과거에 급제했다는 뜻이다. 하지만 그는 관리로서 그리 개혁 성향을 띠었던 것으로 보이지는 않는다.

그의 첫 벼슬은 숙주(宿州) 관찰추관(觀察推官)이었으며, 그 후 50여 년 동안 관직 생활을 계속했다. 반세기의 관직 생활은 지방과 서울 모두에서 온갖 벼슬을 했다는 것을 알 수 있는데, 그 가운데 3차에 걸쳐 관직에서 쫓겨나거나 불명예를 당한 때도 있었다. 1092년에 소송은 그의 일생에서 가장 높은 직위인 우복야(右伏射) 겸 중서시랑(中書侍郎)에 올랐는데, 이 자리는 우재상(右宰相)에 해당한다고 중국 책에는 설명이 붙어 있다. 근래 들어서야 소송의 과학자로서의 업적이 부각돼 크게 각광을 받기 시작했다. 이런 것을 보면 역사란 항상 새롭게 쓰여진다는 사실을 확인하게 된다. '역사란 언제나 오늘의 역사'일 수밖에 없는 것이다.

서양과학 전파 숨은 공신 이탈리아의
율리우스 알레니
Julius Aleni 1582~1649

이익(李瀷, 1681~1763)의 《성호사설》을 보면 서양에 대한 지리적 지식이 여기저기 보인다. 그중 애유략(艾儒略)의 《직방외기》에서 인용한 부분이 몇 곳이나 있는 것이다. 여기서 '애유략'은 이탈리아 출신의 예수회 선교사로 원래 이름이 율리우스 알레니(Julius Aleni 또는 Giulio Aleni, 1582~1649)이다. 알레니가 17세기 조선에 와서 활동했을 리는 없지만, 그의 《직방외기》가 전해짐으로써 '은둔의 왕국' 조선의 지식층에게 세계가 어떻게 생겼는가를 처음으로 보다 잘 전해준 것이 분명하다. 특히 이 책에서는 서양의 여러 나라와 그 나라들의 상태, 그리고 서양인들이 중국에 오가면서 도중에 알게 된 여러 나라들에 대한 사정을 소개해주고 있기 때문이다. 예를 들면 이익의 《성호사설》만 해도 이익은

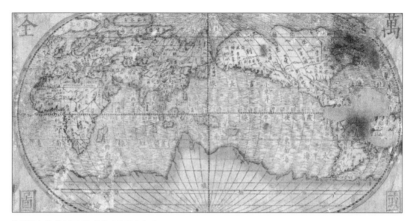

〈직방외기〉에 실린 알레니의 〈만국전도〉

야자(椰子)에 대해 자세한 소개를 하고 있는데, 이것을 이익은 알레니의 책에서 얻은 지식이라고 밝히고 있다. 요즘은 열대 과일이 얼마든지 퍼져 있으니 이상할 것 없지만, 100년 전까지만 해도 우리 선조들은 열대 지방에 대한 지식조차 거의 갖고 있지 못했다. 우리 선조들에게 가장 정확하면서도 상세한 열대 지방에 대한 지식을 전해준 것도 바로 알레니였다.

이익, 알레니의 《직방외기》 통해 서양 문물 전파

이익의 야자에 대한 글 〈야관(椰冠)〉을 보자. 이 글은 중국의 유명한 문필가 소동파[蘇東坡, 1036~1101, 본명 소식(蘇軾)]의 시를 인용하는 것으로 시작한다. 소동파의 이 시에는 야자수에 대해 주석이 붙여졌는데 아래와 같이 적혀 있다.

이 나무는 키가 아주 크고 잎은 넓은데 열매가 30개나 열린다. 호두처럼 생긴 열매 한 개에는 과즙이 한 되 정도나 들었는데 맑은 액체가 꿀처럼 달다. 그런데 다른 기록에 의하면 야자의 과즙으로는 술을 담글 수도 있고, 야자를 술통으로 쓰기도 한다. 그럴 경우 여기 술을 부어 거품이 일어나면 그 술은 독이 있다는 것을 보여준다.

다음에 이익은 알레니의 《직방외기》에서 야자수에 관한 기록을 인용한다.

서역의 인도[印弟亞]는 바로 천축국(天竺國)을 가리키는데, 그곳에 야자수가 많다. 야자수는 세상에 둘도 없이 좋은 나무라 할 수 있는데, 그 줄기로는 배를 만들고 그 잎으로는 집을 덮는 데 쓴다. 배고플 때는 그 열매가 음식이 되고, 목마를 경우 그 과즙은 기갈을 멈춰준다. 또 그것은 술[酒]도 되고 식초[醋]도 만들 수 있으며 기름[油]을 내기도 하고 엿[飴糖]이 되어주기도 한다. 게다가 단단한 부분은 잘 다듬어 못[釘]으로 쓰기도 한다.

이익은 《직방외기》를 통해 말하자면 야자수에 관한 지식을 얻고 이를 국내에 소개하고 있던 셈이다. 이익의 문집은 바로 이어서 '화완포(火浣布)' 항목을 두고 석면(石綿)에 대해 설명하고 있는데, 여기에도 알레니의 《직방외기》가 등장한다. 석면이야 지금은 아주 고약한 광물로 알려져 있어 세계 각국에서 석면의 사용을 금지하고 있지만, 반세기 전까지만 해도 대단히 유용한 기적의 광물쯤으로 여겨졌다. 석면이 갖고 있는 절연성 때문에 중요한 건축자재로 여겨졌고, 자동차의 브레이

크 라이닝(brake lining)에도 꼭 들어갔던 것이다. 그런데 이 석면이 예로부터 동서양에 조금 알려져 있었던 것이다. 이에 대해 이익은 옛 문헌을 인용하여 그것이 화산(火山)에 사는 동물이나 식물에서 얻은 섬유라는 주장을 소개하고 있다.

중국의 옛 문헌이 말하는 화산이란 지금도 있는 그런 화산이 아니라 언제나 불꽃이 살아 있는 그런 가상의 산을 가리킨다. 그런 전설적인 산이 있는데, 그 안에는 불에 타지 않고 살고 있는 동물과 식물이 있다는 것이다. 오히려 그런 동식물은 그 밖으로 나오면 죽게 된다고까지 주장한다. 여하튼 옛사람들은 석면을 그런 동식물에서 얻은 물질이라고 주장했다. 그렇게 얻은 포목이기 때문에 더럽혀지면 불 속에 넣어 깨끗하게 빨아낼 수 있다고 믿었고, 그래서 이름도 화완포(火浣布: 불로 빨아내는 포목)라고 알려졌던 것이다.

이익은 이에 관한 황당한 중국의 옛 기록들을 소개한 다음 끝으로 알레니의《직방외기》에 소개된 화완포를 소개하고 있다. 그에 의하면 알레니는 화완포를 그런 화산에 사는 동식물에서 얻어낸 직물이 아니라 광물에서 추출해낸 것이라 말한다면서, 이런 설명이 옳을 것이라고 단언한다. 이익은, 알레니는 서양 사람이고 서양 사람들은 친히 실험을 통해 사실을 확인하기 때문에 반드시 믿을 만하다는 주장이다(儒略西洋人, 西洋之人其親歷驗視 必其可信). 적어도 18세기 중엽의 이익 같은 조선의 일부 학자들에게는 당시 서양 과학은 믿을만 하다고 여겨지고 있었음을 보여준다. 그리고 그 이유는 서양인들은 실험과 관찰을 통해 모든 지식을 쌓아가고 있기 때문이라고 판단하고 있음을 알 수 있다.

'서양에서 온 공자'로 중국에서 칭송받아

또 이익의 글 〈화구(火具)〉 가운데에는 과학사에서 유명한 일화라 할 수 있는 아르키메데스의 오목거울 이야기가 기록되어 있다. 서양의 이탈리아(意大里)란 나라에서 큰 거울을 만들어 햇빛을 반사시켜 적선 수백 척을 한꺼번에 불태웠다는 것이다.

이익은 이 일화를 어디서 알게 되었는지 밝히고 있지 않다. 하지만 알레니의 《직방외기》를 보면 바로 똑같은 표현이 들어 있음을 알게 된다. 다만 알레니는 이탈리아를 "意大里亞"라 표현했고, 그 주인공 이름을 아르키메데스(亞而幾墨得)라 밝히고 있다는 차이가 있을 뿐이다. 아직 나의 연구가 부족하여 주로 이익의 글에 보이는 알레니의 영향만 살펴보았지만, 앞으로 연구가 깊어지면 알레니가 조선 지식층에 미친 영향은 아주 큰 것으로 밝혀질 것이 분명하다.

그가 쓴 《직방외기》는 조선 지식층에게 중국이나 일본 이외에도 그야말로 "세상은 넓고 할 일도 많다"는 사실을 보여주었다. 그런데 언제 이 책이 조선에 전해졌을까? 실록에 보면 1791년(정조 15) 11월 8일 신해박해로 초기 가톨릭교도들이 수사를 받는 과정에서 그들이 《천주실의(天主實義)》, 《직방외기》 등을 읽었음을 알 수가 있다. 이때 이승훈(李承薰, 1756~1801)은 삭직당하고, 권일신(權日身, 1751~1791)은 사형을 감해서 위리안치(圍籬安置)[1]되었다.

마치 이때 처음 알레니의 《직방외기》가 이 땅에 알려진 듯도 하다. 하지만 사실은 훨씬 전인 1631년 중국 명나라에 사신으로 갔다가 귀국한 정두원(鄭斗源, 1581~?)은 여러 가지 서양 문물을 가져왔는데, 그 가운데 이미 《직방외기》가 들어 있었다. 알레니는 《직방외기》 이외에도 여러 가지 책을 남겼다. 이탈리아 출신의 예수회 선교사인 그는 자를 사급(思及)이라 했고, 1610년 28세 나이에 마카오에 도착하여 장쑤성[江蘇省], 산시성[山西省], 산시성[陝西省] 등에서 포교 활동을 했다. 1625년 푸젠성[福建省]에서 활동했으며, 1649년 67세에 푸저우[福州]에서 사망했다. 그는 《기하요법(幾何要法)》 4권, 《서학범(西學凡)》 1권, 《서방답문(西方答問)》 2권 등 거의 20종의 책을 남겼다. 또 당시 중국에서 '서양에서 온 공자'라는 별명을 얻기도 했다.

우리 선조들, 서양 선교사 책으로 과학 접해

흥미로운 사실은 우리 역사상 가장 대표적인 반기독교 글은 이익의 제자 신후담(愼後聃, 1702~1761)의 《서학변(西學辨)》이라 할 수 있다. 그런데 이 글에서 신후담은 기독교를 통렬하게 비판하는데, 그 비판의 대상 3가지 한역서(漢譯書) 《영언여작(靈言蠡勺)》, 《천주실의》, 《직방외기》 가운데 하나가 바로 알레니의 《직방외기》였다. 당시 세계 사정을 소개한 책에 무슨 기독교 내용이 있기에 신후담의 비판을 받게 되었을까? 《직방외기》는 1권 아시아 각국, 2권 유럽, 3권 아프리카(利未亞), 4권 아메리카(亞墨利加), 5권 사해(四海) 총설 등으로 구성되어 있으며 몇 장의 지도가 들어 있을 뿐이다. 하지만 2권 유럽 소개 속에는 유럽의 학술과 종교 등도 들어 있어 이 부분이 비판된 셈이다.

또 알레니가 소개한 유럽의 교육은 소학(小學)에서는 4가지 문과(文科)를 교육하는데 ① 옛 성현의 말씀, ② 각국의 역사, ③ 여러 가지 시와 문장, ④ 문장의론(文章議論) 등이다. 중학에서는 이과(理科) 세 과정을 가르치는데 첫 해에 논리학(落日加, 辯是非之法), 둘째 해에는 물리학(費西加, 察性理之道), 셋째 해에는 형이상학(默達費西加, 察性理以上之學) 등이다. 그리고 그 가운데 우수한 학생이 대학을 간다. 대학에서는 4과 가운데 하나를 고르는데 의과(醫科), 치과(治科), 교과(教科), 도과(道科)가 그것이다. 4과 가운데 의과는 지금도 마찬가지 용어가 사용되지만 치과란 지금으로 치면 정치·행정·법학 정도를 뜻한다. 또 교과란 교회 관련 교육을 뜻하고, 도과란 교육학과를 의미한다. 또 그에 앞선 중학에서의 3과는 영자로 쓰자면 'logica', 'physica', 'metaphysica'를 가리키는 셈이라는 것을 금방 알 수 있다. 괄호 안의 첫 번째 한자 표현은 바로 이 라틴어를 한자 발음으로 나타낸 것이고, 두 번째 한자 표현은 그 단어의 의미를 번역해 나타내고 있다. 여기에는 이들 세 분야를 아울러 '비록소비아(斐錄所費亞)'라 한다고도 쓰여 있다. 지금은 철학이란 말로 쓰이는 'philosophia'를 가리킨 것이 분명하다.

신후담은 이런 서양의 교육제도가 도덕적 교양을 기르는 데 중점을 두는 우리 전통 교육과는 어긋난 잘못된 것임을 지적하고 있다. 또 의학이란 기술에 속하는 것으로 다른 분야와 함께 논할 것이 아니라고도 지적한다. 지금으로서는 이해하기 어려운 일이지만, 당시로서는 많은 조선의 지식인들이 신후담과 같은 의견이었다는 사실을 주목할 일이다. 신후담은 앞에도 지적한 것처럼 이익의 제자였다. 이익은 오히려 서양 과학에 상당히 높은 평가를 하고 있지만, 한 세대 뒤의 신후담은 오히려 서양 과학은 무시한 채 서양의 기독교와 서양 학문에 대해 통렬한 비판을 가하고 있음을 주목할 일이다.

여하간 주목할 만한 중요한 사실은 여기서 아마 처음으로 학과를 문과(文科)와 이과(理科)로 나누고 있다는 점이다. 하지만 잘 생각해보면 우리가 사용하는 문과, 이과의 구별과는 사뭇 동떨어진 구별 방식임을 알 수도 있다. 알레니가 말하는 문과는 지금도 문과에 속하지만, 그가 이과로 부른 세 분야 가운데 오늘의 이과에 속하는 부분은 'physica'뿐이기 때문이다. 이렇게 아주 천천히 우리 선조들은 18세기를 통해 서양 선교사들의 책을 통해 과학을 익히기 시작했고, 이탈리아 출신 선교사 알레니는 그 가운데 중요한 인물 하나였음을 알 수 있다.

---

[1] 위리안치(圍籬安置): 유배된 죄인이 거처하는 집 둘레에 가시로 울타리를 치고 그 안에 가두어 두던 일

증기기관 개량한 산업혁명의 아버지
영국의 제임스 와트
James Watt 1736~1819

개화기 우리 옛 선조들의 국어 교과서 《초등소학(初等小學)》에 제임스 와트(James Watt, 1736~1819)가 간단히 소개되어 있다. 광무 10년이라 밝혀져 있으니 1906년의 책이다. 그리고 '六'이라 덧붙여 있는데 이는 6학년용이란 말인 것 같다. 여하튼 그 9과는 제목이 '기선과 기차'라 되어 있는데, 그 글은 다음과 같이 시작한다.

철관(鐵罐)에 수(水)를 성(盛)히 끄리면 기개(其盖)는 조곰 추상(推上)되야 기(汽)를 통(通)하나니……(쇠 주전자에 물을 가득 넣어 끓이면 그 뚜껑은 조금 밀어 올려져 수증기가 통하나니……)

이 글은 주전자의 물이 끓는 것을 설명하고는 이어서 옛날 영국의 와트라는 사람이 수증기를 이용하여 기계를 움직이는 방법을 연구하여 성공하니, 그것을 활용하여 기선과 기차가 태어났다고 설명하고 있다. 당연히 기차와 기선에 대한 설명은 그 뒤에 이어진다.

말하자면 제임스 와트는 기차와 기선의 발명을 가능하게 해준 위대한 인물로 묘사되고 있음을 알 수 있다. 실제로 이보다 거의 10년 앞서 출판된 유길준(兪吉濬)의 책 《서유견문(西遊見聞)》에는 18편에 증기기관에 대한 상세한 글이 실려 있는데, 그 글 끝에는 아예 와트의 전기(傳記)까지 들어 있다.

우리 역사상 최초로 등장하는 제임스 와트의 상세한 소개가 되는 것으로 보인다. 제목을 '와투(瓦妬)의 약전(略傳)'이라 했는데, 영국인 와트가 가난한 집에서 태어나 어려서 병약했던 사실을 소개하고 있다. 그리고 이어서 그 유명한 물 끓는 주전자 이야기가 나온다.

《서유견문(西遊見聞)》에 상세히 소개

하루는 집에서 차를 끓이는데, 주전자 뚜껑이 덜컥거리는 것을 보고 있다가 그의 숙모에게서 게으르다고 꾸지람을 받았다는 말도 있다. 내가 어렸을 때 읽은 글에는 바로 이 대목이 크게 과장되어 설명되어 있었던 것을 기억한다.

와트는 주전자 뚜껑의 덜컹거리는 것을 유심히 보다가 수증기의 힘을 연구하기 시작했고, 그래서 뒷날 증기기관을 발명한다는 이야기이다. 아마 요즘 어린이들의 책에도 이 부분은 빠짐없이 써 있을 것이란 생각이 든다.

하지만 잘 생각해보자면 와트는 증기기관을 처음 발명한 것이 아니다. 그는 다만 그전까지 이미 실용화되어 있던 증기기관의 아주 중요한 부분을 손질하여 개량함으로써 그 효용성을 크게 높였던 것이다. 증기기관을 처음 만든 사람이 누구였던가는 확실하지 않다.

하지만 영국에서도 이미 우스터(Worcester)의 2대 후작이었던 에드워드 서머싯(Edward Somerset, 1601~1667)이 그런 아이디어를 낸 것이 밝혀져 있고, 프랑스의 발명가로 압력솥을 처음 발명한 파팽(Denis Papin, 1647~1712)은 실제로 증기기관도 만들었던 것으로 밝혀져 있다. 또 영국의 세이버리의 증기기관은 아마 처음으로 영국 광산에서 실용된 증기기관이었을 것이다. 그리고 주전자 뚜껑 이야기는 와트만이 아니라 그전의 몇 사람의 증기기관 발명에도 등장하는 약방의 감초 같은 일화이기도 하다.

파팽은 1690년에 증기기관을 실험해보았다. 수증기는 공기나 마찬가지의 탄성을 가지고 있으면서도, 온도만 낮아지면 간단히 다시 물로 바뀌면서 공기의 성질을 잃게 된다. 따라서 화약을 사용하여 공기를 팽창시켜 진공을 만들고, 그것으로 물을 끌어올리는 장치를 만드는 것보다는 수증기를 사용한 기관을 만드는 편이 더 좋을 것이라고 예언했던 것이다.

사실 그는 더 유명한 과학자 호이겐스의 제자였는데, 바로 그의 스승이 화약을 이용한 기관을 생각하고 있었던 것이었다. 실린더(원통)와 그에 꼭맞는 피스톤으로만 구성된 이 장치 속에 물을 조금만 넣고 파팽은 아랫부분을 가열했다. 당연히 피스톤은 수증기가 팽창할수록 위로 올라갔고, 피스톤이 실린더 윗부분에 도달했을 때 피스톤 자루에 잠금쇠를 질러 넣어 고정시켰다. 그런 다음 실린더를 차게 식히고 잠금장치를 풀어주니, 그 피스톤은 아래로 급히 내려갔다. 증기기관의 원리를 설명하는 실험장치로는 그만하면 훌륭한 장치였던 셈이다. 하지만 그는 압력솥의 발명자로 더 유명하다.

수증기는 물의 부피를 1300배 이상 팽창시켜 준다. 바로 그 굉장한 팽창력을 이용하자는 것이 증기기관 발명자들의 생각이었다. 영국의 토머스 세이버리(Thomas Savery, 1650~1715)는 실제로 광산에서 사용된 최초의 증기기관을 만든 것으로 인정된다. 그는 캡틴(Captain)이란 칭호로 알려져 있지만, 그에게 붙여진 이 칭호가 그냥 무슨 '대장'이었다는 뜻인지, 아니면 바다에서 '선장' 노릇을 했다는 뜻인지조차 분명하지 않다고 한다. 그럴 정도로 그의 생애에 대해서는 잘 알려져 있지 못하다. 여하튼 그는 〈광부의 친구(The Miner's Friend)〉라는 글에서 이른바 '불 엔진(fire-engine)'이란 장치를 설명하고 있다.

기관 수리하다 새 아이디어

오늘날의 영어로 'fire-engine'이란 말은 소방차를 가리킨다. 하지만 세이버리의 '불 엔진'은 바로 증기기관이었고, 그래서 오늘날 그의 증기기관은 아예 '광부의 친구'라는 별명으로 불리기도 한다. 그는 커다란 공 모양 장치의 한쪽에 길게 관(管)을 연결하고, 그 관의 아래 끝이 광산 안의 물 속에 들어가게 했다. 그 둥근 장치에 수증기를 가득 채운 다음 찬물을 부어 공을 식혀주면, 그 안의 수증기는 몇 방울의 물로 바꿔고, 당연히 그 나머지 공간을 채우려고 아래쪽에 연결된 관으로부터 광산 속의 물이 솟아올라가 공을 채워줄 것이다. 그 물을 비운 다음 같은 과정을 반복하면 광산의 물을 퍼낼 수가 있다.

세이버리의 증기기관은 토머스 뉴커먼(Thomas Newcomen, 1663~1729)의 증기기관으로 다시 개량된다. 다트머스의 대장장이 뉴커먼은 이를 개량하여 훨씬 효율적인 증기기관을 만들었다. 1712년 더들리 카슬의 탄광에 설치한 뉴커먼의 증기기관은 1분에 12회 왕복운동을 하며 물을 퍼올렸는데 그 힘은 약 5마력 남짓 정도였다. 세이버리의 증기기관이 1마력 정도로 평가되니까, 훨씬 힘 좋은 증기기관으로 바뀌고 있음을 알 수 있다.

뉴커먼 증기기관은 그 후 점점 금속기술이 발달하면서 처음에는 지름 7인치짜리 실린더가 고작이던 것이 1725년에는 29인치짜리로, 그리고 1765년에는 74인치짜리까지 크기가 늘어갔다. 그와 함께 증기기관의 마력 수가 크게 늘어났음은 물론이다. 뉴커먼 증기기관은 당시로서는 대성공이었다. 발명 직후 4년 동안에 8개국에 보급되었고, 그가 죽은 1729년 경에는 유럽의 많은 나라에 퍼졌다.

그렇게 긴 역사 속에서 증기기관은 탄생했다. 그리고 사실은 와트가 증기기관을 결정적으로 개량하게 된 것도 뉴커먼 증기기관을 수리하다가 일어난 일이었다. 영국 글래스고 근처의 그리녹이라는 곳에서 태어난 와트의 집안은 원래 부유한 편이었지만, 17살에 어머니가 죽고 아버지의 배가 침몰하는 바람에 혼자서 살아갈 수밖에 없게 되었다. 그래서 그는 글래스고로 가서 일자리를 찾다가 런던으로 가게 되었다. 글래스고에서 런던까지 말을 타고 열 하루 반에 도착했다는 기록이 보이니까 당시의 교통이 어떤 상황이었던가 짐작할 수가 있다.

여하튼 1년 정도 런던에서 기술을 배우고 고향으로 돌아온 와트는 1757년 말에 글래스고대학교에 공작실을 차릴 수 있게 되었다. 수학은 잘했지만 학교에서 그리 대단한 성적을 내지 못했다. 또 어려서부터 늘 약골이었던 와트는 초등학교 졸업 밖에 못한 셈이지만, 스스로 기술을 익혀 공작실을 차릴 수 있게 된 것이다.

그는 대학교에서 사용하는 기계의 고장을 수리해주는 일을 맡았던 것이다. 바로 그 대학의 수리 담당자로서 1763년 그는 고장난 뉴커먼 증기기관의 수리를 맡게 되었다. 이때 열손실이 너무 커서 비능률적이란 사실에 주목한 와트는 뉴커먼 증기기관을 개량하려고 나서게 되었다. 특히 그는 1765년 5월 어느 맑은 휴일날 글라스고의 초원을 거닐다가 그 해결 방법을 깨닫게 되었다고 전한다.

그때까지 널리 사용된 뉴커먼 기관은 엄밀히 말하자면 증기기관이라기보다는 공기기관이었다. 대기압의 압력으로 피스톤이 실린더 아래로 내려오게 되고, 그러면 그것은 다시 반대쪽의 펌프 때문에 위로 끌려 올라가면서 그때 열어준 밸브를 통해 보일러의 수증기를 받아들인다. 그 피스톤이 실린더 제일 위까지 올라가면 다시 그 실린더 위에서, 그리고 그 안에서 물을 뿜어서 실린더를 식혀주는 것이다. 또 수증기는 물로 바뀌며 실린더 안은 진공상태로 가게 된다. 또 대기압으로 그 피스톤은 다시 아래로 내려온다.

다시 말하자면 뉴커먼 기관은 수증기의 팽창력으로 피스톤을 움직여주는 것이 아니라, 공기 압력으로 피스톤이 움직인다. 또 그것은 실린더 자체가 찬물로 식혀졌다가, 다시 수증기로 가열되는 과정을 반복하기 때문에 열손실이 매우 심하다. 이 두 가지 특징으로 대단히 비능률적인 뉴커먼 증기기관을 와트는 아주 간단한 장치를 고안해 해결했다. 즉 옆에 새로 장치를 만들어 달고 수증기를 그곳으로 끌어들여 식히고, 실린더는 뜨거운 상태를 유지하게

제임스 와트가 발명한 증기기관

만든 것이었다. 이 장치를 영어로는 '콘덴서(condenser)'라고 불렀는데, 이 말을 우리나라에서는 '복수기(復水器)' 또는 '응축기(凝縮機)'라고 옮기고 있다.

새 증기기관 전 세계에 보급

하지만 이런 새로운 장치가 더 능률적인 증기기관이 되기 위해서는 실린더를 더 튼튼하고 정밀하게 만드는 기술, 그리고 신제품을 생산하고 판매하는 자금과 영업기술 등이 모두 필요했다. 와트에게는 마침 그런 조건이 갖춰져 그의 증기기관은 1776년부터 뉴커먼 증기기관을 압도하며 생산, 보급되기 시작했다. 그리고 반세기 안에 전 세계로 퍼져 나갔다.

1776년은 마침 미국이 독립한 해이기도 하고, 아담 스미스의 《국부론(國富論)》이 출판된 해이기도 하다. 새 시대를 이끌 산업국가 미국의 등장, 그리고 새로운 자본주의 사회경제 구도를 예언하는 스미스의 책,

그리고 산업혁명의 원동력 증기기관이 같은 해에 세상에 나왔다고 할 수 있다. 새로운 시대가 열리고 있음을 예언한 셈이다. 그는 교육이 그리 널리 보급되지 않았던 당시 기준으로서도 그리 학식 있는 사람은 못되었다. 그래서 그는 화학자 조지프 블랙(Joseph Black)을 찾아가 자기 연구에 필요한 이론적 부분, 즉 물의 잠열(潛熱)에 대한 설명 등을 듣고 공부한 적도 있다고 알려져 있다. 여하튼 그는 증기기관 개량에 열성이어서, 그 후에도 여러 가지 발명을 덧붙여 그것을 고쳐나갔다. 결국 와트의 노력은 높이 평가되어 역사에 길이 '산업혁명의 아버지'로 추앙받게 되었다.

1909년 장지연의 《만국사물기원역사》에는 '증기기(蒸氣機)'란 항목이 있는데, 거기서 증기기관 발명자들을 여럿 소개하고 와트를 화씨(華氏)로 표기하고 있다. 그러나 그에 앞서 이미 우리나라에는 《서유견문》에 이미 와트의 생애가 길게 소개되고 있었음은 앞에 소개한 바와 같다. 특히 그의 이름은 오늘날 '와트'라는 전력(電力)의 단위가 되어, 세상 사람 모두가 그의 이름을 일상생활에서 사용하고 있는 셈이다.

'금속전기' 발명자 이탈리아의
알레산드로 볼타
Alessandro Volta 1745~1827

1883년 우리나라 최초의 신문 《한성순보》가 나왔다. 그 신문의 4호 (1883년 11월 30일자)에는 〈전기를 논함〉이라는 기사가 있는데, 거기에는 전기에 대해 연구했던 서양의 여러 과학자들의 이름이 등장한다. 우리 역사에서 거의 처음으로 서양 과학자들의 이름이 나오기 시작한 셈이다. 그 가운데 '볼타'의 이름도 보이는데, 《한성순보》는 순한문 신문이어서 그의 이름을 한자로 '불이탑(佛爾搭)'이라고 적고 있다. 볼타 전지로 역사에 이름을 남긴 그는 전압의 단위인 '볼트'란 말을 남긴 과학자이다. 이탈리아의 알프스산 아래에 있는 코모(Como)라는 도시가 고향인 그는 이름이 아주 길어서 '알레산드로 주세페 안토니오 아나스타시오 볼타(Alessandro Giuseppe Antonio Anastasio Volta, 1745~1827)'이다. 그의 이름 볼타가 우리나라의 첫 기록에서 불이탑이 된 것은 중국 사람들이 한자로 표기한 것을 우리 발음으로 옮기다 보니 그렇게 된 것이다. 중국 발음으로는 '폴다(fōǐdā)'쯤 되니 그럴싸하다. 지금은 중국에서도 그의 이름을 '伏特(fútè)' 또는 '伏打(fúdǎ)'로 표기하고 있다

《한성순보》에 볼타의 전지 발명 과정 상세히 보도

볼타는 1800년에 역사상 처음으로 전지를 발명하여 오늘날 우리들이 편리하게 전기를 이용할 수 있는 길을 열어준 과학자이다. 그가 전지를 발명하게 된 과정에는 같은 이탈리아 과학자 루이지 갈바니(Luigi Galvani, 1737~1798)가 제기한 '동물전기' 이론이 있다. 원래 전기 현상은 아주 옛날부터 알려져 있었지만, 실제로 전기에 대한 과학적 연구가 시작된 것은 1700년대 들어서부터였다. 1745년 '라이덴병(Leyden jar)'이 만들어지면서 전기를 저장할 수 있는 길이 열렸다. 라이덴병을 이용해 여러 가지 전기 실험을 해볼 수 있게 되자 전기에 대한 연구가 급격히 활발해졌다. 1791년 볼로냐대학교 해부학 교수 갈바니는 개구리를 해부하다가 금속 메스를 접촉하자 개구리 다리 근육이 수축하는 것을 발견했다. 그는 개구리 근육 속에 전기가 들어 있다고 생각했고, 그렇게 동물 몸속에 들어 있는 전기를 '동물전기'라 불렀다. 이 발견은 유럽의 과학자들에게 '역사상의 대발견'으로 칭송되어 많은 사람들이 그 연구를 이어받아 계속하게 되었다. 그리고 그 가운데 한 사람이 바로 같은 이탈리아의 물리학자 볼타였다.

볼타는 연구 끝에 그가 그렇게 감탄했던 '동물전기'는 사실이 아니라

는 결론을 내렸다. 볼타는 실험을 계속해 1795년에는 개구리 같은 동물
이 없어도 두 가지 금속을 어떤 액체 속에 서로 접촉시키면 전기를 얻
을 수 있음을 알아내게 되었다. 그는 묽은 황산 용액 속에 구리판과 아
연판을 넣어 전기를 얻을 수 있었던 것이다. 라이덴병은 전기를 저장했
다가 한번 쓰면 사라지는 데 반해, 그가 만든 이 전지는 계속해서 전기
를 만들어주는 고마운 장치가 되었다. 인간은 역사상 처음으로 지속적
으로 전기를 공급해주는 장치를 만들어냈던 것이다. 1800년 3월 20일
그는 이 발명을 영국왕립학회에 통보했다. 19세기는 인류역사상 전기
혁명이 계속되던 위대한 시기라고 할 수 있다. 그리고 바로 그 길을 볼
타는 바로 새 세기가 시작된다고 할 수 있는 1800년에 세상에 알렸던
셈이다.

바로 이 과정이 《한성순보》에 보도되어 있다. 이 신문의 〈전기를 논
함〉이란 기사에 의하면 사람들은 건전만 알고 습전은 몰랐는데, 이탈
리아의 갈바니와 볼타가 이를 처음 발명했다고 적고 있다. 여기에서
건전이란 라이덴병의 전기를 뜻하고, 습전이란 당시 각국 전기회사가
사용하고 있던 갈바니와 볼타의 전지를 가리킨다. 이 기사는 다음과
같이 계속된다.

이탈리아의 갈바니와 볼타 두 사람이 강수(强水: 황산)에다가 금속을 교감
시키면 습전을 얻는다는 것을 발견했다. 1790년에 갈바니의 아내가 오랜 병
으로 누워있었는데, 치료할 약이 마땅치 않은 가운데 오직 개구리 수프가
도움이 되었다. 그래서 개구리를 여러 마리 잡아다 껍질을 벗겨 놓고 수프
를 끓이려 하고 있었다. 그때 제자 몇은 옆에서 전기 실험을 하던 중이었다.

그런데 그 제자 하나가 우연히 작은 칼을 개구리 뒷다리에 닿게 하자 갑자기 그 다리가 살아 있는 것처럼 벌떡 튀는 것이 아닌가. 제자들이 놀라 갈바니에게 보고하자 그가 실험을 하게 되었고 그 결과를 확인할 수 있었다.

이 기사는 마치 볼타보다 갈바니가 전지 발명의 주역인 듯 소개하고 있는데, 당시에는 그런 해석이 강했던 것으로도 보인다. 갈바니의 아내가 병들어 개구리 수프를 끓이다가 '동물전기' 현상을 알게 되었다는 것이 아마 흥미로운 이야깃거리가 되었기 때문인 듯하다. 이 기사에는 볼타가 '불이탑'이라 쓰인 것처럼 갈바니는 '알리법니(嘎利法尼)'라 되어 있다. 역시 중국식 한자 표기 그대로를 도입했기 때문이다.

갈바니의 '동물전기' 반박, 새 이론 주장

전지 발명의 주인공은 갈바니가 아닌 볼타였다. 그는 이탈리아의 알프스산 남쪽 휴양도시 코모의 예수회 소속 가톨릭 귀족 집안에서 태어났다. 아버지는 필리포, 어머니는 마리아였는데 그의 부모는 그를 법률가로 키우고 싶어 했다. 하지만 그는 코모왕립학원을 나와 1774년 그 고등학교의 물리 교사가 되었다. 5년 뒤에는 파비아대학의 물리학 교수가 되었고, 1815년에는 파도바대학의 이학부장을 거치기도 했다. 문학에 취미를 가졌던 볼타는 청년 시기에 로마의 자연철학자 루크레티우스의 《사물의 본성에 대하여(On Nature)》를 읽고 자연 연구에 관심을 갖게 되었다. 당시에는 유럽 자연과학자들은 전기 현상에 관심이 많을 때였기 때문에 그 또한 정전기 실험에 열중했는데, 그의 첫 논문은 전기의 인력에 대한 것으로 1769년에 쓴 것이었다. 그 후 그는 자신의 연구를 영국왕립학회에 보고하기도 했다. 특히 영국 과학자 프리스틀리의 《전기학의 역사와 현 상황(The History and Present State of Electricity)》을 읽고 더욱 전기에 관심을 기울이게 되었고 그에게도 연구 결과를 알려주기도 했다.

1791년 갈바니가 개구리 실험 결과를 근거로 '동물전기' 현상을 발표하자 처음에 그는 이 결과를 열렬히 환영하며 그 후속 연구를 계속했다. 그 결과 갈바니와는 다른 결과를 얻기 시작했고, 그는 동물의 매개 없이 두 가지 금속의 접촉에서 전기가 얻어진다는 사실을 알게 되었다. 그는 갈바니의 동물전기 이론을 공박하기 시작했고, 두 사람 사이의 전기 발생에 대한 의견의 차이는 유럽 전체 과학자들의 대립으로까지 번져나갔다. 당시 전기가 가장 중요한 과학자들의 관심이었으니 당연한 일이었다. 예를 들면 당대의 유명한 과학자로 독일의 훔볼트는 갈바니를 지지하고 나섰지만, 프랑스의 쿨롱은 볼타의 이론을 옳게 생각하는 식이었다.

논쟁은 점차 볼타가 옳다는 방향으로 기울고 있었다. 그러나 애당초 갈바니의 실험에 크게 감탄했던 볼타는 갈바니의 동물전기 이론 자체는 옳지 않다고 판단하기 시작했으나, 그의 발견에 대한 중요함은 인정했고, '갈바니즘'이란 용어를 스스로 만들어 쓸 정도였다. 동물에 대한 전기 효과 등을 일컬어 지금도 '갈바니즘'이라 부르는 것은 볼타가 시작한 표현이다. 또 갈바니의 이름은 '전류계(galvanometer)'란 단어로 영어에도 남아 있다. 실제로 갈바니의 동물전기 이론은 그 후 생리학 발달에 크게 공헌한 것으로 평가된다. 여하간 점점 자신의 이론으로부터 떠나가는 과학자들의 관심을 아쉬워하면서 갈바니는 죽었고, 그가 죽은 2년 뒤 볼타는 전지의 발명을 선언하게 된다.

화학적 반응에 의한 '금속전기' 생성 발표

1800년 3월 20일 영국왕립학회에 논문이 보고되자 그는 일약 유럽의 영웅 과학자가 되었다. 1801년 그는 프랑스 과학아카데미에서 전기 실험을 해보였는데 그 자리에는 나폴레옹도 참석했다. 그리고 실험 결과 나폴레옹은 그에게 금메달과 훈장, 연금, 백작 칭호를 주었다. 그때부터 몇 해에 걸쳐서 계속된 포상이었다. 이미 그에게는 1794년 영국왕립학회가 '코플리 메달'을 수여했는데, 이 메달은 당시로서는 오늘날의 노벨과학상에 해당될 정도의 권위 있는 상이었다. 그에게 이 상을 주었을 때 이미 볼타는 동물전기가 아닌 금속 사이의 화학적 반응으로 전기가 생긴다는 사실을 발표하여 인정받고 있었음을 뜻한다. 49세의 늙은 총각이던 그가 결혼한 것도 바로 이 해였다. 페레그리니 백작의 딸 테레사와 결혼한 볼타는 그 후 아들 셋을 두었다.

1819년 74세에 은퇴할 때까지 볼타의 생애는 바쁜 것이었으나, 더 이상 연구에 몰두할 수는 없었다. 1791년 영국왕립학회 회원이 된 그는 이미 유럽 여러 학회의 회원으로 활동하면서 끊임없이 여행을 하고 있었다. 1815년 오스트리아 황제는 그를 파도바대학 교수로 임명했고, 은퇴 후 고향으로 돌아간 그는 1827년 3월 5일 세상을 떠났다. 1881년 그를 기념하여 전기학자들은 전압의 단위로 '볼트'를 쓰기로 결의했고, 그 후 그를 기념하는 온갖 행사가 이어졌다. 고향에 동상이 있는 것은 물론 이탈리아의 1만 리라짜리 화폐에 그의 초상이 그려졌고 우표에도 여러 차례 등장했다. 고향 코모에는 볼타기념관과 기념재단도 있고 달에는 그의 이름을 딴 분화구가 있기도 하다. 또 2004년 제네바 자동차 쇼에 일본의 도요타사에서는 '도요타 볼타'라는 스포츠카를 내놓은 일도 있다

오늘날 전기가 얼마나 중요한 역할을 하게 되었는지를 생각하면 그의 이름이 이렇게 널리 기념되는 것이 이상할 것도 없다. 지금은 전지도 여러 가지로 크게 발달하여 손목시계, 휴대폰, 노트북 등 온갖 장치에 전지가 안 쓰이는 곳이 없게 되었다.

'과학'이라는 용어 최초로 사용한 일본의 니시 아마네

西周 1829~1897

'과학(科學)'이란 말을 처음 만든 사람은 뭐로 보나 과학자는 아니었다. 서양 사람들이 사용하는 사이언스(science, 더 정확하게는 natural science)라는 말을 '과학(科學)'이라는 한자 용어로 처음 만든 사람은 바로 니시 아마네[西周, 1829~1897]로 일본 개화기의 대표적 사상가이며 철학자였다.

1874년 니시 아마네는 《명륙잡지(明六雜誌)》에 연재하던 자신의 〈지설(知說)〉이란 글에서 "이른바 과학……"이라면서 처음으로 이 말을 만들어 사용했다. 그것도 이 글에서는 단 한 번 사용한 단어였다. 그 뜻도 '전문화되는 각 분과(分科)의 학문[學]'이란 정도의 뜻으로 만들어 썼던 단어라는 것이다. 하지만 이렇게 시작한 '과학'이라는 단어는 그 후 니시 아마네 자신도 계속 사용했고, 다른 사람들에 의해 널리 퍼지게 되었다.

'과학'이란 말이 얼마나 널리 퍼졌는지는 1994년 12월 베트남에 가서 처음으로 실감한 일이 있다. 나는 당시 하노이대학교에서 한국 역사에 관한 강연을 할 일이 있었는데 처음 그 나라를 방문하면서 나름의 호기심이 발동한 것은 당연한 일이었을 것이다. 과학사를 공부하는 나로서는 당연히 베트남에서 과학사를 연구하는 학자는 누구이며, 어떤 연구가 되어 있는지 알고 싶었다. 그동안 외국학회에서는 한번도 베트남 학자를 만난 기억이 없었으니, 베트남을 가게 되면서 갑자기 이상한 생각도 들었기 때문이었다.

'과학' 용어, 1874년 첫 사용

마침 우리 일행을 안내해준 그곳 유학생 가운데 나에게 과학사를 배운 한국외국어대학교 베트남어과 졸업생이 있었다. 그에게 부탁하여 급히 구해 얻은 책 몇 가지 가운데에는 이런 제목의 것이 있었다. 《Khoa hoc-ky thuat trong lich su Viet nam》이란 제목인데 우리말로는 아마 '월남 역사에서의 과학과 기술' 정도가 되는 듯하다. 짐작하건대 이 제목은 한자로 표기하자면 '科學技術從歷史越南'이 되는 듯하다. 베트남에는 원래 그들 자신의 문자가 없었다. 자연히 중국에서 한자를 빌려다가 사용했고 그 나라 단어의 대부분이 한자어라고 한다. 옛날 우리나라의 이두(吏讀)와도 비슷한 경우라 할 수 있던 '쯔놈(字喃)'이란 이 한자 사용 방식은 이제 다 잊혀졌다. 그리고 프랑스 선교사가 들어와 베트남어를 로마자로 표기하는 방식을 개발해낸 것이 지금의 베트남 문자가 되어버렸다. 베트남 사람들은 모두 로마자로 표기하기 때문에 지금은 한자를 아는 베트남 사람은 거의 없다.

이 책의 첫 단어(khoa hoc)가 바로 우리가 쓰는 '과학'을 말한 것에 나는 놀란 것이다. 그전부터 과학이란 말이 원래 일본에서 처음 만들어져 한국과 중국에서 채택되었다는 사실은 알고 있던 일이다. 하지만 베트남에는 서양 선교사가 중국, 일본, 한국보다 먼저 들어왔다. 당연히 과학도 먼저 알려졌을 터인데, 왜 베트남 사람들조차 일본 사람들의 용어를 사용하게 되었을까? 이에 대해서는 내 나름의 가설은 있지만 아직 뭐라고 확언할 자신은 없다.

다시 '과학'의 발명자 니시 아마네에 대한 이야기로 돌아가자. 그는 1829년 2월 12일 시마네현 쓰와노[津和野]에서 그곳 영주(藩主)의 전의(典醫) 니시 도키기[西時義]의 장남으로 태어났다. 아버지는 모리[森] 집안에서 니시[西] 집안으로 양자 간 사람이어서 같은 지역에서 출생한 유명한 소설가 모리 오가이[森歐外]와 니시 아마네[西周]는 친척이기도 하다. 어려서의 이름은 게이타로[經太郎], 일찍이 서양 학문에 뜻을 두어 고향을 떠나 그 지역의 서양 책 번역소(蕃書調所)에 나가 일하기 시작했다.

그에게 좋은 기회가 찾아온 것은 1862년 6월로 막부의 명령에 따라 네덜란드로 유학을 떠나게 되면서부터이다. 네덜란드의 라이덴대학교에서 법률, 경제, 철학 등을 공부하고 1865년 귀국하여 바로 도쿄의 가이세이쇼[開成所] 교수가 되었다. 가이세이쇼란 당시 개화를 위해 지어진 정부기관이었던 셈인데, 1877년에 이 기관은 도쿄제국대학이 되어 일본 최초의 근대 대학교로 변신하게 된다. 또 그는 메이지유신 직전에는 15대 장군(將軍, 쇼군) 요시노부[慶喜]의 정치 고문으로 일하며 번역서인 《만국공보(万國公報)》를 가지고 국제법을 강의하기도 했다. 또한 장군의 명에 따라 '의제복고(議題腹稿)'란 것을 준비했는데 이는 일종의 헌법 초안(憲法草案)이었다. 또 메이지유신 이후에는 근대식 군제(軍制)의 정비에도 관여했고 원로원(元老院) 의관, 귀족원(貴族院) 의원을 지낸 일도 있다.

이렇게 얼핏 보기에 상당히 정치적 역할도 한 것 같지만, 그가 일본 역사에서 기억되는 가장 중요한 역할은 철학자로서 또는 계몽사상가로서의 위치이다. 특히 그는 일본 아니 동아시아의 근대화에 가장 중요한 부분의 하나이기도 한 근대식 용어를 아주 많이 만들어낸 사람으로 기억될 수 있다. '과학', '기술(技術)', '예술(藝術)', '철학(哲學)' 등은 모두 그가 발명한 용어이기 때문이다.

기술, 예술, 철학 용어도 발명

우선 '과학'이란 말의 이력을 살펴보자. 앞에서 이미 소개한 것처럼 니시 아마네가 이 말을 처음 만들어 사용한 것은 1874년이다.

그러면 다른 중요한 단어는 어떤 뜻에서 그가 그렇게 만들었던가? 몇 가지 재미있는 아주 대중적인 단어만 예를 들어보자. '기술'이란 말도 그가 처음 만들었는데, 영어로 '기계의 예술(mechanical art)'이란 뜻으로 보아 그리 만들었다는 것이다. '예술' 또한 영어로 '고급 재주(liberal art)'란 의미에서 그런 용어를 만들었다. 철학은 '희랍 철인(哲人)의학(學)'이란 뜻에서 만든 단어이다.

어디 그뿐인가? 그가 처음 만든 단어는 지금 일본은 물론이고 한국과 중국에서 널리 사용하는 어휘가 되어 있다. '학술(學術)'이란 말도 'science and art'를 옮긴 것이고, 그 밖에 대표적인 경우로 주관(主觀), 객관(客觀), 본능(本能), 개념(槪念), 관념(觀念), 귀납(歸納), 연역(演繹), 명제(命題), 긍정(肯定), 부정(否定), 이성(理性), 오성(悟性), 현상(現象), 지각(知覺), 감각(感覺), 종합(綜合), 분해(分解) 등 끝이 없을 지경이다.

이런 부분을 보면서 우리가 '일제 잔재를 청산'한다는 것이 어떤 의미를 갖는 것일까 반문하게 된다. 이렇게 일본인이 만든 단어까지 버리겠다는 사람이 있다면, 그것은 오늘날 한국의 학술 일반을 모두 마비시키겠다는 말과 똑같은 것이기 때문이다.

그건 그렇다 치고 니시 아마네는 일본 근대 사상가 가운데 가장 대표적 인물로 높이 추앙되고 있는 인물이다. 그리고 일본의 개화기라 할 수 있는 메이지유신(1868) 전후에 일본 지식층에게 절대적인 영향을 미친 인물이다. 앞에도 잠깐 소개한 《명륙잡지》란 바로 1873년에 창간된 교양잡지인데, 당대 최고의 지식인들이 모여 만든 메이로쿠샤[明六社]의 기관지라 할 수 있다. 메이지 6년에 시작되었다 하여 붙여진 이름이다.

메이로쿠샤는 미국에서 돌아온 모리 아리노리[森有禮]의 집에서 그해 9월 1일 가토 히로유키[加藤弘之], 나카무라 마사나오[中村正直], 쓰다 마미치[津田眞道], 미쓰쿠리 슈헤이[箕作秋坪], 니시무라 시게키[西村茂樹] 등이 모여 시작했고, 여기에 당대의 대표라 할 수 있는 후쿠자와 유키치[福澤諭吉] 등도 가세했다. 이들 가운데 여럿은 우리 역사와도 관계가 깊은데, 특히 후쿠자와 유키치는 김옥균의 후원자였고 윤치호, 유길준 등 많은 개화기 한국 지식층이 그와 관련되어 있다. 이들은 한 달에 2회 강연회를 열어 서로 강연하고 토론했는데 그 내용이 잡지에 실렸다. 이 잡지는 2년 뒤인 1875년 11월 43호를 마지막으로 폐간되었지만, 당시 일본 지식인에게 남긴 영향은 절대적이었다.

당대 최고의 지식인인 이들은 처음으로 서양에 유학했거나 서양 문명에 크게 감동하여 그것을 섭취하자고 주장하며 나선 사람들이었다. 당연히 과격한 주장도 많아서 일본어를 없애고 영어를 사용하자거나, 서양 여자와 결혼하여 일본인의 작은 키를 키우자는 등의 엉뚱한 주장도 크게 논란이 될 지경이었다. 바로 이런 주장 가운데 로마자를 채택하자는 주장은 바로 니시 아마네도 1874년 3월 들고 나서서 논쟁에 들어간 일도 있다. 이에 대해서는 같은 그룹의 니시무라 시게키는 반대였다.

아직 충분히 연구되지 않았지만 이학, 공학, 과학을 비롯하여 문학, 철학, 미학, 정치학, 경제학, 사회학 등 웬만한 학술 용어가 모두 일본에서 처음 만들어져 동아시아에 보급된 것이다. 고향이 같은 일본의 대표적 소설가 모리 오가이[森歐外, 1862~1922]와 함께 그의 고향에서는 크게 칭송되어 그의 옛집도 보존되고 있다. 도쿄학사원[東京學士院] 회장, 도쿄고등사범[京高等師範學校] 초대 교장을 지내기도 한 니시 아마네는 1897년 1월 31일 작고했다.

다이너마이트 발명한 스웨덴의
알프레드 노벨
Alfred Nobel 1833~1896

우리나라에서 가장 이름난 과학기술 발명가는 알프레드 베르나르드 노벨(Alfred Bernhard Nobel, 1833~1896)일 것이다. 아마도 그의 이름을 딴 '노벨상' 덕분이지 않을까 생각한다. 노벨은 1896년 12월 10일에 죽었는데 지금으로부터 100년도 훨씬 전의 일이다. 1996년 여름방학을 맞아 처음으로 러시아를 관광한 적이 있는데 마침 노벨이 죽은 지 100년이 되는 해이기도 했고, 페테르부르크는 바로 노벨의 소년 시절 성장한 곳이며 활동 무대이기도 했다. 그저 보통 관광객으로 2박하며 구경만 했기 때문에 '과학사 관광'은 엄두도 내지 못했고, 당연히 노벨 가족이 페테르부르크에서 벌였던 화약공장이 그 후 어찌 되었는지도 알아보지 못했다.

《과학조선》 1933년 노벨상 첫 보도

먼저 1930년대의 과학잡지 《과학조선》을 뒤져 보았다. 별로 노벨에 대해 쓴 기사는 없어 보였지만, 1933년도 노벨상 뉴스가 1934년 1월호의 《과학조선》에 짤막하게 나와 있었다. 〈1933년도 노벨상 수상자〉라는 제목의 이 기사는 모두 200자 원고지 3장 정도나 될 짧은 것이다. 내용이라야 그해의 의학상 수상자와 물리학상 수상자를 간단히 소개한 것뿐인데, 의학상은 캘리포니아 이화학연구소의 토마스 몰간 박사가 받았다고 쓰여 있다. 몰간은 1866년 켄터키주의 렉싱턴 출신으로 1933년에 67세였고, 여러 대학과 연구소에서 중요한 지위를 갖고 있었던 동물학 권위라는 것이다.

그는 유전 및 진화에 대한 여러 저술이 있고, 현재 캘리포니아의 패서디나에 살고 있다고 소개되어 있다. 다음은 물리학상으로 1933년도 노벨물리학상은 2명에게 수여되었다. 한 사람은 케임브리지대학교 강사인 영국인 폴 디락 박사(31세)인데 '양자력의 기초방정식'을 발표한 공적이 있고, 다른 한 사람은 백림(베를린)대학교 물리학 교수인 오지리(오스트리아)사람 엘윈 슈레딩거(46세)인데 1926년에 '파동역학 이론'을 발표하여 이른바 '슈레딩거 방정식'에 의하여 '양자 가설'을 포괄한 공적이 있다는 것이다.

이 《과학조선》 기사는 1933년의 노벨상 수상자에 대해 의학상과 물리학상을 소개하고 있을 뿐인데, 그해에는 마침 화학상 수상자가 없었기 때문이다. 물론 평화상(영국의 에인젤)과 문학상(러시아의 소설가 부닌) 수상자는 있었는데, 과학에 관한 것이 아니어서 여기 들어 있지 않을 것이다. 하지만 의학·생리학상 수상자 모간에 대해서는 그 업적 내용이 아예 설명되지도 않고 있는데, 당시 그는 초파리의 염색체를 가지고 유전을 연구하여 상을 받았다. 여하튼 당시로서는 이 기사를 읽고 그들의 업적이 무엇인지를 이해할 만한 한국인이 거의 없었을 것이다.

이 기사를 보면서 우리가 지금 느낄 수 있는 것은 당시 우리 조상들은 '노벨상'에 대해 별로 관심이 크지 않았다는 것이다. 이러한 사실은 당연한 일이다. 아직 과학이랄 것을 전혀 가지고 있지 않은 상태에서는 노벨상이란 꿈같은 이야기에 불과했을 것이기 때문이다.

스웨덴 태생으로 17세 때 유학

노벨은 1833년 10월 21일 스웨덴의 스톡홀름에서 태어나 러시아의 페테르부르크에서 소년 시절을 보냈다. 아버지는 건축가이자 발명가였다. 노벨이 4세 때 사업이 파산당했고 러시아로 건너가 다시 사업에 성공을 거두기 시작하면서 노벨 역시 아버지를 따라 9세 때인 1842년 페테르부르크로 이사했다. 페테르부르크는 레닌의 집권 이후 '페트로그라드', '레닌그라드'라 불렸던 바로 그 도시로 1703년 러시아의 표트르(피터)대제가 인공적으로 건설한 러시아의 가장 역사적이고 아름다운 도시이다. 소련이 파산당한 다음 1991년 레닌그라드는 다시 옛 이름을 되찾아 페테르부르크가 되어 있다.

소년 시절을 러시아에서 보낸 노벨은 1850년 17세 때 유럽 유학을 시작했고, 미국에 건너가 2년 동안 공부하기도 했다. 한편 1852~1856년 계속된 크리미아전쟁은 노벨의 아버지를 돈방석에 앉혀 주었다. 그가 경영하는 공장이 폭약공장이었기 때문이다. 자연히 그의 형제 4명(로베르트, 루드비히, 알프레드, 에밀)은 모두 가업(家業)인 화약생산에 빠져들기 시작했던 것으로 보인다. 그러나 전쟁이 끝나자 화약 주문은 형편없이 떨어져 버렸고, 러시아의 경우 전쟁의 패배로 인해 더 형편없는 상태였다. 당연히 노벨의 화약공장도 문을 닫고 말았고 4형제 가운데 형 둘은 러시아에 남았지만, 노벨은 1859년 스톡홀름으로 귀국했다.

그러나 노벨 일가에게는 이때 이미 니트로글리세린이라는 폭약의 연구가 제1의 과제로 등장해 있던 때였다. 액체 폭약 니트로글리세린은 1847년 이탈리아의 소브레로란 사람이 이미 발명해낸 것이었고, 그것을 러시아 화학자가 이미 노벨 아버지에게 알려준 일이 있었기 때문이다. 이때까지 화약의 주종을 이룬 것은 전통적인 흑색 화약이었다.

칼리 75퍼센트, 황 10퍼센트, 숯가루 15퍼센트 전후의 비율로 섞어 만든 화약은 한번 사용할 때마다 엄청나게 많은 검정색 가루가 주위에 퍼지게 마련이어서 말하자면 몹시 더러운 화약이라 할 만했다. 그리고 이 화약은 중국에서 처음 발명되어 세계로 퍼졌다. 우리나라에서도 고려 말 최무선이 1377년까지 화약의 국산화에 성공하고 많은 화약 무기를 만들었던 것은 잘 알려진 일이다.

폭약 실험하다 동생 희생

처음 니트로글리세린이 발명되었을 때 사람들은 그것이 바로 화약 대용으로 크게 각광을 받게 될 줄은 짐작하지 못했다. 이 끈끈한 액체는 병을 잘못해 조금만 흔들어도 폭발해버리는 바람에 상당히 위험했기 때문이다. 그러나 위험을 무릅쓰고 이 폭약은 광산 개발 등에 널리 사용되기 시작했다. 노벨 일가는 바로 이 위험한 니트로글리세린을 대량 생산해 돈을 벌기 시작한 것이다. 아마 스톡홀름에 세운 노벨공장은 여러 차례 폭발 사고를 냈던 것으로 보인다. 특히 1864년의 폭발은 그의 아우 에밀과 함께 여러 명의 희생자를 내기도 했다.

이런 희생 속에 노벨은 훨씬 안전한 니트로글리세린 사용법을 연구해내기 시작한 것이다. 특히 1866년에는 이 액체를 규조토(硅操土)라는 화석광물에 섞어주면 아주 안전하다는 사실을 발견한다. 니트로글리세린은 흔들면 폭발하는 성질 때문에 운반할 때는 나무 상자 속에 빈틈이 없게 니트로글리세린 통을 채운 다음 그 사이에는 또 톱밥을 채워 충격을 받지 않도록 하게 되어 있었다. 니트로글리세린의 대량생산 공장을 세운 노벨은 독일 함부르크에도 공장을 세웠다. 그런데 그 공장 근처에는 톱밥과도 비슷하게 보이는 규조토가 매장되어 있어서 노벨 공장은 규조토를 톱밥 대신 쓰기 시작했다.

그런데 전하는 말에 의하면, 한번은 일꾼들이 이상한 현상을 발견했다는 것이다. 즉 어쩌다가 통에서 새어 나온 니트로글리세린이 모두 둘레에 쌓여 있는 규조토에 흡수되었지만 그것은 전혀 폭발하지 않는다는 것이다. 이를 알게 된 노벨은 연구를 거듭한 결과 규조토는 다공질(多孔質)이어서 자기 무게의 3배나 되는 니트로글리세린을 흡수한다는 사실을 주목하고, 그렇게 규조토에 흡수시킨 니트로글리세린을 폭약으로 실험하기 시작한 것이다. 결과는 성공이었다. 니트로글리세린을 쓴 폭약이면서도 액체 때의 걸핏하면 폭발하던 성질이 없어져 아주 안전한 폭약이 되었기 때문이다.

이것이 노벨이 발명한 다이너마이트(dynamite)라는 것이었다. 그는 이 제품을 바로 영국, 독일 등 여러 나라에 특허를 얻어 두었고, 그 결과는 다 알고 있는 것처럼 노벨을 삽시간에 세계의 거부로 만들어주었다. 처음 얼마동안 그는 프랑스 등 외국에서 공장을 차리는 데 어려움을 겪었다. 그리고 생산된 다이너나마이트를 철도로 수송하는 데에도 많은 어려움을 겪었다. 많은 사람들이 그의 설득에도 불구하고 다이너마이트의 안전성을 크게 걱정했기 때문이다. 그러나 1868년 미국 공장을 시작으로 그의 다이너마이트 공장은 유럽 여러 나라에 생겨났고, 그는 다국적 기업의 회장이 되었던 셈이었다.

평화운동 참여, 노벨상 유언

그런 가운데 그는 문학에도 관심을 가져 희곡 작품을 남기기도 했고, 인류 평화운동에도 적극적 관심을 가졌다. 특히 그의 두 번째 애인이었던 베르타 폰 킨스키는 1876년 그의 청혼을 거절하고 주트너 남작과 결혼했지만 그 후 줄기차게 평화운동을 하고 있었고 노벨은 그의 지지자였다. 그는 강력한 무기를 개발하면 인간은 전쟁을 무서워하여 전쟁을 하지 않게 될 것이라 소박한 생각을 가졌던 것으로 보인다.

노벨상은 그가 1895년 11월에 쓴 유서를 통해 제안되었다. 세 번째 사랑에 빠졌던 여인과 결혼했지만, 오랜 고통 끝에 헤어진 그에게는 자식도 아내도 없었다. 그는 자기 유산을 가지고 평화, 문학, 물리, 화학, 생리의학 등 5개 분야에 상을 주라고 유언했던 것이다. 1901년부터 그의 유언에 따라 노벨상은 주어지고 있다. 물리학상, 화학상은 스웨덴 과학아카데미에서, 생리의학상은 스웨덴의 카롤린스카 의학연구소에서, 그리고 문학상은 스웨덴 학술원에서 주관하게 되어 있는데, 유독 평화상만은 이웃나라 노르웨이의회가 주관하게 했다. 그리고 1969년에 노벨상에는 경제학상이 추가되어 6개 부문이 되었다.

특허 1093개의 발명가 미국의
토마스 에디슨
Thomas Edison 1847~1931

'발명왕 에디슨'이라면 나의 어린 시절부터 대단한 인물이었다. 지금
나에게는 토마스 알바 에디슨(Thomas Alva Edison, 1847~1931)이 그리
대단한 기술자로 여겨지지 않는 것이 사실이다. 하지만 우리 주변에는
아직도 그의 이름을 발명의 동의어 정도로 여기는 사람들이 적지 않다.
우리 역사가 바로 그런 생각을 부채질해왔기 때문이기도 하다.

1933년 《과학조선》 표지 등장

우리는 전등의 고마움을 거의 잊고 살고 있다. 하지만 베트남에서는
프랑스 식민지 때 지은 하노이대학교 건물에 전등이 꺼지기도 하는 형

편이다. 여러 해 전 내가 직접 경험한 일이다. 그리고 나는 그제서야 내가 묵은 호텔 머리맡에 초 한 자루가 놓여 있었던 이유를 알 수 있을 것 같았다.

1930년쯤에는 우리나라에서도 에디슨은 과학기술의 영웅이었다. 새로 전등이 보급되던 때였기 때문에 전등을 처음 발명했다는 그의 이름이 가장 유명한 발명가로 꼽혔다. 1933년 창간된 과학잡지 《과학조선》은 2호(1933년 7~8월호) 표지로 에디슨의 초상을 넣고 있을 정도이다. 당시 아직 과학이란 것을 전혀 갖지 못한 상태였던 식민지 조선의 지식층은 발명이 과학의 핵심인 것으로 파악하고 있었다. 사실 이 잡지도 이름은 《과학조선》이라 했지만, 그 배경은 모두 발명을 주로 한 것이었고 기사도 발명 이야기 일색인 수가 많고 기자들 역시 발명에 관심이 많았다.

이런 '발명=과학'이라는 생각은 그 후에도 줄곧 이어져 내려온 것이 우리의 현실이었다. 그래서 에디슨의 이름은 해방 후에도 오랫동안 한국인들의 가장 존경하는 인물로 뽑혔고, 대개 과학자의 대표라고 여겨졌다. 아마 발명이 꼭 과학은 아니고, 과학은 기술과도 조금 다르다는 인식이 퍼지기 시작한 것은 최근의 일이 아닌가 생각된다. 어쩌면 점차 '발명왕 에디슨'이 퇴색되는 것은 당연하다면 당연한 일이다. 그는 전기를 이용한 초기의 여러 가지 발명이 쏟아져 나오던 시절의 영웅이었다. 그러나 지금은 아무도 전기를 이용하는 전등, 전화, 영화 등에 신기해하는 사람이 없다. 그보다 훨씬 신기한 것들이 마구 보급되고 있기 때문이다.

초등학교 교사인 어머니 영향 받아

하지만 20세기 초까지는 미국의 발명가 에디슨은 세계적으로 유명한 인물이었다. 모든 유명한 사람들에게 에피소드가 있는 것처럼 그에게도 여러 가지 신화 같은 이야기들이 전해진다. 그 가운데 대표적인 것은 아마 에디슨의 말이라고 전해지는 "천재란 99퍼센트의 노력과 1퍼센트의 영감으로 이루어진다"는 말일 것이다. 평생 1093개나 되는 놀라운 수의 특허를 얻었던 에디슨에게 말년에 누군가 질문하자 그가 대답했다는 말인데, 이 세

《과학조선》 2호
에디슨의 얼굴을 표지로 삼았다.

상에는 천재란 것이 있다기보다는 끈질긴 노력이 결국 천재적인 성과를 거두게 해준다는 의미이다.

에디슨은 또한 공부하기 싫어하는 사람들의 모범(?)이 되기도 한다. 그는 어렸을 때 학교에서 퇴학을 당한 것처럼 알려져 있다. 초등학교 교사였던 어머니가 학교에서 인정받지 못하고 말썽만 피우는 에디슨을 자퇴시켜 집에서 공부하게 지도함으로써 훌륭한 성과를 거뒀다는 것이다. 어머니의 교육열과 비범한 학생은 평범한 학생들 틈에서는 성공하기 어렵다는 등의 교훈으로 이용되기도 한다.

또 에디슨은 어려서부터 호기심이 아주 많아서 거위 알을 제 가슴에 품어 그것을 부화시켜 보겠다고 했던 것으로도 전해진다. 그뿐만 아니

라 에디슨은 가난해서 소년시절 열차에서 신문을 팔아 돈을 벌고 있었
는데, 그가 열차 안에 차려 놓았던 실험실에 불이 일어나자 화가 난 차
장이 그를 때려 귀머거리가 되었다고도 전한다. 그가 귀를 상하게 된
경위에 대해서는 이 이야기가 맞는 것인지 확실하지 않다. 아마 다른
전설도 조금씩은 과장되거나 왜곡된 것일지 모른다.

하지만 미국 오하이오주 출신의 에디슨이 어려서 가난했고, 학교를
다니지 못했으며, 열차 안에서 신문을 만들고 또 판매하며 살았던 것
은 틀림없는 일이다. 그가 살던 포트휴런에서 디트로이트까지 철도가
신설된 것은 1859년의 일이었다. 새로 그의 도시에 철도가 들어오자
에디슨은 그 열차 안에서 신문과 과자 등을 팔기 시작했다. 아침 9시
반에 포트휴런을 출발한 기차는 3시간 뒤에는 디트로이트에 도착하고,
그 기차가 저녁 6시 반에는 다시 포트휴런으로 돌아왔다. 에디슨은 이
두 편의 기차 안에서 장사를 했는데, 그 긴 시간 가운데 장사하는 시간
은 얼마 되지 않았다.

첫 발명품 전기투표기

그가 열차 안의 흡연실을 빌려 실험실을 차린 것은 나머지 시간을 이
용하기 위한 것이었다. 어차피 흡연실을 이용하는 사람은 없었기 때문
에 그는 그것을 개인 실험실로 쓸 수 있었고, 바로 그 실험실에 놓아
둔 황산 병이 흔들려 바닥에 떨어져 열차에 불을 내기도 했던 것이다.
에디슨은 또한 디트로이트에서 머무는 낮 시간을 이용해서 여러 가지
를 새롭게 구경하고 배울 수도 있었다. 특히 그는 어느 작은 역의 역장

아들을 철도 사고에서 구해준 일이 있어, 그 역장에게 당시 발달하기 시작한 전신 기술을 배울 기회를 얻었다.

당시 전신은 새로 생겨 빠르게 퍼지기 시작한 첨단기술이어서, 그 기술자는 좋은 대우를 받을 수 있던 시절이었다. 에디슨은 1863년 부터 1867년까지 5년 동안이나 전국을 떠돌며 전신 기술자로 활동했고, 그러는 동안 돈을 모으지는 못했지만 전신 기술은 상당히 높아져 있었다. 고향으로 돌아온 에디슨은 1868년에는 웨스턴유니언전기회사에 취직해서 전신기술자로 일하기 시작했다. 그리고 바로 이 회사에서 전신기술을 맡아 일하면서 그의 발명은 시작되었다.

1868년 10월 그가 발명해 특허를 신청한 그의 공식 첫 발명은 전기투표기였다. 그러나 전기투표기는 별로 쓸모 있다고 여겨진 것으로는 보이지 않는다. 다음 그가 만들어 특허를 얻은 것은 증권시세 표시기였는데, 이것은 어느 정도 팔려 그에게 직장을 그만두고 발명가로 전념할 용기를 주었다. 하지만 작은 도시에서 그런 증권시세 표시기가 많이 수용될 까닭이 없었다. 그는 금융의 본고장인 뉴욕으로 진출해야 되겠다고 생각하고 1869년 봄 고향을 떠나 뉴욕에 도착했다. 그곳의 시세 표시기 회사에 일하는 전기 기술자 프랭클린 포우프를 찾아가 그의 도움으로 겨우 그는 그 회사 지하 전기실 침대에서 기거할 수 있게 되었다.

1879년 전등 발명

그가 그곳에 도착한 지 3일 만에 그에게는 기회가 찾아 왔다. 금이나 증권 등의 시세를 수시로 가입자에게 알려주는 대규모 기계 장치에 고장이 났는데, 아무도 그것을 바로 고치지 못하고 있었던 것이다. 가입자들의 항의가 빗발칠 것은 너무나 당연한 일이었다. 이미 비슷한 장치를 작은 규모로 만들어 특허를 얻었던 에디슨은 당장 그것을 고쳐줄 수가 있었다. 당장 에디슨은 그 회사에 월급 300달러라는 좋은 보수를 받고 취직할 수가 있었다.

그로부터 에디슨은 비슷한 기계 장치 등을 개량하고 새 장치를 만들어내는 연구를 시작해 몇 가지 특허를 얻었다. 그리고 얼마 후 이 회사가 웨스턴유니언전기회사와 합병하자, 에디슨은 포우프와 함께 그들나름의 새 회사를 차렸다. 그런 기계를 설계·연구·실험하는 용역회사를 차린 셈이었다. 그러는 동안 그가 얻은 관련 특허를 모두 사겠다는 증권회사가 나타났다. 에디슨의 예상보다 10배나 되는 4만 달러에 특허가 넘어갔고 1871년 드디어 뉴저지의 뉴어크에 발명회사를 설립했다. 그는 24살에 발명회사의 사장이 된 것이다.

에디슨은 다시 5년 뒤인 1876년 4월 뉴저지의 멘로파크에 더 큰 연구소를 지었는데 이곳은 지금까지 에디슨의 발명의 고향으로 널리 알려져 있다. 에디슨이 탄소 알갱이를 사용한 전화 송화기를 발명한 것도 축음기를 처음 만들어낸 것도 탄소 필라멘트를 사용하여 전등 실험에 성공한 것도 모두 여기서 있었던 일이었다. 에디슨에게는 '멘로파크의 마법사'란 별명이 붙었고, 그와 그의 연구진은 열흘마다 한 가지발명을 하겠다고 목표를 세우고 일했을 정도였다.

1879년 10월 21일 처음으로 무명실을 이용해 만든 필라멘트가 40시간 점등에 성공한 것이 전등의 발명으로 꼽힌다. 물론 점등시간은 점점 늘어나 당장 그해 연말에는 이미 170시간 이상의 필라멘트가 나왔다. 《뉴욕 헤럴드(New York Herald)》 신문이 크게 전등 이야기를 보도하자 이것은 금방 세계의 화제가 되었고, 그해 섣달 그믐날 밤에 멘로파크 거리는 에디슨의 전등으로 밤새 전등이 켜져 있어 수많은 방문객들을 흥분시켰다.

그 전등이 서울에 처음 켜진 것도 에디슨의 덕택이었다. 서울에 처음 전등이 켜진 것은 1887년 2월 12일(양력 3월 6일)로 밝혀져 있다. 경복궁의 고종과 왕비의 침전이던 건청궁(乾淸宮)에 먼저 전등이 켜진 것인데, 바로 이 전등이 에디슨 전등회사에서 만들어준 것이었다. 중국 베이징은 물론 일본 궁정보다도 2년 앞서 조선의 경복궁에 먼저 전기불이 들어오게 된 것이었다.

우리나라가 동양 가운데 먼저 전등을 켜게 된 것은 1883년 미국에 파견되었던 보빙사 일행의 시찰 결과와 관련이 있다. 1882년 미국과 처음 외교관계를 맺은 조선왕조는 1883년 8명의 조선사절단을 미국에 파견했다. 민영익이 단장, 홍영식이 부단장에다가 6명이 더 함께 했는데 그 한 사람이 유길준이었다. 이들은 서양을 구경한 첫 조선인이었고 당연히 구경하는 것마다 신기하기 짝이 없었다. 그때 막 퍼지기 시작한 전등이 이들의 눈을 깜짝 놀라게 했음은 당연한 일이었고 그래서 전등을 곧 주문하게 되었다. 그들이 미국 시찰 도중 에디슨연구소를 찾아갔는지는 확실하지 않고, 에디슨을 직접 만난 것인지도 아직 알수가 없다. 그러나 이렇게 조선 정부가 전등시설 설치를 원하자 에디슨은 조선 정부에 대해 전등과 전화 시설에 대한 전담권을 얻으려고 노력했고, 결국 전등에 관한 시설만은 우선 에디슨 전등회사에게 맡겨졌다. 당시 한자로 쓰인 공문서에는 에디슨 이름이 '의대순(義大淳)'이라 표기되어 있다. 발명왕 '의대순'은 이렇게 우리 역사와도 깊은 관련이 있는 큰 인물임을 알 수가 있다.

우리나라에 처음 전기통신을 전해준 사람은 덴마크의 전기 기술자 헨리 옌센 뮐렌스테트(Henry Jessene Muehlensteth, 1855~1915)로 한국 이름은 미륜사(彌綸斯)였다. 그는 만 서른의 나이에 조선에 와서 나머지 삼십 평생을 지낸 사람이다. 서울 양화진에 있는 외국인선교사묘원에 그의 묘가 있다.

뮐렌스테트가 전신 기술자로 이 땅에 발을 디딘 것은 1885년 7월 12일 제물포 항구에 도착한 것이 처음으로 되어 있다. 처음에 청나라의 전신기술자로 왔던 그는 청국이 물러나자 조선 정부에 고용되어 계속 여기에 살았고, 1905년 초 전신전화가 모두 일본인 손에 넘겨지자 일단 직장을 잃게 되었다. 당연히 그는 1905년 이후 자신의 고국 덴마크로 돌아갔을 것으로 생각해왔다. 하지만 그의 무덤이 서울에 있는 것으로 밝혀졌다. 뮐렌스테트는 1905년 전신 기술자로서 자리를 잃고 나서도 계속 한국에 살다가 1915년 사망했고 이 땅에 묻힌 것으로 보인다. 하지만 1885년부터 1905년까지 꼭 20년을 이 땅의 진신기술자로 일했던 그가 그 후 10년을 어떻게 살았는지는 아직 밝혀져 있지 않다.

전기통신은 전화가 나오기 전에 전신에서 시작되었다. 1837년에 뉴욕시립대학교의 미술 교수이며 초상화가인 모스가 실용적인 전신기를 발명하고, 곧 문자나 숫자를 부호화해서 전달하는 방식을 고안했기 때문에 가능해진 일이었다. 전신은 곧 미국과 유럽에 퍼지고 대륙간에도 통신을 가능하게 만들었다. 세계 곳곳에 진출한 서양 사람들이 그 영향권 안에 놓이게 된 중국이나 일본, 한국 등에도 전신 시설을 확장했음은 당연한 일이었다. 1876년 조선이 나라 문을 열었을 때 이미 일본과 중국에는 전신이 가설되기 시작하고 있었다. 당연히 조선의 지도자들도 그런 소식은 알고 있었다. 예를 들면 1876년 개국과 함께 조선 정부는 김기수를 첫 수신사로 일본에 보냈다. 일행 60명이 처음으로 개화된 이웃 일본을 살피고 돌아왔을 때, 고종 임금은 그를 만나 "정말로 일본은 전선, 화륜(火輪: 증기기관), 농기를 가장 열심히 발전시키고 있느냐"고 물었다.

1870년대 일본이 노력하던 분야가 바로 전신, 증기기관, 그리고 농업의 근대화였다. 아직 일본과 중국에 비해 크게 뒤져 있던 조선에서는 독립적으로 전신을 발전시킬 형편은 되지 못했다. 하지만 이미 조선에서 이해가 얽혀 갈등하고 있던 청나라와 일본은 조선에서의 전신 가설에 주도권을 잡으려 애썼고, 그 속에서 조선의 전신선은 설치되기 시작했다. 처음으로 조선에 전신이 설치되기는 1885년 인천과 서울 사이였으며 그것을 주도한 것은 청나라였다. 그리고 덴마크의 전신기술자 미륜사가 인천에 상륙하여 한국에서 전신 보급을 맡게 된 것도 사실은 바로 청나라의 전신사업을 위한 것이었다.

원래 덴마크에서 목사의 아들로 태어난 밀렌스테트는 1881년 26세 때 덴마크에 본부를 두었던 대북전신회사에 전신 기술자로 입사했다. 이 전신회사는 덴마크에 세워졌지만 실제로는 영국, 러시아, 덴마크의 자본이 합쳐 만든 회사로서 당시 극동 진출에 앞장서 있었다. 그래서 그 회사의 기술자로서 밀렌스테트는 중국에 가게 되었고, 중국의 전보총국은 그들이 맡은 조선의 전신 건설에 밀렌스테트를 기술책임자로 파견했던 것이다.

인천 – 서울 – 의주, 서울 – 부산 전신선 설치

1885년 서울과 인천 사이의 전신이 개통된 이후 전신 사업은 계속 확장되었다. 그해 6월 두 나라는 협정을 맺어 청나라는 조선에 한성전보총국을 세우고, 인천에서 서울을 거쳐 의주까지 이어가는 육로 전신망을 설치하겠다고 계약했던 것이다. 조선 정부에는 그만한 돈이 없었으므로 중국이 필요한 비용으로 한성전보총국에 은 10만 냥을 꾸어주고, 필요한 기술자를 보내주기로 약속했음은 물론이다. 서양 기술자, 즉 '양장'이라 불린 밀렌스테트가 바로 그 기술 책임을 맡게 된 것이었다. 1886년까지 이 전신선 건설에 매진하던 밀렌스테트는 1887년에는 그 것을 연장하여 서울과 부산 사이에 전신선을 설치하는 작업에도 관여했음을 알 수 있다. 이른바 남로전선이 그것이다.

하지만 당시 전선 가설을 놓고 일본과 중국의 다툼이 가열되고 있었다. 조선에서의 영향력 행사에 전선에 관한 주도권이 중요했기 때문이다. 1884년 일본은 부산과 일본 사이에 해저전신을 개통해 운영하기 시작했고, 중국은 1885년 인천과 서울 사이의 육상전신선을 설치했다. 하지만 1887년까지도 청나라의 한성전보총국은 남로전선 건설을 적극적으로 추진하지 않고 있었고, 조선 정부는 그해 2월 독일 상사 세창양행으로부터 3만 4000원을 빌려 직접 남로전선 건설에 나서기로 결정하기도 했다. 그 결과 3월에는 전신 전담관청인 조선전보총국을 창설하고 초대 총판에 홍철주(洪澈周, 1834~?)를 임명했다. 밀렌스테트는 원래 중국의 통신기술자로 고용되어 한국에 왔지만, 이때쯤부터는 조선 정부의 전선 설치 노력에 고용되기 시작했던 듯하다. 또 이미 그는 한성전보총국에 양장으로 있을 때부터도 조선 청년들의 교육에 관여했던 것으로 보인다.

1888년 부산과 서울 사이의 전신선이 개통되었고 5월 전보장정이라는 규정을 정했는데, 외국의 것을 흉내내어 만든 것임은 물론이다. 또 이때 국문자모호마타법이라 하여 처음으로 한글 전신부호를 제정하기도 했다. 이런 제도를 만드는 데에는 밀렌스테트의 자문이 있었던 것으로 보이고, 한글 모스부호를 만든 사람은 김학우(金鶴羽, 1862~1894)로 알려져 있다. 법무협판이던 김학우는 1894년 10월 3일(음력) 한기석에게 살해당했다. 암살당한 그가 만든 한글 모스부호가 오늘날까지 통용되고 있는 셈이다.

남로전선이 개설된 3년 후인 1891년에 서울과 원산을 잇는 북로전

총독부 통신관리국(1905)
1905년 초 일본이 통신권을 장악하면서 뮐렌스테트도 전신 기술 담당자의 자리에서 물러나게 되었다.

선도 개설되었다. 이 북로전선이야말로 함경도를 거쳐 블라디보스토크까지 연결되어 명실공히 동양 3국의 주요 간선으로 발전할 꿈이 담겨진 전신 선로였다. 이렇게 서서히 전기통신의 독립 단계로 접어들던 조선의 전신은 1905년 2월 러일전쟁의 시작과 함께 일본에 완전히 넘어가고 말았다.

1884년에 이미 일본과 부산 사이에 해저전신을 가설하여 조선과의 연결선을 확보하고 있던 일본은 1894년 청일전쟁으로 중국을 몰아내고 조선에서의 주도권을 확립했고, 그 10년 뒤에는 통신마저 장악하게 된 것이다. 청일전쟁 중인 1895년 2월 산둥성 위하이위의 전보국에서 뮐렌스테트는 일본군의 포로가 되어 일본의 사세보 수용소로 끌려갔던 것으로 기록은 전한다. 하지만 곧 석방된 그는 다시 한국에 들어왔다. 그는 한국에서 일할 것을 자원했던 것으로 보인다. 1896년 6월부터는 농상공부 통신원 전무교사로서 전무학도의 교육을 담당하는 한편, 전신사업에 대한 기술지도와 해외자문 및 기획고문 등의 일을 맡았다. 이런 공로를 인정받아 1899년 12월 조선 정부는 그를 3품의 주임관으로 임명하기도 했다. 하지만 1905년 초 통신권이 일본에 넘어가면서 뮐렌스테트의 조선 관리 생활도 끝나고 말았다.

관리로서 교육, 기술 지도, 해외 자문 등 담당

덴마크 통신기술자인 뮐렌스테트는 육십 평생의 반 이상을 중국과 한국에서 살았다. 특히 그는 청나라가 조선의 전신선을 설치하면서 조선에 와서 일하기 시작했다. 그 후 청일전쟁으로 중국이 물러나자 조선 정부에 고용되어 일했고, 1905년 일본이 통신권을 장악하자 그 자리에서 물러나게 되었다. 그 자리에 있었던 마지막 기간인 1904년 12월에는 여러 날 동안 《황성신문》에 그가 낸 이사 광고도 보인다. '본인이 서학현을 떠나 회동 덕관 뒤 소양옥으로 이사햇사오니 지구는 조량하시오. 미륜사 고백'이란 내용이 그것이다.

그가 연속해 조선 정부에 고용됐다는 사실과 봉급 등의 기록은 어느정도 남아 있으나 그 밖의 상세한 내용은 아직 밝혀져 있지 않았다. 특히 그는 일본의 통신권 장악과 함께 조선 정부에서 파면 당한 것으로 되어 있고, 귀국 여비와 상여금 요청은 거절당했다는 기록도 보인다. 그런 상태에서 그가 귀국했던 것인지 아닌지도 아직 확인되지 않은 채, 그의 무덤은 지금 마포구 합정동의 양화진외국인선교사묘원에 있음이 밝혀진 것이다.

무선통신의 선구자 이탈리아의
굴리엘모 마르코니
Guglielmo Marconi 1874~1937

우리나라에도 세계적인 과학자와 기술자를 소개하는 글들은 제법 많다. 그러나 그 많은 세계의 과학기술자 가운데 1945년 이전에 우리나라와 어떤 인연을 가진 사람을 찾아보기란 쉽지가 않다. 또 혹시 우리나라와 어떤 인연이 있다 해도 그 많은 전기(傳記)에 그런 인연을 소개한 경우란 거의 없다. 대개 번역서인 경우가 많기 때문에 그 가운데 한국과의 관계가 설명되어 있을 리 없는 것이다.

통신의 신기원 열어

'무선통신의 아버지' 굴리엘모 마르코니(Guglielmo Marconi, 1874~1937)

는 바로 그런 드문 경우에 속한다. 그는 1933년 11월 서울을 방문한 적이 있다. 1994년 4월 28일자 《동아일보》에는 마르코니 기사 가운데 지금 살아 있는 그의 부인 사진이 실려 있고 그 부인의 증언으로 1933년 11월 그들 부부가 서울을 찾아와 8일간 머문 적이 있음이 밝혀졌다.

마르코니는 1895년 처음으로 2킬로미터 정도의 거리에서의 무선통신에 성공했다. 그 후 1896년에 영국에서 실험에 성공했고 1899년에는 40킬로미터 거리의 도버(Dover) 해협을 그의 무선통신이 건너는 데 성공했다. 1901년 12월 12일에는 드디어 대서양이 무선통신으로 연결되었다. 그날 《뉴욕타임스(The New York Times)》가 〈마르코니 신기원을 열다〉라는 사설을 실을 정도로 그것은 실로 20세기를 무선통신의 세기로 시작하게 만든 대단한 공헌이었다.

《과학조선》에 방한 보도

바로 그 마르코니가 한창 세계의 위대한 지도자로 널리 알려져 있던 1933년 서울을 찾아왔던 것이다. 당시 서울에서 나온 과학잡지 《과학조선》(1934년 1월호)에는 마르코니 부부의 서울 방문이 기사로 남아 있다. 서울에 도착한 그는 미국에 갔다가 샌프란시스코에서 태평양의 푸른 물결을 보고 갑자기 동양의 문물을 보고 싶어서 여행을 하게 됐다고 대답했다. 《과학조선》에는 2쪽에 걸쳐 상세한 그의 업적과 일화가 실려 있는데, 그의 업적에 대해서는 마이클 패러데이(Michael Faraday), 제임스 클라크 맥스웰(James Clerk Maxwell), 하인리히 루돌프 헤르츠(Heinrich Rudolf Hertz)의 업적을 바탕으로 그가 1896년 코히러(coherer)

라는 검파장치를 만들어 무선통신 실험을 성공했다고 적혀 있다. 그리고 그의 무선통신 실험이 어떻게 점점 더 긴 거리에서 성공하여 1901년에는 대서양 횡단 실험에까지 성공하게 되었는지를 설명하고 있다.

19세기 초반에 이미 영국의 과학자 마이클 패러데이는 전기와 자기 사이에는 서로 감응하는 작용을 한다는 사실을 발견했고 19세기 후반에 역시 영국의 물리학자 제임스 클라크 맥스웰은 이 원리를 이론적으로 연구한 끝에 전자파가 생길 것이라고 예언했다. 이 예언에 따라 실제의 전파를 처음으로 만들어낸 사람은 독일 물리학자 하인리히 루돌프 헤르츠였다.

마르코니는 1894년 알프스 산장에서 헤르츠가 1888년에 쓴 글을 읽고 전파 문제에 빠져들게 되었던 것이다. 이탈리아의 볼로냐에서 부유한 사업가의 아들로 태어난 마르코니는 아버지의 친구인 볼로냐대학교의 아우구스토 리기(Augusto Righi) 교수의 도움을 받았다. 그가 처음 무선통신 실험에 성공한 것은 만 20세 때인 1894년 12월이었다.

그의 실험은 계속되어 1895년에는 2킬로미터 정도 거리에서 무선통신에 성공했고 다음 해에는 그 거리가 더욱 멀어졌지만 이탈리아에서는 그의 기술을 특허로 인정받는 제도가 되어 있지 않았던 모양이다. 마르코니는 아일랜드 출신인 어머니와 함께 영국에 건너가 이종사촌들의 도움으로 1896년 6월 영국에서 무선통신기술의 특허를 얻었다.

영국 육군이 이 실험에 관심을 갖기 시작하면서 1896년부터 실험은 점점 더 먼 거리에서 성공을 거두기 시작했다. 1897년에는 아예 무선통신회사를 만들어 영업을 시작했고 이때부터 몇 가지 극적인 사건들이 마르코니 무선통신을 크게 각광받게 만들어주었다. 인기 좋은 요트

경기 결과가 무선통신에 의해《더블린 익스프레스》신문에 다른 신문 보다 재빨리 보도되는가 하면 영국 왕실의 피서 중에는 당시 세자(뒤의 에드워드 7세)가 부상을 입었다는 소식이 역시 무전으로 신속히 전해졌 다. 1899년에는 난파선 소식이 재빨리 알려져 인명피해를 줄이게 된 사건도 있었다. 이런 극적인 성과를 거듭하면서 마르코니는 세계적인 명성과 함께 재산을 모을 수 있게 되었다.

노벨물리학상도 받아

1909년 그는 지금은 TV의 '브라운관'으로 유명한 독일의 물리학자 카 를 페르디난트 브라운(Karl Ferdinand Braun, 1850~1918)과 함께 노벨물 리학상을 받았다. 1910년대에는 이탈리아 상원의원이 되었고 1919년 에는 파리강화회의에 이탈리아 대표로 나가기도 했다. 1929년에 그는 후작이 되었고 또 이탈리아 학술원회장을 맡았는데 이때부터 무솔리 니의 파시즘정권에 협조적이었다. 그는 사회적으로 이렇게 활약을 하 며 널리 인정받고 있었지만 가정적으로는 그리 행복한 것은 아니었다.

특히 그는 1921년부터 엘렉트라호라는 증기선을 타고 전 세계를 누 비며 그의 무선통신 실험과 사업을 벌였다. 그러는 사이 그는 세 자녀 를 둔 부인인 베아트리체 오브라이언(Beatrice O'Brien)과 사이가 벌어져 19년의 결혼생활을 청산하고 말았다.《과학조선》은 이 부분에 대해 그 들의 이혼 원인이 베아트리체의 실행(失行)에 있었다고 적고 있다. 한 번 연구를 시작하면 침식(寢食)을 잊고 연구에만 열중하는 마르코니의 성격 때문에 젊은 베아트리체 부인이 회포를 풀지 못하여 실행했다는 것이다. 그들은 1925년 이혼했는데 당시의 에로신문들이 떠든 일도 있었다고 《과학조선》에는 적혀 있다.

이어 1927년 로마의 명문집안인 마리아 크리스티나 베치 스카리 백작의 딸과 결혼했는데, 한국에 함께 온 사람이 바로 이 부인으로 당시 국내 신문에 보도된 마르코니의 살아 있는 부인은 물론 이 부인이다. 91세로 이미 노인이 된 외동딸과 함께 로마 중심가의 고급 빌라에서 살고 있다면서 그들의 사진이 신문에 실려 있었다.

1930년대의 한국에서도 마르코니의 이름은 아주 유명했다. 그러나 그의 이혼과 재혼 등이 당시 우리 선조들에게는 어떤 화제를 일으켰는지는 잘 모르겠다. 그는 이혼이 금지된 가톨릭 신자로서 당시 교황의 특별 허가까지 받아 전처 베아트리체와 이혼할 수가 있었다. 53세의 마르코니는 24세의 새 아내 마리아를 맞기 위해 교황의 특별 허락까지 받았으니 아마 이 유별난 이혼과정이 당시에도 화제가 되었을지 모른다.

이탈리아 중부 볼로냐 근교의 폰테기오에는 마르코니 마을이 있다. 그곳 언덕 위에는 마르코니의 동상이 세워져 있어, 지금도 마르코니는 그의 옛집 뒤 언덕을 쳐다보며 서 있다. 1874년 태어난 그는 처음으로 장거리 통신의 새 방법을 열어주었다. 전선의 직접 연결 없이도 먼 거리에서 통신이 가능해졌다는 것은 그야말로 '세계화'의 시작을 의미한다.

오늘날 우리는 무선통신의 덕택에 라디오와 TV, 그리고 우주 방송까지 즐기고 있으며 전화는 하루가 다르게 무선화의 길을 걷게 되었다. 마르코니의 이름은 기억될 것이 분명하지만 그가 1933년 서울에 다녀갔다는 사실을 아는 사람은 너무도 적다.

로켓 공학의 일인자 중국의
첸쉐썬
錢學森 1911~2009

첸쉐썬[錢學森, 1911~2009]은 중국의 항공역학 전문가이다. 그는 중국의 미사일 발사 또는 인공위성 발사의 아버지 격인 셈이다. 북한의 미사일 기술 개발과는 전혀 관계가 없는지 궁금한 생각이 든다. 과연 중국에서만 유명한 인물일까? 아니면 북한의 어느 과학자에게도 그의 미사일 기술 전수가 있었던 걸까?

'국가 걸출 공헌 과학자' 칭호 붙어

2001년 그의 90세 생일에는 그 축하를 위해 당시 중국 최고지도자였던 장쩌민[江澤民, 1926~]이 그의 아파트를 찾아가 축하하기도 했다. 마침 첸쉐썬은 1934년 상하이 쟈오퉁[交通]대학교를 졸업한 장쩌민의 같은 학교 15년 선배이기도 하다. 중국은 이제 인공위성을 하늘에 띄우고, 원자탄과 수소탄을 가진 세계강대국이 되었다. 반세기 전에 이미 그들은 '양탄일성(兩彈一星)'이란 구호를 내걸고 두 가지 폭탄(원자탄, 수소탄)과 한 가지 인공위성의 개발을 시작했고 이미 오래전에 그 목표를 달성했다. 바로 그 목표 달성에 대표적 공헌자가 첸쉐썬이다.

당연히 그에게는 온갖 영예가 쏟아졌다. 그 가운데 가장 대표적인 것은 1991년 그에게 주어진 '국가 걸출 공헌 과학자(國家傑出貢獻科學家)'라는 칭호일 것이다. 하지만 그에 그치지 않는다. 그의 일생은 중국에서는 초등학생들을 위한 책에서부터 일반인들을 위한 전기로 숱하게 나와 있을 정도이다. 심지어 그의 일생은 다큐멘터리로 꾸며져 미국에서 출간되기도 했다. 아이리스 창[Iris Chang, 장순여(張純如), 1968~2004]이 지은 《명주실(Thread of the Silkworm, 蠶絲)》이란 논픽션이 그것이다. 이 여류 작가는 1937년의 난징대학살을 철저하게 연구하여 60년 후인 1997년 가장 상세한 다큐멘터리로 발간하여 세계의 이목을 끌었다. 중국계 미국인인 그녀는 2004년 11월 9일 미국 캘리포니아의 어느 한적한 길에서 권총 자살하여 다시 한번 세간의 주목을 받기도 했다. 중국 난징의 학살기념관에는 2006년 8월 중에 그녀의 동상이 세워졌다.

다큐멘터리 작가로 이름을 날린 아이리스 창이 첸쉐썬의 일생을 추적해 책을 썼을 만큼 이 과학자의 일생은 기구하고도 다채롭다. 저장성 항저우에서 태어난 그는 상하이 쟈오퉁대학교를 졸업한 즉시 국비 장학생(의화단사건 기념장학금)으로 선발되어 1935년 미국에 유학했다. 매사추세츠 공과대학(MIT)을 거쳐, 1936년에는 캘리포니아 공과대학

(Caltech)으로 옮겨 당시 미국의 최고 로켓 전문가로 꼽히던 시어도어 폰 카르만(Theodore von Karman, 1881~1963)의 학생이 되었다. 그리고 1939년에는 항공역학으로 박사학위를 받았다. 헝가리 출신의 미국 물리학자인 폰 카르만은 1930년 미국에 건너와서 캘리포니아 공과대학의 구겐하임항공역학연구소 소장이 된 사람이다. 1944년에는 제트추진연구소를 세우는 데 주역을 맡기도 한 로켓과 미사일 연구의 대가이다. 그는 1946년에 미국 공군의 과학자문단단장이 되었는데, 여기가 바로 미국 로켓 개발의 중심체였다.

그 밑에서 뛰어난 학생으로 성장한 첸쉐썬이 로켓의 최고 지식을 쌓아가고 있었을 것은 너무나 당연한 일이었다. 그가 박사학위를 얻었을 때는 미국이 독일과 전쟁 중이었고, 그는 미군의 로켓 개발에 관여하는 과학자의 한 사람으로 발탁되어 일하게 되었다. 그리고 전쟁이 끝나자 그는 독일에 파견되어 독일이 전쟁 중에 개발했던 유명한 로켓 V-2를 조사하는 일을 담당했다.

그는 바로 이때, 즉 1945년에 결혼했다. 첸쉐썬의 부인은 음악가 장잉[蔣英]으로 중화민국의 총통 장제스 밑에서 그의 측근 전략가로 일한 적도 있는 당대의 대표적 군인 쟝바이리[蔣百里, 1882~1938]와 일본인 부인 사이에서 태어난 딸이었다. 이들은 결혼 후 1950년에는 미국 국적을 취득하려고 신청했으나 거절당하고 말았다. 한국전쟁이 시작 되었을 뿐 아니라, 그 조금 전부터 이미 미국에는 매카시 선풍[1]이 불기 시작하여 공산주의에 대한 맹렬한 반대운동이 일고 있었기 때문이다. 게다가 미국 연방수사국(FBI)은 1938년도 미국 공산당 당원 명단에 그의 이름이 들어 있음을 발견했으니 그를 의심한 것도 당연한 일일지 모른다. 그 후 그는 한때 미국 이민국에 체포되기도 했는데 비밀 서류를 소지하고 있다는 이유 때문이었지만, 조사 결과 그 비밀 서류란 단순한 대수표(對數表: 로그표)에 지나지 않았다는 것이다. 그 후 5년 동안 그는 실질적인 가택연금 상태에 놓였다. 미국으로서는 세계 최고급의 로켓 기술자를 적국 중국에 보낼 수도 없는 일이었기 때문이다. 반대로 중국으로서는 그의 머리가 꼭 필요했기 때문에 최고위층까지 나서서 그를 무사하게 귀국시켜보려 노력했다. 오랫동안 미국과 중국은 외교적 접촉을 계속했고, 그 결과 한국전쟁의 포로 석방을 계기로 첸쉐썬 역시 석방되는 형식으로 1955년 미국은 그의 출국금지를 해제했다. 그는 즉시 가족과 함께 중국으로 돌아갈 수 있게 되었다.

중국의 미사일 기술 개발 중심인물

중국에서의 첸쉐썬의 영웅적인 삶은 이렇게 시작되었다. 귀국하자마자 그는 중국공산당에 미사일 계획을 제출하여 이것이 통과되었다. 그 계획은 1958년 완성되고 추진되어, 1964년 '동풍(東風) 1호' 미사일이 발사되기에 이른다. 중국이 원자탄을 완성하기 직전의 일이다. 1964년에는 원자핵물리연구소 역학연구소장, 1968년 국방과학위원회 부주임 등의 자리를 거쳐 1969년의 9회 전국인민대표대회 때에는 주석단에 자리를 얻었다. 그는 1970년 4월 발사한 중국 최초의 인공위성의 제작 책임자로도 알려져 있다. 1980년에는 중국과학기술협회 부주석, 1982년 중국공산당 12기 중앙위원회 후보위원 등을 거치면서 첸쉐썬은 중국의 과학과 정치 분야에서 중요한 인물로 성장을 계속했다.

그는 중국의 '양탄일성', 즉 원자탄, 수소탄, 인공위성 모두를 발전시킨 최고의 책임자였던 것처럼 여겨지기도 하지만 주로 로켓과 미사일 개발에 주도적 역할을 담당했던 것이 분명하다. 로켓 '동풍'을 시작으로 1970년 4월 중국 최초의 인공위성 '동방홍(東方紅)'을 쏘아 올린 '장정(長征)' 1호를 포함한 로켓 등이 그의 작품이다. 물론 여기에 '해응(海鷹)' 미사일도 넣어야 할 것 같다. 소련의 미사일 기술을 얻어 연구하여 1974년 개발한 '해응'은 주로 함선 파괴용 미사일로 개발되었다. 그러나 처음에 그 이름을 몰랐던 미국은 이 미사일에 누에(Silkworm)라는 이름을 붙였는데, 중국이 비단 생산국으로 유명하여 그 '누에'를 미사일 이름으로 붙였던 셈이다. 그리고 그 별명이 서양에서는 공식 명칭으로 자리 잡게 되었다. 아이리스 창의 다큐멘터리가 그런 제목을 달아 첸쉐썬의 일생을 묘사한 이유도 여기에 있다.

특히 이 미사일은 1980년대에 세계적으로 유명해졌다. 중동에 수출하여 이란-이라크 전쟁에서는 양쪽이 모두 이 미사일을 무기로 사용했기 때문이다. 심지어 2003년의 이라크 전쟁에서도 이라크군은 이것을 사용하고 있었다는 보도가 있었다. 또 이스라엘과 아랍 사이의 전투에서도 이 미사일은 쓰이고 있다. 2006년 7월 14일 이스라엘은 전쟁 초기에 헤즈볼라가 레바논 연안의 이스라엘 전함에 대해 이 미사일 2발을 발사하여 공격했다고 발표했지만, 뒤에 그것은 수정되어 그 후의 더 발전된 중국의 미사일인 '응격(鷹擊) 82'라고 수정하기도 했다. 헤즈볼라는 이스라엘과의 분쟁이 시작된 이후 1700여 발의 로켓을 발사해 이스라엘 사람들에게 적지 않은 사상자를 낸 것으로 보도되었다.

1991년 첸쉐썬은 80세의 나이에 은퇴하여 지금 베이징의 한 아파트에서 살고 있다. 그가 지금도 널리 사용되고 있는 중동의 전쟁무기 미사일이 결국 자신이 개발을 주도했던 것의 개량품임을 알고 어떤 생각을 하고 있는지는 알 길이 없다. 몇 년 전 그를 찾아온 원자바오[溫家寶] 총리에게 "중국 우주과학의 아버지(中國航天之父)" 첸쉐썬은 "창의적인 과학자가 되기 위해서는 과학만 공부한다고 되는 것이 아니다"라 말하고 문화예술에 대한 교양의 중요성을 강조한 일이 있다. 우리에게도 참고할 만한 생각이 아닐 수 없다.

첸쉐썬은 만년에 온갖 영예를 누리고 갔다. 수많은 전기가 집필되어 나오고, 1979년 그의 모교인 미국 캘리포니아 공과대학은 그를 '훌륭한 동창생'으로 표창했으며, 유명한 과학소설가 아서 클라크는 《2010년 오디세이 II》에서 중국 우주선에 그의 이름을 붙였다. 하지만 무엇보다도 중국의 유인우주선 발사 성공에서 그는 만년의 행복을 만끽하고 있었을 것이다. 2003년 10월 15일 중국의 첫 유인우주선 '신주(神舟) 5호'는 우주비행사 양리웨이[楊利偉, 1965~]를 21시간 23분 동안 지구 14바퀴를 돌게 해주었고, 6호는 2005년 10월 12일 2명의 우주인에게 5일 동안 지구를 77바퀴 돌게 해주었다. 바로 그 동력을 제공해 준 로켓의 개발자가 첸쉐썬이었던 셈이다.

---

[1] 매카시 선풍: 매카시(McCarthy)가 1950년 2월에 미국 정부 내의 공산주의자를 비롯하여 그 동조자 200여 명의 추방을 요구한 데에서 비롯된 대대적인 공산주의자 숙청 선풍

자연과학

《서유견문》에 소개된 그리스의 피타고라스

Pythagoras 기원전 580?~기원전 500?

우리 역사에서 '피택고(皮宅高)'란 사람을 기억하는 사람은 거의 없을 것이다. 물론 많지는 않지만 우리나라에 피(皮)씨 성을 가진 사람은 있다. 그러니 피씨 가운데 지금이 아니면 옛날 언젠가에 피택고란 이름을 가진 우리 조상도 역사를 잘 찾아보면 있을지도 모른다. 하지만 피택고란 인물은 우리나라 사람이 아니라, 유명한 그리스의 수학자이며 과학자인 피타고라스(Pythagoras, 기원전 572?~기원전 497?)이다. 그리고 그가 우리 선조들에게 이런 괴상한 이름으로 알려지게 된 이유도, 따지고 보면 옛날 서양 사람들 이름이 중국을 통해 전해졌기 때문이란 걸 짐작할 수 있을 것이다.

《한성순보》에 '필타고랍'으로

피타고라스에 대해 1884년의 《한성순보》는 이름을 '필타고랍(畢他固拉)'이라고 한문으로 쓰고 있다. 이 신문은 우리나라 최초의 근대 신문으로 인정받고 있는데 순한문으로 쓰인 것이 특징이다. 그보다 25년 뒤에 언론인 장지연이 쓴 《만국사물기원역사》(1909)라는 책에는 그의 이름이 '피사가랄사(披沙哥剌斯)'라고 역시 한자로만 쓰여 있다. 앞의 신문과는 달리 이 책은 국한문 혼용으로 쓰여 있는데, 이 이름만은 순한자로 쓰여 있는 것이다. '피택고'란 우리 이름 같은 표현은 유길준이 쓴 《서유견문》(1895)이란 책에 보인다. 물론 당시의 여러 자료에는 이 것들 이외에도 여러 곳에 그의 이름이 이와 비슷한 표현으로 등장할 것이지만, 모두 조사해보지 못해서 우선 이 정도만 소개할 뿐이다.

이 가운데 제일 일찍 나온 자료 《한성순보》에 나오는 필타고랍에 대한 기록을 보자. 그의 공헌을 이 신문은 무엇이라 소개했을까? 서양 학문의 시작을 소개하는 글 속에서 피타고라스, 즉 '필타고랍'은 아시아 여러 나라를 돌아다니며 불교의 영향을 받았다고 써 놓고 있다. 그래서 그는 사람들에게 고기를 먹지 말라하고, 윤회설(輪廻說)을 믿었다고 소개하고 있다. 또 피타고라스는 직각삼각형의 두 변의 제곱의 합은 빗변의 제곱과 같다는 원리를 처음으로 발견했다고도 적어 놓고 있다. 지금 우리가 '피타고라스의 정리'라 부르는 것을 그가 발견했다고 이미 이때부터 소개하고 있음을 알 수 있다.

이어서 이 신문 기사에는 태양이 가운데 정지하고 있고, 그 둘레를 지구와 다른 행성들이 돌고 있다는 주장도 피타고라스가 처음으로 했다고 기록하고 있다. 당시 사람들은 아무도 이와 같은 태양중심설을 믿지 않았지만, 2000년 뒤에 독일 사람 코페르니쿠스가 이를 지지하고 나서면서 세상이 모두 이를 받아들이게 된 것이라고 쓰고 있다. 같은 신문의 다른 기사에는 그의 이름이 '백타격랍사(白他格拉斯)'라고 역시 순한자로 쓰여 있다. 더욱 우스운 것은 위에 소개한 정도의 태양중심설이 그의 창안이라고 다시 소개하면서, 이번에는 그의 이름을 아예 '백공(白公)'으로 줄여서도 부르고 있다는 사실이다. 20일 만에 같은 신문이 그의 이름을 '필타고랍'에서 '백타격랍사'로 전혀 다르게 바꾼 것이다. 앞에서는 '필공'이란 표현을 쓰지는 않았지만, '필공'이 20일 만에 갑자기 '백공'으로 바뀐 셈이다.

물론 여기 소개된 그의 공로에 대한 역사적 사실도 이와는 좀 다르다. 피타고라스가 직각삼각형의 세변의 관계를 세계에서 처음 알아냈다는 것도 사실과는 조금 다르고, 그의 우주관이 꼭 태양중심설이라 하기도 어렵다. 게다가 태양중심설을 뒤에 주장하여 세계에 보급한 코페르니쿠스를 독일 사람이라 한 것은 아주 잘못된 일이다. 그는 폴란드인이기 때문이다.

유길준의 《서유견문》에는 '피택고'

그 다음 자료인 1895년의 《서유견문》에는 피타고라스가 이름 정도만 소개되어 있다. 여기서는 그의 이름이 '피택고(皮宅高)'라고 한자로 쓰여 있고 이에 대해 한글로 '피택코라스'라 덧붙여져 있다. 원래 이 책은 유길준이 자신의 조국 조선에서 갑신정변이 일어나 잘 알던 동지들이 희생당하고 망명도 했다는 소문을 전해 듣고, 1885년 미국 유학에서 급히 귀국하여 그 후 몇 해 동안 갇혀 살면서 쓴 책이다. 10년 뒤인 1895년 이 땅이 아니라 일본에서 처음 출판되었는데, 국한문 혼용일 뿐 아니라 많은 한자 이름에 우리 발음으로 한글 표기를 덧붙인 것이 특징이다. 그래서 한문으로는 '피택고'라 써 있는 그 이름에다가 한글로는 '피택코라스'라는 보다 가까운 표기를 하고 있음을 알 수 있다.

이 글에 그의 업적은 전혀 나오지 않는다. 다만 서양의 학문 발달을 소개하는 간단한 이 글의 시작에서 유길준은 그리스에서 2700여 년 전에 학문이 시작되었는데, 시(詩)에는 호머, 헤시오도스, 핀달 등이 있고 문장(文)으로는 헤로도토스, 투키디데스, 디오도루스, 플루타르코스 등을 들 수 있고, 생물학(生物學)에서는 탈레스와 피타고라스 등, 철학(窮理學)에서는 소크라테스, 플라톤, 아리스토텔레스 등이 있다고 첫 대목에 소개한 것이다. 100년 전 우리나라의 최고 지식층이 쓴 글에 이 정도로 아주 부정확한 정보가 적혀 있다는 사실에 그저 안타까운 생각을 가지게도 된다. 그리스의 학문을 시, 문, 생물학, 궁리학(철학)의 넷으로 나눠 소개하고 있는데, 생물학과 궁리학의 의미도 아주 이상하기 짝이 없음을 누구라도 알 수 있을 터이다.

1909년 언론인 장지연이 쓴 책《만국사물기원역사》에는 그의 이름이 '피사가랄사(披沙哥剌斯)'라는 순한문으로만 나와 있을 뿐 아니라, 그가 한 일은 바로 직각삼각형의 세 변의 관계를 처음 '발명'한 데 있다고 소개하고 있다. 여기에는 그림으로까지 그 관계를 설명하여 직각삼각형이 그려져 있다. 20세기 초 조선인들에게 필요했던 온갖 새로운 지식을 모아 소개하려고 쓴 이 책은 말하자면 간단한 백과사전 같은 내용으로 되어 있는데, 여기에 그런 설명을 해 놓은 것이다.

이렇게 그의 이름은 수십 년 동안 다듬어져 내려오는 가운데, 특히 한자가 아니라 한글이 외래어 표기에 널리 쓰이면서 비로소 보다 원래 발음에 가깝게 표기되어 갔음을 알 수가 있다. 또한 피타고라스가 '피타고라스의 정리'를 발견한 사람으로는 일찍부터 주목받고 있었음도 역시 확인하게 된다.

과학사, 수학사, 그리고 음악사에서까지 중요한 창시자의 한 사람으로 꼽히는 피타고라스는 그리스의 사모스 섬에서 태어났다. 그는 탈레스 등에게서 공부하고 뒤에는 스스로 종교적인 모임을 만들어 그들의 믿음을 실천하는 노력을 한 것으로도 알려져 있다. 피타고라스와 그의 제자들은 비밀단체처럼 행동하면서 연구하고 수행(修行) 또는 고행(苦行)을 한 것으로 되어 있는데, 그 가운데 한 가지가 위에 소개한 《한성순보》에도 이미 나오는 것처럼 불교적 윤회설에 동정하고 있었다는 점이다. 이들에게는 이밖에도 여러 가지 특이한 종교적 행동이 있었다는 데 상세한 것은 알기 어렵다.

"음악도 수치가 기본" 확신

원래 피타고라스는 수(數)의 질서에 대해 크게 주목하여, 우주 만상이 수적(數的) 질서를 기초로 하고 있다는 믿음을 가지게 된 것으로 보인다. 그들이 이런 생각을 하게 된 것은 당시 널리 사용하던 현악기의 소리가 그 줄의 길이가 일정한 단순한 비율을 가질 때 화음(和音)이 된다는 사실에 크게 영향 받은 것으로 보인다. 음악이야말로 바로 단순한 수학적 관계를 기초로 하고 있는 수학적 질서를 보여주는 세계라고 여긴 것이다. 당연히 그들은 이 세상의 모든 수란 것은, 현악기의 화음이 그렇듯이, 어떤 두 가지 수의 비율로 나타낼 수 있는 것이라고 결론짓고 있었다. 그리고 그런 수학적 질서가 천문학에도, 그리고 당연히 산수와 기하학에도 기본이 되어 있다고 결론지었다. 그래서 이 4과목, 즉 음악, 천문학, 산술, 기하는 그 후 서양 역사에서는 교양인이 갖추어야 할 기초적 교양으로 여겨지게 되었을 지경이다. 중세까지 교양인들은 당연히 이들 4과(四科, Quadrivium)를 공부하지 않으면 안 된다고 여겨졌던 것이다.

하지만 그가 이른바 '피타고라스의 정리'란 것을 처음 발견한 것이라고는 단언하기 어렵다. 여하튼 그의 시대에는 이미 직각삼각형의 세 변의 길이에 대한 관계는 학자들에게는 알려져 있던 것으로 보인다. 또 그것은 그 시절의 동양 사람들에게도 이미 알려져 있던 내용이었다. 그런데 수가 만물의 기본이라 생각한 수적 신비주의자인 피타고라스 일파가 숫자에 관한 온갖 것을 연구하고 공부하는 사이에 그들이 발견한 엉뚱한 사실은 이 세상의 수 가운데에는 수들의 비율로 나타낼 수 없는 수가 존재 한다는 것이었다. 즉 그들은 이 세상의 모든 수는 A/B (A, B가 모두 자연수일 때)로 나타낼 수 있다고 생각한 것이 잘못이라는 점을 발견하게 되었던 것이다.

그들 스스로 이런 진실을 발견하게 된 피타고라스학파에서는 이를 철저히 비밀로 감추려했다고 전설은 전한다. 그들 사상의 근본을 이루는 '수가 만물의 근원이며, 그 수란 어느 경우에나 A/B로 표현될 수 있다'는 믿음이 깨져버렸기 때문이다. 물론 이런 사실이 밝혀진 것도 따지고 보면 바로 그 직각삼각형의 세 변의 길이의 관계를 계산할 수 있었던 때문이다. 왜냐하면 가로가 1, 세로가 1인 직각이등변삼각형의 빗변의 길이를 계산하면서 논리적으로 전개해 가다보면, 그 값은 A/B라는 숫자의 비율로는 나타낼 수 없다는 사실을 확인하게 되기 때문이다. 이를 증명하는 방법은 고등학교 수학에서 가르치는 것으로, 이 증명 방법을 '귀류법(歸謬法, reduction to absurdity)'이라 부른다.

유리수는 유비수로 바꿔야

하지만 그런 중요한 사실을 감춰둘 수만은 없는 일이다. 누군가 이 사실을 학파 밖에 흘려 세상은 피타고라스학파의 근본적 믿음이 잘못되었다는 사실을 알게 되었고, 그로부터 학파는 쇠퇴할 수밖에 없었다는 것이다. 이런 전설이 얼마나 사실인지는 지금 단언하기 어렵다. 하지만 분명한 일은 오늘 우리가 '유리수(有理數)'와 '무리수(無理數)'라 구별하는 수의 개념은 이렇게 출발했다는 사실이다. 그리고 이 과정을 살펴보면, 그 뜻이 원래는 A/B로 나타낼 수 있는 수와 그렇지 못한 수의 두 가지로 구별했던 것임을 확인하게 된다. 그래서 서양 수학에서는 이 두 가지 수를 'rational numbers'와 'irrational numbers'로 나타내기 시작한 것이다. 이 말은 ratio[비율(比率)]로 나타나는 수와 그렇지 못한 수라는 의미에서 나온 단어였다. 그런데 100여 년 전에 서양 수학을 도입하면서 영어 실력이 부족했던 당시의 일본 수학자들은 이 말을 그 단어의 첫째 뜻을 따라 '합리적인 수'와 '불합리한 수'라고 번역하여 '유리수', '무리수'를 만들어버린 것이다. 잘못된 일이다.

'피타고라스의 정리(Pythagorean theorem)'란 번역도 잘못된 것이다. 우리 조상들은 그 관계를 예로부터 알고 있었고, 그것을 구고법(勾股法)이라 불러 왔다. 직각삼각형의 가로가 구(勾), 세로가 고(股), 그리고 빗변이 현(弦)이라 했고, 이들 세변의 제곱 관계를 잘 알고 있었다. 당연히 서양 사람들의 '피타고라스의 정리'를 우리는 '구고의 정리' 또는 '구고현의 정리'라 해야 마땅한 일이 아닐까?

또 세상에 어떻게 수학에 '불합리한 수' 또는 '무리한 수'가 있을 수 있는가? 그것도 원래 뜻에 따라 '비율로 나타낼 수 있는 수'와 '비율로 표현될 수 없는 수'로 나누는 것이 옳다. 그러자면 '유리수', '무리수'란 말은 '유비수(有比數)'와 '무비수(無比數)'로 바꾸면 된다. 용어만 이리 바꿔주면 학생들이 그 개념을 이해하기 얼마나 쉬울지 생각해볼 일이다. 피택고가 오늘 피타고라스로 바뀐 것처럼, 용어란 잘못되었으면 바꾸는 것이 옳다.

농업기술서《농정전서》저술한
중국의 서광계

徐光啓 1562~1633

서광계(徐光啓, 1562~1633)는 명나라 때 중국의 고위 관리이며 과학자이며 천주교도였다. 그는 특히 《농정전서(農政全書)》(1628)라는 방대한 농업기술서를 지었는데 이 책은 우리나라에도 상당한 영향을 주었기 때문에 앞으로 깊이 연구할 인물이기도 하다. 이 책은 60권으로 모두 70만 자의 분량으로 되어 있는데, 농업기술을 12분야로 나누어 다루고 있다.

특히 우리나라의 실학자 최한기(崔漢綺, 1803~1877)는 《농정전서》에서 관개(灌漑)와 수리(水利) 분야를 따다가 자기 나름으로 정리하여 자그마한 책 《육해법(陸海法)》을 남기고 있기도 하다. 이 책에는 가뭄에 사용하는 여러 가지 기계적 장치 등이 그림과 함께 설명되어 있는데, 그 대부분의 설명에 서광계가 인용되고 있어 《농정전서》를 상당 부분 베껐다는 사실을 알 수가 있다. 물론 그전에도 여러 사람들이《농정전서》를 통해 서광계의 농업기술을 받아들이고 또 활용했던 것을 알 수 있다. 한국 농업사를 다룬 연구들이 이를 말해주고 있다. 하지만 아직 극히 일부만이 부분적으로 알려져 있을 뿐이지 모두 밝혀져 있지는 않다.

원래 장사를 하다가 농사를 시작한 아버지 밑에서 어렵게 공부하던 서광계는 어려서부터 머리는 출중했다고 전한다. 어려서 용화사(龍華寺)에서 공부하던 그는 1581년 사오저우(韶州)에서 수재(秀才) 시험에 합격했다. 그리고는 몇 차례 과거에 실패한 끝에 1597년에 가까스로 거인(擧人) 시험에 합격했다. 원래는 떨어질 상황이었으나 시험관이 그의 답안이 가장 경세치용(經世致用)의 뜻이 높다 하여 특별히 발탁되었다. 그리고 1604년에서야 그는 진사에 합격한다. 당시 중국의 시험 관문을 오랜 기간 동안에 걸쳐 모두 통과했던 셈이다. 말하자면 20세에 수재(秀才)가 되고, 36세에 거인(擧人), 그리고 43세에 진사(進士)가 된 것이다. 청나라 때 중국의 과거제도는 이렇게 3단계로 구성되었던 것을 알 수 있다.

진사 시험에 합격한 다음 그는 한림원(翰林院)의 서길사, 검토 등의 자리에 임명되었으나, 그러는 사이 1607년에는 부친상을 당하여 일단 관직을 물러났다. 3년상을 치른 다음 다시 복직할 때까지 그는 어쩌면 가장 중요한 공헌을 남기기도 한다. 그것은 1606년 가을에 이탈리아 출신의 선교사 마테오 리치와 함께《기하원본(幾何原本)》을 번역했기 때문이다. 리치는 1582년 마카오에 도착한 이래 선교사로 활동하면서 1601년 서양 사람으로는 처음으로 베이징에 자리 잡고 선교사로서의 활동을 본격화할 수 있게 되었다. 리치로부터 중국에 천주교가 본격적으로 보급되기 시작한다고 할 수 있다. 또 리치 이후부터 베이징에는 서양 선교사가 계속 들어와 활동하면서 중국의 기독교 보급과 함께 중국의 천문관서를 책임지게 되기도 했다.

서광계는 리치를 만나기 전인 1582년쯤에 소주에서 처음으로 서양 선교사 카타네오[Cattaneo, 중국 이름 곽거정(郭居諍)]을 만난 것으로 알려져 있다. 그 후에도 선교사들과 접촉은 계속되었던 것으로 보이고, 그 결과 1603년에는 난징에서 세례를 받고 정식으로 천주교도가 되었다. 그의 세례명은 바오로였다. 이런 신분으로 그는 이듬해 1604년에 과거에 합격하여 진사가 되고, 그로부터 관직에 오르기 시작한 것을 알 수가 있다. 훨씬 뒤에 우리나라에서 벌어진 사태를 상기한다면, 당시 중국인들은 기독교 또는 천주교에 대해 그리 위협을 느끼지 않았고, 당연히 서양의 종교를 별로 탄압하지도 않았다는 사실을 알 수 있다. 실제로 서광계 그 자신조차 천주교를 중국 전통에 그리 대단한 위협이 되리라 믿지 않았다. 그는 오히려 천주교가 "유교를 보충하면서 불교를 바꿔줄 것"으로 기대했고, 또 그것이 일종의 격물궁리(格物窮理)의 학문이라 여겼던 것을 알 수 있다. 격물궁리란 지금으로 치면 과학이란 말에 가장 가까운 표현이다. 서광계는 서양의 천주교를 그 과학 부분에 인상 받아 수용했다고도 할 수 있다.

이리하여 서광계는 리치를 도와서 앞에 소개한 것처럼《기하원본》을 번역했다. 또 마찬가지로《측량법의(測量法義)》도 번역했다. 특히《기하원본》은 그야말로 동양사회에 전해진 최초의 서양 기하학이다. 동양의 수학적 전통이 서양보다 뒤떨어졌다고는 말하기 어렵다. 아니 오히려 15세기쯤까지는 수학 전 분야를 비교한다면 오히려 서양보다 중국이

《기하원본》에 실린 마테오 리치와 서광계

앞선 것으로 보인다. 그럼에도 불구하고, 전통 시대의 중국 수학은 기하학 분야에서만은 서양에 뒤지고 있었다. 이런 풍토 속에 번역된 서양 기하학 책 《기하원본》은 대단한 놀라움의 대상이었다. 당연히 우리나라에도 들여와 널리 읽혀졌음을 알 수 있다.

이 책은 원래 그리스의 수학자 유클리드의 기하학을 중세 서양 학자가 주석해 만든 책을 번역한 것이다. 13장으로 구성된 책을 입체 기하 부분은 아직 중국인에게는 너무 어렵고 생소하다고 판단하여 제외하고 처음부터 8장만 번역했다. 잘 알려진 사실이지만 기하학은 서양 사람들이 발전시킨 논리적 사고의 기초가 되는 학문으로 정평이 나 있다. 서양에서 과학이 발달한 중요한 원인 한 가지는 바로 이런 기하학의 교육을 통해 서양 사람들은 논리적 사고를 발달시켰던 때문이라고 설명하는 수도 있다. 서광계 자신도 이 책의 특성을 이런 점에서 파악하고, 이 책은 공부하는 사람들에게 정밀한 사고를 도와준다면서 "모든 사람이 배우지 않으면 안 될(無一人不當學)" 공부라고 그 서문에 쓰고 있다. 그의 예언대로 그 후 300년 뒤에 중국에서는 과거제도를 없애면서 기하학을 모든 학생들이 배우게 만들었고, 그런 교육 개혁은 우리나라에서도 마찬가지로 일어났다고 할 수 있다.

당시 중국인들의 최대 관심은 천문역산학이었다. 특히 1610년 11월 초하루의 일식 예보에서 전통 천문학이 실수하고, 게다가 1629년 5월 초하루 일식은 서광계가 서양 방식 계산으로 훨씬 정확하게 예보하자, 중국인들은 서양 천문학의 습득에 열을 올리기 시작했다. 당연히 서광계는 이런 노력에 중심 인물로 활약했다. 그래서 나온 결과가 《숭정역서(崇禎曆書)》이다. 1631년에 시작한 이 일은 서광계가 죽은 1633년 이후에도 한참 계속되어 1638년에서야 완성되었다. 모두 47종 137권이나 되는 서양식 천문학과 역산학의 모음이랄 수 있는 이 책을 완성하는 데에는 아담 샬 등의 서양 선교사 여럿과 중국 학자로는 이지조(李之藻, 1565~1630), 이천경(李天經, 1579~1659) 등이 중요한 역할을 한 것으로 밝혀져 있다.

　　하지만 조선시대 우리나라에 가장 중요한 영향을 준 서광계의 업적으로는 단연코 《농정전서》를 들어야 옳을 것 같다. 서광계는 이 책을 1625년부터 28년 사이에 저술한 것으로 보이는데, 실제 출판된 것은 1639년이다. 이 책은 우리나라의 여러 농서에 절대적 영향을 주었음을 알 수 있다. 실록에 나타난 것만 보더라도 서광계는 역법을 고치려 했다는 내용도 보이고, 특히 정조 7년(1783) 7월에는 《농정전서》에 따라 서양식 양수장치인 용미차(龍尾車)를 보급하자는 논의가 있었음을 알 수 있다. 또 고구마를 보급하려던 운동도 정조 18년(1794) 12월에 보인다. 고구마는 이미 수입되어 재배된 것이 분명한데도 이 날의 논의를 보면 서광계의 《농정전서》에 처음 고구마 이야기가 나오는데, 아주 좋은 식품이라면서 이를 보급하자는 논의를 하고 있다.

　　과학과는 관련 없는 일이지만, 서광계는 1619년(광해군 11) 10월에 우리나라 조정에서 비난을 받은 인물이기도 하다. 금나라와 싸우러 북벌에 나섰던 강홍립(姜弘立, 1560~1627)이 패하여 금군에게 항복하자, 명나라에서는 조선이 금나라와 짜고 명나라를 해치려 한다고 생각하는 사람들이 있었다. 이에 서광계가 조선에 사신으로 가서 이 문제를 해결하겠다고 나선 일이 있기 때문에, 이 문제가 조선 조정에서 논의되었던 것이다. 진주상사(陳奏上使)로 임명되어 중국에 가기로 한 이정귀(李廷龜, 1564~1635)는 그해 12월 임금이 서광계란 인물에 대해 묻자, "서광계는 천하의 명신(名臣)입니다. 소신이 전에 갔을 적에도 그 사람의 명성을 들었는데, 나라 사람들이 그가 일을 잘하는 사람이라고 일컫는다고 했습니다"라고 대답했다.

그는 또한 천주교를 전파하기 위해 조선에 나올 생각을 했다고도 전해지고 있다. 바로 이때의 사신으로 오려던 사실이 천주교회사에서는 그렇게 해석되는 것으로 보인다. 서광계에 대해서는 앞으로 우리 과학사만이 아니라 우리 역사를 더 잘 알기 위해서도 연구할 부분이 많다는 것을 확인하게 된다.

거중기 제작에 영향 미친
프랑스의 요하네스 테렌츠

Joannes Terrenz 1576~1630

우리나라에 있는 '과학' 혹은 '과학사' 관련 박물관이나 과학관에는 그런대로 한국 과학사에 대표적이라 할 수 있는 여러 가지 유물들이 전시되어 있다. 그 가운데 가장 눈에 띄는 대표적인 것 중 하나로는 정약용이 만들었다는 거중기를 꼽을 수 있다. 그런데 이 거중기는 17세기 중국에서 활약했던 스위스 출신의 선교사 요하네스 테렌츠(Joannes Terrenz, 1576~1630)의 책 《기기도설(奇器圖說)》(1627)에서 그 아이디어를 얻어 만든 것으로 알려져 있다.

조선의 정조는 궁궐 안에 있던 이 책을 몸소 정약용에게 주어 참고하게 했고, 그래서 정약용의 거중기가 제작되어 나온 것이라고 기록되어 있다. 요즘으로 치면 크레인 또는 기중기라 부를 수 있는 이 장치는 위로 4개, 아래에 4개의 도르래가 달린 엉성한 모양이지만, 당시 기록에 의하면 작은 힘으로 무거운 것을 들어 올릴 수 있어서 수만금의 돈을 절약했다고 적혀 있다. 특히 수원성을 쌓을 때 유용했다고 한다.

'린체이 학회'에서 갈릴레이와 함께 활동

우리 역사에 간접적으로 이바지한 스위스 출신 선교사 테렌츠는 우리 식 이름이 등옥함(鄧玉函)이고 자(字)를 함박(涵璞)이라 했다. 원래 이름은 장 테렌츠(Jean Terrenz)인데, 요하네스 테렌츠 또는 요하네스 테렌츠 슈렉(Joannes Terrenz Schreck)이라 하기도 한다. 테렌츠는 중국에 오기 전에 이미 독일에서 의학자, 철학자, 수학자로 이름을 날리고 있었고 동물, 식물, 광물, 기계 등에도 해박했다고 전한다. 특히 언어에도 재능이 있어서 독일어 이외에 프랑스어, 영어, 포르투갈어, 히브리어, 그리스어, 카르다어, 라틴어에도 능통했다고 하니 대단히 재능 있는 인물이었던 것만은 분명해보인다.

테렌츠는 1600년대 초 로마에 있었는데, '린체이 학회'에서 갈릴레이와 함께 회원으로 활동하고 있었으니 당연히 갈릴레이와도 친분이 있었음을 알 수 있다. 린체이 학회란 그 후원자 이름을 따서 '체시 학회'라고도 불렸는데, 서양의 과학사에서 학회의 시작을 장식한 중요한 과학단체로 꼽힌다. 그는 뒤에 중국에서 과학자로 활동하면서 갈릴레이와 케플러에게 중국의 일식 기록 등 천문학 관련 자료를 보내주기도 한 것으로 밝혀져 있는데, 바로 이런 인연 때문이었던 것으로 보인다. 중국에 오는 긴 항해 기간에는 배에서 사람들에게 과학기술에 대해 강

의도 해주는 한편 실험과 동식물 채집
결과를 기록하기도 했다.

그가 중국에 오게 된 동기는 당시 서
양 지식층의 중국에 대한 환상이 어느
정도 역할을 했을 것으로도 보인다.
1600년쯤에는 먼저 중국에 와서 활동
하던 서양 선교사들에 의해 중국 문명
의 위대함이 과장 선전되어 유럽 젊은
이들에게 중국 문명에 대한 환상을 심
어주기에 충분했다. 게다가 예수회를
포함한 서양 선교단체가 중국 선교 운
동에 열성이어서 많은 청년들이 중국

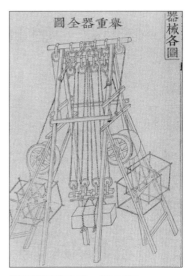

《화성성역의궤》에 있는 거중기 전도
정약용이 테렌츠의 《기기도설》을 참고하여 만
든 것으로 수원성을 쌓는데에 활용했다고 한다.

행을 지원하고 있었다. 때마침 이미 중국에서 활동 중이던 예수회 선
교사 니콜라스 트리고[Nicolas Trigault, 금니각(金尼閣), 1577~1628]가 과학
자 자격이 있는 선교사를 중국에 데려가기 위해 유럽을 방문했다. 트
리고는 프랑스 출신 선교사로 1610년 중국에 와서 난징, 항저우 등에
서 활동하던 중 1613년 예수회 책임자 용화민의 지시로 돌아가 과학자
를 데려오게 된 것이었다. 말하자면 테렌츠는 이때 스카우트되어 중국
에 파견되었던 셈이다. 그는 1621년 중국에 도착하여 처음은 마카오에
서, 그러나 뒤에 자딩[嘉定]으로 옮겨 가서 중국어를 공부하고 이어 항
저우로 가서 기독교 선교 활동을 시작했다.

《기기도설》통해 서양의 근대 역학 알려

그가 중국에서 처음 낸 책은 서양 기계를 소개한《기기도설》이 아니라 서양 의학을 소개한《태서인신설개(泰西人身說槪)》였다. 인체의 구조에 대한 상세한 설명을 해준 해부학 책이어서 많은 사람들에게 충격을 주었을 것으로 보인다. 그는 또 중국 약초를 증류하여 실험하는 노력도 해서 장래에는 책을 쓰려 했지만, 그 책은 내지 못한 채 사망하고 말았다. 그는 이 밖에도《인신도설(人身圖說)》,《측천약설(測天約說)》 2권,《정구승도표(正球升度表)》 1권,《황적거도표(黃赤距度表)》 1권,《제기도설(諸器圖說)》 등을 남겼다고 기록되어 있다. 물론 여기에 1627년에 완성한 그의 책《원서기기도설록최(遠西奇器圖說錄最)》를 더해야 할 것이다. 바로 이 마지막 책이 정약용이 빌려다 보고 수원성의 거중기를 만들었다는《기기도설》의 원래 이름이다. 제목의 '록최'는 공이 많은 것을 기록한다는 뜻이다.

그런데 막상 이 책 어느 부분을 정약용이 얼마나 참고해서 거중기를 만들었던 것인지 그 자세한 사정은 알 수가 없다. 이 책은 당시 중국에 처음으로 서양의 근대 역학을 소개한 책이라 할 수 있지만 어찌 보면 그리 대단한 내용이라 하기도 어렵다. 총 3권으로 이루어져 있는데 1권 중해(重解)는 중력, 무게중심, 부력, 비중 등을 설명했고, 2권 기해(器解)에는 지레, 도르래, 바퀴 등 역학의 기본적인 기계 원리를 설명했다. 3권은 50종의 실용적 기계류를 그림과 함께 설명한 것인데 대개 농업 치수용 장치들이다. 부록으로는 왕징의《신제제기도설(新製諸器圖說)》 1권이 3권 끝에 붙어 있다.

또 수원성을 쌓은 과정은 상세한 기록으로 오늘날 남아 있어서 유명하기도 하다. 《화성성역의궤(華城城役儀軌)》가 바로 1794~1796년(정조 18~20) 사이에 수원에 성을 쌓고 새로운 도시를 건설한 일을 정리해 쓴 책이기 때문이다. 10권 8책으로 된 이 중요한 자료는 규장각 도서로 지정되었고 지금은 영인본이 나와 있다. 1796년 9월에 공사를 끝낸 직후 의궤청이 조직되어 사업기간 동안의 각종 기록을 정리한 후, 1801년(순조 1) 9월에 간행했다. 일정은 물론 담당자 명단, 주요 건축물과 도구들을 그림으로 설명한 도설을 실어 놓았다.

권1~6의 원편(原編)은 성곽 축조에 대한 것으로서 임금의 명령과 신하들의 보고 및 건의를, 관련된 문서와 행사의 내용, 그리고 군사 배치, 보고서, 규정 등에서 참여 기술자들 명단까지 밝혔다. 또 예산과 결산 내용도 기록되었다. 그 뒤의 부편(附編)은 행궁 등의 건물에 대한 기록이다. 연 70여 만 명의 인원이 동원되고 80여 만 냥의 비용이 투입되었다는 대공사의 종합보고서로서 사업의 자세한 내역을 확인할 수 있다. 하지만 막상 이 자료에는 《기기도설》이나 거중기에 대한 것은 없다. 앞으로 정약용이 어떤 경로로 《기기도설》을 읽고 어떻게 거중기를 만들 발상을 하게 된 것인지는 더 연구해보아야 할 것으로 보인다.

서양 천문학 중국어로 번역, '시헌력'의 근거

여하간 테렌츠는 1627년 이 책을 쓴 때는 이미 중국에 서양 천문학을 번역·소개하는 일에 깊이 빠져 있었던 것으로 보인다. 천문학이 중국에서 '통치자의 학문'으로 절대적인 중요성을 가진 것은 잘 알려진 일이지만, 중국의 전통 천문학은 서양 선교사가 나타나면서 차츰 빛을 잃어가고 있었다. 예를 들면 1610년에는 일식이 있었는데, 그 예보에서 전통적 계산 방법이 서양 선교사들보다 부정확하게 나왔고, 똑같은 현상은 1629년의 일식 때 다시 나타났다. 일식 예보를 보다 정확하게 하려는 것은 통치자의 당연한 욕구였고, 어쩔 수 없이 서양 천문학은 주목을 받을 수밖에 없었다. 결국 선교사들에게 서양 천문학을 번역해 소개하라는 명령이 내리게 되었다. 기독교 포교의 목적으로 천문학과 기타 과학기술, 수학 등을 소개하고 있던 서양 선교사들로서는 오히려 기다렸던 일이 아닐 수 없다.

서양 선교사들과 친분을 쌓고 이미 예부시랑이란 높은 벼슬을 한 적도 있는 천주교도 서광계가 총대를 메게 된 것은 물론이다. 서광계는 이 서양 천문학 수용 노력으로 서양 천문학 책의 번역을 시작했고, 이를 위해 서광계가 초청한 선교사들은 니콜라스 롱고바르디[Nicolas Longobardi, 용화민(龍華民), 1559~1654], 테렌츠, 아담 샬 폰 벨[Adam Schall von Bell, 탕약망(湯若望), 1591~1666], 자크 로[Jacques Rho, 나아곡(羅雅谷), 1593~1638] 등이었다. 특히 초기에는 테렌츠가 절대적으로 중요한 역할을 담당했다. 이들의 번역으로 137권의 《숭정역서(崇禎曆書)》가 1634년까지는 일단 완성된 것이다.

이러한 많은 서양 천문학 서적은 명나라가 망하기 직전 완성되었지만, 청나라가 중원을 차지한 1644년 이후에 출판될 수 있었다. 번역 과정에서 중요한 역할을 맡았던 테렌츠는 이미 죽은 훨씬 뒤였다. 특히 이 번역 작품들은 아담 샬의 노력으로 왕조가 바뀌는 혼란에서 살아남을 수 있었던 것으로 전해진다. 청나라가 베이징에 들어온 다음 이 책

은 《서양신법역서》 103권으로
이름이 바뀌어 간행되었다. 그
리고 이를 근거로 계산해 만든
새 역법을 '시헌력(時憲曆)'이라
부른다. 《서양신법역서》는 5부
로 구성되었는데, 천문학 이론,
천문학에 필요한 수학, 천문기
구, 도량형 환산표 등을 내용으
로 한다.

〈서양신법역서〉

  그리고 이 역법은 즉시 우리나라에도 수입되어 1653년에는 조선왕조
도 시헌력을 채택해 조선 말기까지 사용하게 된다. 하지만 실제로는 여
기 포함된 천문학이나 수학에 대한 이해가 잘 되지 않아 한참 동안 여
러 천문학자들이 고생을 했던 것을 역사 기록을 통해 확인할 수가 있
다. 아직 상세한 연구가 없기는 하지만 1700년대 초까지 여러 관상감
의 천문학자들이 이를 배우기 위해 노력해 성공했던 것은 분명하다.

《기기도설》에서 거중기 아이디어 얻어

테렌츠의 영향은 우리나라에서 두 갈래로 미쳤다. 하나는 《기기도설》
을 통해 정약용의 거중기로 나타났고, 다음은 그의 중요한 역할로 만
들어진 《서양신법역서》의 영향 아래 1653년 조선왕조가 시헌력을 시
작하게 된 것을 들 수 있다. 우리나라에서는 흔히 시헌력을 말하면 항
상 '탕약망의 시헌력'이라고 표현하지만, 사실은 중국과 서양의 여러

천문학자들 협조의 열매였고, 특히 테렌츠도 초기에 큰 몫을 했다는 사실을 알 필요가 있을 듯하다. 이 역법이 조선왕조 후기에 계속해 사용되었고, 어느 의미에서는 지금도 바로 시헌력으로 계산해 만드는 것이 민간에서 만들어내는 음력이다.

몇 년 전 국립천문대에서 만든 역서와 민간 역서에서 설날이 하루 틀리게 나온 일이 있었는데, 이는 국립천문대가 최근의 컴퓨터 계산 값으로 음력을 계산해낸 것과 달리 전통적인 시헌력 계산은 조금 틀리게 나올 수가 있기 때문에 일어난 일로 여겨진다.

1997년 처음으로 《천공개물(天工開物)》이란 책이 우리말로 번역되어 나왔다. 중국의 전통 기술을 이해하기 위해서는 반드시 필요한 이 책은 송응성(宋應星)이 쓴 기술서인데, 과학기술원의 최주(崔炷, 1934~2001)가 번역한 것이다.

《천공개물》, 우리말 번역 출판

이 책은 1998년 2월 초 《한국일보》의 '한국백상출판문화상'을 받았다. 당시 나는 심사위원장을 맡고 있었는데 이 책이 최주의 자비로 출판되었다는 사실을 알고 깜짝 놀랐다. 출판해봐야 책이 별로 팔리지 않을 터이니 출판사들이 외면했던 탓일 거라 생각하니, 안타깝다는 생각이 들었다. 이런 과학사의 대표적 고전조차 시장에서 팔릴 수가 없는 형편이니 우리 과학사가 어느 주소에 있는지 짐작하기 어렵지 않다.

본격적으로 《천공개물》에 대해 살펴보자. 명나라 말기에 중국에서 간행한 이 책을 쓴 사람은 송응성(宋應星, 1587~1666)인데, 사실은 1637년 이 책이 처음 출간된 다음 중국에서는 거의 사라져 버렸다고 알려져 있다. 하지만 이 책은 1771년 일본에서 간행되었고, 일본에서는 어느 정도 널리 읽혔던 것으로 보인다. 우리나라에서도 18세기 이후 널리 읽혔을 것이 분명하지만, 아직 우리나라에서도 일본처럼 이 책이 출판까지 되었는지는 밝혀지지 않았다.

송응성은 중국 장시성[江西省] 펑신[奉新]이란 곳에서 송국림(宋國霖, 1547~1629)의 네 아들 가운데 셋째로 태어났다. 1615년 그는 맏형 송응승과 함께 향시(鄕試)에 응시하여 3등으로 합격하여 거인(擧人)이 되었다. 그해의 지방 과거 응시자는 모두 1만이 넘었는데, 그 가운데 합격자는 모두 109명이었고 송응성이 3등, 그리고 그의 맏형이 6등을 했다니 대단한 형제들이었음을 알 수 있다. 하지만 막상 이런 자격으로 중앙에서 보는 과거에 몇 차례 응시했지만, 그는 베이징에서 열리는 회시(會試)에는 합격하지 못했다. 진사(進士)가 되지 못한 것이다.

이런 상태 속에서 그는 1634년에는 고향 근처의 분의현(分宜縣)에서 교유(敎諭)가 되었다고 전한다. 어떤 종류의 선생이 되었다는 것을 알 수 있지만, 정확히 그의 직책이 어떤 것인지는 아직 알 수 없다. 그리고 그의 유명한 책 《천공개물》이 1637년에 나왔고, 그 후 1638년부터 1640년까지는 푸젠성[福建省]에서 추관의 일을 하기도 했고, 1643년에서 명나라가 망한 1644년까지는 안후이성[安徽省]에서 현장(縣長)을 지내기도 했다.

바로 이때부터 송응성의 일생은 크게 바뀌게 된 것으로 보인다. 명나라가 망하고 북방의 민족이 들어와 청나라가 베이징을 장악하고 남쪽으로 그 힘이 미치기 시작했기 때문이다. 1646년에 그의 고향은 이미 청나라에 복속하게 되었고, 그의 맏형 송응승은 독을 마시고 자결하고 말았던 것이다. 그 후 그는 절개를 지켜 청나라의 벼슬을 하지 않은 채 가난 속에서 일생을 마친 것으로 밝혀져 있다. 송응성은 아들 둘을 두었으나 이들에게 과거를 보지 말고, 관직에 나가지 말 것을 유언했다. 그 유언에 따라 그의 후손들은 19세기까지 청나라의 관직에 나가지 않고 가난 속에서 농사를 짓고 독서를 하며 살았던 것으로 밝혀져 있다.

철학 서적《논기》등 10여 권 저술

송응성은 평생에 적어도 10여 가지 책을 남긴 것으로 알려져 있다. 그 가운데 지금 전해지는 책으로는《천공개물》이외에도 몇 가지가 더 알려져 있는데, 정치·경제 등 시사 문제를 다룬 글을 모은 책으로《야의(野議)》가 있고 시집으로는《사련시(思憐詩)》가 있다. 또《논기(論氣)》는《천공개물》이 출간된 것과 같은 해인 1637년에 완성된 것으로 되어 있는데 자연철학을 내용으로 하고 있다.

송나라 때의 유명한 철학자 장재(張載, 1020~1077)의 주기론(主氣論) 또는 유물론적 태도를 계승하고 있다고 해석된다. 그에 의하면 세상의 근원적 물질은 기(氣)이고, 기로부터 수화(水火) 두 가지가 생긴다. 그리고 다시 거기서 토(土)가 생기게 되며, 수화는 토를 거쳐 금목(金木)을 낳게 된다는 것이다. 그러니까 5행의 5가지 근원적 물질을 그는 먼저 수화로 나누고, 그것에 부차적으로 토를 더한 다음 그것들로부터 마지막으로 금목이 생긴다고 본 셈이다. '수화→토→금목'의 과정을 주장하고 있었던 셈이다. 5행이 서로 똑같은 원소가 아니라 계층적으로 생겨나고 있음을 알 수 있다. 이 책에는 또한 '기성편(氣聲篇)'이 있는데 소리의 속도와 크기 등에 관한 생각을 담고 있다.

역시 같은 해에 낸 《담천(談天)》이란 책도 전해지고 있는데, 천문학에 대한 송응성의 사상을 엿볼 수 있다. 여기서 그는 특히 당시 사람들이 널리 인정하고 있던 재이(災異)사상을 반대하고 있다. 즉 일식이나 월식 따위는 단순한 자연현상일 뿐이지 인간의 잘잘못과는 아무 상관도 없다고 쓰고 있는 것이다. 이 문제에 대해서는 송나라 때의 대표적 사상가 주자(주희)도 정치 지배자가 마음을 잘 닦고 정치를 잘하면 일어나려던 일식이 일어나지 않을 수도 있다고 말한 바가 있다. 이에 대해 송응성은 그럴 이치가 없다고 반대하고 나선 셈이다. 정치를 잘한다고 일어날 일식이 일어나지 않게 되는 일은 없다는 것이다.

물론 송응성을 유명하게 해준 그의 대표작은 《천공개물》이다. 이 책은 중국 전통 기술의 모든 분야를 설명하고 있어서 이미 오래 전부터 세계적 주목을 받은 바 있다. 앞에도 간단히 말한 것처럼 이 책은 1771년 일본에서 따로 간행된 일도 있는데, 이것이 지금까지 밝혀진 첫 외국판 《천공개물》이 된다. 우리나라에서는 실학자로 유명한 연암 박지원(朴趾源, 1737~1805)은 중국 기행문 《열하일기》에서 《천공개물》 책에 대해 말하고 있다. 그가 중국을 방문한 것이 1780년의 일이니까, 이때 그가《천공개물》을 읽었을 것이라고 생각된다.

　그 다음으로는 농학자로 유명한 서유구(徐有榘, 1764~1845)가 이 책을 잘 활용했다는 사실을 알 수가 있다. 또 19세기의 유명한 학자 이규경 (李圭景, 1788~1862?)은《오주서종박물고변》이라는 책을 쓰면서 이 책을 참고했다고 기록하고 있다. 또 그의 대작《오주연문장전산고》에는 약 2000가지 기사가 있는데, 그 가운데 여러 곳에서 이 책의 내용을 인용하고 있다. 우리나라에서도 이 책은 널리 읽혀진 것이 분명하지만 이 책을 따로 출판했던지는 아직 밝혀져 있지 않다.

　《천공개물》의 내용은 19세기부터는 부분적으로 서양 사람들에게도 알려져서 주목을 받기 시작하여, 유럽 여러 나라에서 그 내용의 일부가 소개되기 시작했다. 단청, 합금에서 양잠술까지 영어, 프랑스어, 독일어, 러시아어 등으로 옮겨지기 시작하여 지금은 영어, 일본어로 전권이 번역된 바 있고 이제 한국어로도 전체가 번역되기에 이른 셈이다.

금속·무기·기술 등 18권으로 발행

이 책은 3부로 구성되어 있는데 1부 6권, 2부 7권, 3부 5권으로 모두 18권이다. 1부를 구성하는 내용은 곡물, 의복, 염색, 곡물의 손질, 소금, 설탕 등이다. 수리 시설이나 비료 등은 이 가운데 1권에 들어 있고, 설탕을 설명한 6권에는 물론 꿀이나 엿에 관한 설명도 들어 있다. 2부에는 기와, 벽돌, 옹기, 백자, 청자 등을 설명하는 7권을 시작으로 거울, 화포, 동전, 솥, 종 등을 제조하는 기술을 소개한 8권, 배와 수레를 다룬 9권, 쇠의 제련에서 여러 철제기구 만드는 과정을 설명한 10권,

그리고 석회, 석탄, 황, 반석을 설명하는 11권, 또 기름짜기와 종이에 대한 내용이 각각 12, 13권에 있다.

3부는 5권으로 구성되었는데 금, 은, 구리, 쇠, 주석, 납 등의 금속기술을 설명한 부분(14권)이 있고 이어서 무기 기술(15권), 먹과 인주(16권), 술 빚기(17권), 진주와 옥 등의 보석(18권)에 관한 기술이 있다.

송응성이 이 책을 쓴 것은 아마 1600년대 초의 일일 것이다. 1637년에 출판되었으니까 그보다 여러 해 전에는 이미 완성되어 있었다고 생각되기 때문이다. 여하튼 이 시기는 중국에 이미 서양 선교사들이 들어와 활동하면서 서양의 과학기술을 중국에 소개하는 데 열성이던 시절이었다. 그럼에도 불구하고 송응성은 《천공개물》에 서양 기술 소개는 거의 하지 않고 있다. 8권과 15권에 서양식 화포기술에 관한 내용이 조금씩 보일 뿐이다.

'천공개물'이란 표현은 어떤 뜻이라 할 수 있을까? 천공(天工)이란 인공의 반대말쯤으로도 볼 수 있다. 즉 자연의 힘으로 이룩하는 것을 가리킨다. 개물(開物)이란 말은 개물성무(開物成務)의 준말로 볼 수 있는데, 자연물을 이용하여 인간에게 필요한 것을 만들고 성취하는 일을 가리킨다. 그러니까 '개물'이란 말은 지금의 '기술'에 해당하는 말로도 볼 수 있다. 좀 확대 해석한다면 '자연에 순응하는 기술', 즉 오늘 우리가 즐겨 말하는 '녹색 기술(Green Technology)'을 암시하고 있다고도 할 만하다.

진화론의 창시자 영국의
찰스 다윈
Charles Darwin 1809~1882

요즘은 '과학의 날'을 4월 21일로 기념한다. 하지만 80여 년 전에는 '과학데이'가 4월 19일이었다. 당시 과학 없이는 민족의 장래는 없다고 걱정한 식민지 조선의 지식인들이 과학대중화운동을 열심히 벌였는데 그때 김용관(金容瓘, 1897~1967)이 주동해서 1934년 첫 '과학데이' 행사를 4월 19일에 열었던 것이다. 1930년대 '과학의 날'이 4월 19일이었던 것은 그 날이 바로 찰스 로버트 다윈(Charles Robert Darwin, 1809~1882)이 죽은 날이었기 때문이다.

지금도 '생존경쟁(生存競爭)'이란 말은 자주 쓰이고 있지만 1930년대 지식인들에게는 '생존경쟁', '적자생존'이란 말은 바로 세상의 이치를 가장 잘 설명하는 말로 여겨졌고 나라를 잃은 까닭도 바로 국제간의 생존경쟁에서 우리가 나라를 지키지 못했기 때문이라는 자책이 강했다. 약육강식(弱肉强食)의 이치란 바로 과학자 다윈이 발견한 과학적 진리라 여겨졌고 그래서 '과학데이'를 정할 때 당시 지식층은 그의 죽은 50주년을 기념하여 4월 19일로 정했던 것이다.

진화론을 제창한 영국의 과학자 다윈을 모를 사람은 없다. '생존경쟁', '적자생존', '자연도태', '약육강식' 등은 바로 오늘날까지도 우리들 귓가에 맴돌고 있을 정도로 유명한 말인데 이 말들은 말하자면 다윈의 진화론 때문에 퍼지게 된 표현이다.

대학교 졸업 후 5년간 해양탐사

그런데 이렇게나 유명한 세계적 과학자 다윈이 사실은 평생 한번도 직장을 가져보지 못했다는 사실을 아는 사람은 드물다. 아마 많은 사람들은 그가 영국 유수대학의 교수라도 되는 걸로 생각하고 있을지 모른다. 그는 겨우 대학을 졸업했지만 케임브리지대학교의 신학 학위를 받았을 뿐 자연과학으로 학위를 받은 것도 아니었다.

그는 대학졸업 직후 5년 동안 배를 타고 세상을 돌아다녔다. 다윈은 귀국하여 잠깐 학술활동을 하는 듯했지만 곧 런던 근처의 다운이란 곳에서 평생을 은둔하다시피 살았다. 그의 할아버지와 아버지가 모두 의사로서 제법 살림을 잘 일궈 놓았기 때문에 다윈은 평생 돈벌이 없이도 편하게 살 수 있었다. 그런데 그가 그렇게 살 수밖에 없었던 데 대해서 이제까지는 막연히 그가 5년 동안의 여행에서 만성질환에 걸렸다는 정도로 짐작만 했을 뿐이지 정확히 그 원인이 어디 있었는지는 밝혀져 있지 않았다. 그런데 그 까닭이 실제로 그가 중한 열대질병에 걸렸던 때문이었음이 최근 밝혀지기도 했다

대학시절에 다윈에게 좋은 기회를 제공해준 사람은 식물학 강사였던 존 헨슬로였다. 헨슬로는 22살의 찰스에게 영국 해군의 해양탐사선 비글호의 선장 휘츠로이를 소개했던 것이다. 휘츠로이 선장은 청년 다윈에게 박물학자로 자기 배를 타고 몇 년 동안 남아메리카 해안 등을 조사하러 가자

《비글호 항해기》

고 권했다. 1831년 겨울 그는 아버지의 반대를 극복하고 결국 이 항해에 동참하게 되었고 그 항해는 예정보다 길어져 5년 동안이나 그를 바다에 머물게 했다.

그 항해는 결국 다윈에게서 건강을 앗아갔지만 또한 그만큼 값진 여행이었다. 그가 이 여행에서 관찰한 경험은 뒷날 두꺼운 한 권의 책으로 출판되었고 우리나라에서도 그 번역판이 나왔다.《찰스 다윈의 비글호 항해기》가 그것이다. 원래《비글호 항해기(The Voyage of the Beagle)》는 다윈이 그의 항해에서 돌아온 직후부터 몇 가지 모양으로 출판되었지만 1845년에 보다 완전한 모양으로 나왔고 그것이 다시 1880년 수정 간행되었다.

항해에서 건강을 해친 다윈은 귀국하자 바로 은퇴하여 평생을 연구와 집필로 보냈다. 1839년 1월 외사촌 누이 엠마 웨지우드와 결혼하여 자녀 열 명을 낳았고 73세까지 장수했지만 실제로 그의 건강은 아주 나빴

던 것이다. 다윈의 학문 활동은 이런 은둔생활 속에서 계속되었다.

《종의 기원》출판 진화론 제창

이런 악조건 속에서 공부를 계속한 그는 1859년《종의 기원》을 출판하여 진화론의 창시자로 꼽히게 된 것이다. 다윈의 진화론이 우리나라에 처음 알려진 것은 언제부터일까? 나의 조사로는 지금부터 1884년 2월 11일《한성순보》의 기사에서 처음 그의 이름과 진화론이 보인다. 그때는 이름도 달라서 다윈은 '달이온(達爾溫)'으로 표기하고 진화론은 '순화설(醇化設)'이라 이름 지어져 있다.《한성순보》는 1883년 시작되었던 우리나라 최초의 근대 신문이고 순한문체였다. 그리고 여기 실린 기사는 대부분이 당시 중국의 신문, 잡지에서 그대로 옮겨 실은 것이었으니 이 기사도 그 가운데 하나일 것이다.

이 기사에는 서양에서의 과학 발달 과정을 소개하고 있는데 특히 마지막에 나오는 다윈의 진화론에 대해서는 아주 자세하다. 린네의 생물 분류, 라마르크의 용불용설 등을 소개한 다음 다윈이 생물의 종류가 생겨나는 이치를 세상을 돌아다니며 조사 연구한 끝에 다음과 같은 결론을 얻었다고 소개하고 있다. 그것은 생물은 살고 있는 환경, 짝짓기, 그리고 강약에 따라 그 종류의 생존이 결정된다는 것이다. 이어 1859년 다윈은《종의 기원》을 지어 자기주장을 폈고 이 책은 나라들마다 다투어 번역했다고도 소개하고 있다.

그런데 다윈의 책 이름도 지금처럼《종의 기원》이 아니라 사물의 종류를 그 근원을 찾아 설명한다는 뜻인《물류추원(物類推原)》이라 되어 있다. 이렇게 중국에서 소개된 내용을 중심으로 국내에 처음 다윈의 진화론이 들어왔지만 실제로 그 내용이 지식인들의 관심으로 떠오른 것은 20세기로 들어온 다음의 일이었다. 1900년대 초에는 많은 사람들이 '생존경쟁'을 말하기 시작했는데 1908년 《태극학보》에 실린 장응진(張鷹震)의 글은 제목에 〈진화학상(進化學上) 생존경쟁의 법칙〉이라 하여 생존경쟁이란 말을 담고 있다.

《종의 기원》 발표 후 다윈을 풍자한 그림

　다윈이 생존경쟁을 내세운 것은 이 세상에 새로운 생명의 종이 생겨나는 이치를 설명하기 위해서였다. 즉 이 세상 생물들은 같은 종 사이에서도 언제나 먹을 것이 모자라기 때문에 살아남기 위한 경쟁이 치열하다. 그 경쟁에서 조금이라도 알맞은 특성을 가진 놈은 살아남지만 그렇지 못한 놈은 도태당할 수밖에 없다. 이렇게 자연은 생물의 종을 아주 조금씩 바꿔주기 때문에 이 세상에는 아주 오랜 시간 속에 새로운 종류의 생명이 태어날 수가 있는 것이다.

　그전까지 사람들은 이 세상에 존재하는 생명의 종류는 하느님이 만들어준 그대로라고 생각해왔다. 하지만 다윈의 이런 이론이 나온 다음부터 사람들은 이 세상에 이렇게도 여러 가지 종류의 생물이 살게된 이치는 지구의 오랜 역사 속에서 자연의 법칙이 그렇게 작용했기 때문이라고 믿게 되었다.

《비글호 항해기》 번역 출간

이미 뉴턴에 의해 우주가 신의 섭리로 움직이는 것이 아니라 만유인력에 의해 저절로 움직이는 거대한 시계장치와도 같음이 드러났고 이제 다윈에 의해 생물도 신의 조작으로 만들어지는 것이 아니라 자연의 놀랍고도 무서운 힘에 의해 진화하고 있음이 밝혀졌다. 무생물계나 생물계나 이 세상의 모든 존재는 자연을 지배하는 법칙에 따라 움직일 따름이지 신의 존재란 아무 의미도 없어 보이게 되었다. 그러나 요즘도 학계에는 진화론에 반대하여 창조론을 주장하는 사람들이 있기도 하다.

다윈에 대해서 우리나라에는 아직 연구랄 것은 별로 없다. 《종의 기원》이 몇 차례 번역되었고 그의 생애와 업적을 정리한 학술적인 책은 생물학자 박상윤의 《찰스 다윈》이 있다. 또 그의 《비글호 항해기》는 1993년에야 처음 번역되어 나왔을 뿐이다.

서양 농업 도입한 일본의
근대 농학자 쓰다 센

津田仙 1837~1908

우리 역사에서 가장 먼저 근대식 농업기술이 들어온 경우로는 안종수(安宗洙, 1859~1895)의 《농정신편(農政新編)》(1885)을 들 수 있다. 이 책은 당시 우리나라에서 가장 중요하게 여겨졌던 개화에 꼭 필요한 책 몇 가지 가운데 하나로 여겨졌을 정도였다. 당연히 이 책은 1885년 이후에도 두어 차례 인쇄되어 보급되었다.

그런데 우리 역사에 이렇게 중요한 책은 바로 일본의 근대 농학자 쓰다 센[津田仙, 1837~1908]의 농업기술을 기초로 한 것이었다. 안종수는 1881년 2월 신사유람단의 수행원이 되어 일본에 갔고, 일본에 있는 동안 쓰다 센을 만나 그로부터 서양식 농업기술에 대해 듣고, 또 그의 책 《농업삼사(農業三事)》도 얻었던 것으로 보인다. 아직 그가 어떻게 쓰다 센을 만났고, 어떤 접촉을 했는지는 밝힐 수 없지만 22세의 안종수에 게 44세의 쓰다 센이 대단한 인물로 보였을 것만은 분명하다.

31세 때 통역으로 미국 방문

쓰다 센은 메이지시대 일본 개화의 주역이 거의 다 그렇듯이 사무라이 집안 출신으로 지금의 도쿄에서 그리 멀지 않은 곳인 사쿠라[佐倉]에서 태어났다. 다른 집에 양자로 들어가는 바람에 어릴 때 이름이 바뀌어 쓰다 센이 되었지만, 원래 성은 고지마[小島]였다. 1860년 도쿄(당시는 에도[江戶])로 돌아와 이듬해 쓰다 다이타로[津田大太郎]의 데릴사위가 되었고, 그해 말에 그 딸과 결혼했다. 당시 그의 나이 25세였다. 결혼을 하면서 그의 성도 쓰다가 되어 쓰다 센이 그의 마지막 이름이 되었다.

쓰다 센이 서양식 농업기술에 관심을 갖게 된 것은 일본의 근대화 과정에서 자연스럽게 일어났다. 원래 1853년 일본에는 미국 해군 제독 페리가 들어와 개국을 요구했다. 서쪽 규슈 지방에서는 오랫동안 네덜란드 사람들이 들어와 무역을 하고는 있었지만, 일본의 중앙정부에 대포를 들이대고 개국을 요구한 것은 이것이 처음이다. 일본은 미국에 대항하기 위해 근처의 영주들을 동원해 바다를 지키게 했고, 그 임무를 띠고 대포대(大砲隊)에 배치되었던 17세 소년병의 하나가 쓰다 센이었다. 그는 거기서 미국의 기술이 훨씬 앞서고 있음에 주목하게 되었다. 그리고 서양을 배워야겠다고 결심하고 그러기 위해서는 서양말을 배우기로 마음먹었다. 이미 일본에서 서양에 대한 연구가 난학(蘭學)을 통해 이뤄지고 있음을 알게 된 그는 우전 난학, 즉 네덜란드 학문을 배우기로 결심했다.

1856년에 시작한 네덜란드어 공부에 이어 그는 바로 영어 공부로 그의 관심을 돌렸다. 영국과 미국이 더 중요한 것을 알기 시작했던 까닭이다. 그리고 10년 공부 끝에 1867년에는 막부(幕府)의 선박 구매 사무 담당자가 미국을 갈 때 그는 통역으로 동행할 수 있게 되었다. 그의 나이 31세였다.

이 미국행은 큰 영향을 주었으니, 10년이나 영어를 공부하기는 했으나 처음으로 미국 사회를 직접 목격하게 된 것이었다. 특히 그가 놀란 것은 남녀가 사이좋게 또 평등하게 즐기는 모습이었다. 그는 서양의 우수함에 놀라 서양을 따르지 않을 수 없다고 결심했고, 그의 결심을 '좀마게'[1]를 자르는 것으로 나타냈다. 말하자면 상투를 스스로 자른 셈이었다. 아내에게 보낸 편지에는 머리를 다루기 곤란하여 잘라버렸다고 써 보냈다. 반 년만에 귀국한 그를 본 동네 사람들은 "사무라이가 상투를 자르고 나타나다니, 머리가 어떻게 된 것 아니냐?"면서 그의 아내가 불쌍하다고 말하고 있었다. 그 후 정부가 상투를 자르고 칼을 차지 못하게 명한 것은 1871년의 일이었다.

서양 채소 재배 국산화

개국과 함께 그때까지 정치를 맡았던 도쿠가와(德川) 막부가 물러나고 새 정부가 들어섰다. 당연히 구정권 아래 막부에서 일하던 사람들은 일자리를 잃었다. 쓰다 센 역시 새로 일을 찾게 되었으니, 그것이 츠키지(築地)의 호텔이었다. 지금 도쿄의 한 지역인 이곳에는 마침 외국인

거류지가 조성되고 있었는데, 그 가운데에는 서양식 호텔도 있었다. 미국인 설계로 시작된 이 호텔은 3층짜리로 1867년 7월 건축하기 시작하여 이듬해 8월 완성되었다. 당시 세계적으로도 훌륭한 건물로 이름날 정도였다. 객실 103개가 바다에 면하여 외국 배의 출입을 눈으로 감상할 수 있는 호텔이었다. 1869년 33살에 여기서 근무하기 시작한 쓰다 센은 외국인은 끼니 때마다 꼭 신선한 야채를 먹는데 이를 수입하고 있다는 사실에 주목하여 서양 채소를 국산화해보기로 결심했다.

당시 에도에서 할 일이 없어진 사무라이들은 고향으로 돌아가거나 다른 직장을 찾아야 했는데, 그 결과 많은 땅이 헐값에 나오는 시절이었다. 그는 1871년 호텔을 그만두고 근처에 농장을 마련하여 특히 서양 채소 재배에 노력했다. 아스파라거스를 기르는 일은 쉽지 않아서 미국 대사관에 가서 백과사전을 뒤져 공부한 끝에 성공했다고 알려져 있기도 하다. 또 사과와 딸기도 재배했는데, 특히 딸기는 일본 사람들이 잘 먹지 않던 시절임에도 불구하고 딸기 보급에 성공했다. 그는 자기 농장에 많은 사람들을 초대하여 딸기 철에는 딸기 파티를 했다.

이렇게 농업계에 이름이 알려지고 영어를 할 수 있었던 까닭에 1873년 1월 3일 프랑스 선박을 타고 요코하마(橫浜) 항구를 출발, 90일 만에 비엔나에 도착하여 일본 대표의 한 사람으로 만국박람회에 참가했다. 여기서 그는 네덜란드의 원예가 다니엘 호이프랭크의 강의를 듣게 되었다. 크게 감동한 그는 자료를 얻고 이를 중심으로 《농업삼사》를 지었고, 그 책이 다시 안종수의 《농정신편》을 통해 조선에 들어온 셈이다. 특히 그는 세 가지 새로운 농사 방법을 보급하기에 힘썼다. 첫째, 공기 파이프를 땅속 깊이 박아서 공기가 토양 속으로 통하게 하는 방법이다. 이렇게 하면 비료 효과도 높고 깊게 갈아 엎어야 하는 밭갈이 수고도 덜 수 있다. 둘째, 가지를 굽혀주어 영양분이 줄기로 몰리고, 꽃과 열매로 몰리도록 하는 것이다. 셋째, 인공수정 등으로 열매가 잘 생기고 빨리 성장하여 수확할 수 있도록 하는 것이다.

아직 서양 농업기술을 소개한 책이 없던 때여서 그의 농사법은 많은 주목을 받게 되었다. 그는 새 농사법을 보급하기 위해 1875년 '쓰다줄 [津田繩]'이란 것을 고안해냈다. 줄에 털을 붙이고 거기 꿀을 바른 다음 이것을 벼나 보리 꽃이 필 때 그 위를 훑어 주면 꽃가루가 날아가는 것을 막고 열매 맺는 것을 돕는 기구였다. 처음 생산이 달릴 정도로 인기 높게 팔려나갔다. 심지어 메이지 천황은 1877년에 왕궁으로 그를 불러 보고 그 실험을 구경할 정도였다. 하지만 1881년에는 이미 그 효과에 의문을 제기하는 사람이 나타났고 시들해져서 사라지고 말았다.

일본 최초로 농학교 개설

일본에서는 또 그가 미국에 감을 보급한 공헌자로도 친다. '쓰다의 감 [津田柿]'이란 말이 있었는데, 감을 미국에서는 하등 과일로 친다는 말을 듣고 그의 딸을 미국에 유학보낼 때 유명한 일본 감을 보내 보급했다는 일화에서 유래한다. 그의 둘째 딸(梅子)은 겨우 8살의 나이에 미국에 유학하여 뒤에 쓰다 센의 이름을 기념하는 쓰다주쿠대학[津田塾大學]의 창시자가 된다. 그의 딸 이전에도 쓰다 센은 농업 교육에 진력하여 1875년 7월 동지를 모아 이듬해 1월 자신의 집에서 농학사농학교 (學農社農學校)를 시작했다. 일본의 첫 농학교로는 보통 클라크의 삿보

로농학교를 치지만, 사실은 그보다 1년 정도 앞서서 이미 쓰다 센이 농학교를 시작한 셈이다. 또 당시에는 이 농학교를 '일본 4대 사립학교'로 치기도 했다.

이 학교에서는 외국의 농업에 대해서도 가르치고 수학도 교육했다. 농업 실습이 필수과목이었으며 훌륭한 농사꾼은 마음도 바르지 않으면 안 된다면서 기독교를 기초로 하여 학교에는 정식으로 기도 시간도 있고 선교사를 초빙하여 설교를 듣기도 했다. 또 농업전문의 《농업잡지(農業雜誌)》를 시작했다. "농업이야말로 가장 건전하고 가장 존귀하며 가장 유익한 직업"이라고 그는 말하고 있었다. 이 잡지는 1902년 800호까지 발행되었다. 그러나 일본 농업의 근대화란 그의 개인 사업으로는 아주 벅찬 일이었다. 그런 가운데 정부가 관립농학교(뒤의 도쿄대학교 농학부)를 시작하자, 1883년 그는 자기가 시작한 농학교를 해산하고 말았다. 그러나 그가 죽기 전해(1907)까지 잡지는 계속되었다.

앞에서도 말한 것처럼 그는 기독교도로서도 일본 역사에 선구자였다. 1875년 1월 3일 부부가 기독교도가 되기로 서약하여 일본의 첫 감리교 교도가 되었다. 미국 여행에서 받은 감명이 그 기초가 되었던 셈이다. 또 기독교 선교사들과 함께 교육운동에 여러 가지로 힘썼던 까닭에 쓰다 센의 이름은 오늘날 몇개 학교에 창립자로 꼽히고 있기도 하다. 도쿄의 아오야마(靑山)학원과 쓰쿠바대학 부설 맹(盲)학교 등이 여기 속한다. 원래 술을 굉장히 좋아했던 그였지만, 역시 기독교와 함께 술의 해독에 대해 주목하여 술을 끊고 평생 금주운동을 벌이기도 했다. 또 광산의 독(毒) 문제에 대한 사회운동에도 가담한 일이 있다.

나이 60세를 넘기면서 그는 당뇨와 신경통 등으로 건강이 나빠졌고,

63세에는 가마쿠라[鎌倉]로 이주해 매일 아침 1시간 정도 뒷산을 산보하고 건강에 조심하여 그런대로 건강한 편이었다. 그러나 1908년 4월 23일 도쿄의 딸 부부 집에서는 친척들의 모임이 있었고, 여기서 하루를 즐긴 그는 이튿날 오후 집으로 돌아가던 기차 속에서 세상으로 떠났다. 급성뇌일혈로 72세의 쓰다 센은 24일 오후 5시쯤 아무도 모르게 조용히 숨을 거둔 것이다. 쓰다 센은 1883년 6월 한국을 다녀간 일도 있는 것으로 김윤식의 《음청사(陰晴史)》에 적혀 있다. 아마 안종수와 만나 그의 《농정신편》에 대해 자문을 해주었을 것으로 짐작이 된다. 하지만 아직 이 부분에 대해 나는 연구해보지 못하고 있다.

---

1 좀마게: 우리나라의 상투에 해당하는 일본의 옛날 머리 모양

일본 근대 과학의 스승
미국의 동물학자 에드워드 모스
Edward Morse 1838~1925

'유길준과 개화의 꿈'이라는 전람회가 열린 일이 있다. 1994년 11월 국립중앙박물관에서 열린 전람회에는 미국 피바디박물관에서 여러 가지 전시품이 운반되어 왔는데 그것은 1880년부터 1918년까지 38년 동안 그 박물관 관장이었던 미국의 동물학자 에드워드 실베스터 모스(Edward Sylvester Morse, 1838~1925)가 수집한 것들이다. 그가 19세기 말의 조선 물건들을 수집할 수 있었던 것은 한국의 첫 미국 유학생 유길준(兪吉濬, 1858~1914)과의 인연 때문이었다.

유길준과 깊은 인연

28세 때인 1883년 우리나라 최초의 미국사절단을 따라 미국에 갔던 유길준은 그곳에 주저앉아 한국 최초의 미국 유학생이 되었다. 그 시절의 자료가 미국에서 다시 이 땅에 돌아와 전시되었던 것이다. 그런데 이 전시회의 포스터를 잘 보면 그 가운데 서양 사람의 모습 하나가 보인다. 1883년 첫 미국사절단이 샌프란시스코에 도착했을 때 그들은 조선인 8명에 중국인, 일본인, 미국인 각 1명씩 모두 11명으로 구성된 괴상한 사절단이었다. 당시 전 세계에는 단 1명도 우리말과 영어를 함께 할 수 있는 사람이 없었기 때문이다. 그 사진의 주인공은 그때 미국사절단의 통역이었던 천문학자 퍼시벌 로웰(Percival Lowell, 1855~1918)이다.

유길준보다 한살이 많았던 이 미국 청년은 뒤에 유명한 과학자가 되어 세계 천문학사에 이름을 뚜렷하게 남기고 있다. 미국 동부의 명문 집안 출신인 그는 1878년 하버드대학교를 졸업하고 동양에 흥미를 가지게 되어 일본에 와 있다가 조선사절단의 통역이 된 것이다. 그런데 그가 동양에 흥미를 갖게 되어 일본에 온 것은 바로 일본에서 활동하던 모스 때문이었다. 그는 미국에서 모스의 강연을 듣고 동양에 흥미를 가지게 되어 결국 일본에 와서 일본어를 배우고 있었고, 그 인연으로 조선사절단 일행의 통역 겸 가이드가 되었던 것이다.

그리고 이 모스란 사람이 바로 유길준의 스승이고 유길준이 처음 미국에서 묵었던 집이 그의 집이고, 그의 후원 아래 미국에서 학교를 다녔다. 모스는 일본 역사상 처음으로 도쿄제국대학에서 동물학을 가르친 서양인 교수였다. 1877년 조개 연구를 위해 일본에 왔던 그는 도쿄 제국대학 교수로 초빙되어 2년 동안 일본에 살면서 동물학의 기초를 쌓아준 셈이다. 그는 오히려 일본 고고학의 창시자로도 널리 인정되고 있다. 그것은 그가 처음 일본에 도착하여 요코하마에서 도쿄로 들어가던 중 우연히 열차 창 밖에서 조개껍데기가 쌓인 것을 보고, 그것을 조사하여 원시인들이 남긴 조개무덤임을 확인했기 때문이다. 이것이 일본 고고학의 시작이라 할 수 있는 오모리 패총의 발견 에피소드다.

일본 지식층에 국가지상주의 기틀 제공

바로 이때 서양에서는 다윈의 진화론이 널리 대중적 인기를 끌던 시절이었다. 모스는 일본 역사에서 처음으로 진화론을 소개한 사람으로도 꼽힌다. 특히 그의 강연을 듣고 많은 사람들은 인간 세상이 바로 적자생존의 생존경쟁이 치열한 곳이라고 깊이 느끼게 되었고, 그로부터 일본 지식인들의 경향이 크게 바뀌었기 때문에 그의 진화론 소개는 일본 사상사의 전환점으로 꼽힐 지경이다.

원래 생물학자로 어린 시절부터 동물 채집에 익숙했던 그는 무엇이건 수집하는 데 재주가 많았다. 우연히 일본 도자기에 취미를 갖게 되자 그것을 수집하기 시작해서 1890년쯤에는 일본 도자기에 관한 한 세계에서 가장 훌륭한 수집가였고 또 그 방면의 권위자가 되기도 했다. 지난번 한국에서 전시했던 당시의 조선시대 우리나라 문화재 역시 그가 기회가 있을 때 모은 아주 작은 수집품이었다.

그는 그 후 두 번이나 일본을 찾아왔지만 중국은 잠깐 들린 정도이고 한국에는 전혀 찾아온 적이 없는 듯하다. 모스는 일본에 대해서는 지나치게 편애하는 감정을 가지고 있었지만, 그 반대로 당시의 조선에 대해서는 극히 낮은 평가를 했고 중국에 대해서는 아주 더 형편없는 나라로 취급했다. 아마 그가 조선에 대해서는 중국보다는 좀 나은 편이라 여긴 것도 유길준과의 관계 때문이었던 것으로 보인다. 당시 가장 일찍 서양 문명에 눈떠 이미 발전을 거듭하고 있던 일본이 중국이나 조선에 비해 월등히 문명한 나라로 보였던 것은 당연한 일이었다. 또한 모스는 눈앞의 현상에만 주목하며 일본이 서양과 다른 뛰어난 문명을 가지고 있으며 일본인들의 생활습관이나 전통이 중국과 조선처럼 더럽고 천하지 않다는 등 일본 칭찬으로 입에 침이 마르지 않을 정도였다.

1838년 8월 18일 미국 포틀랜드에서 태어난 모스는 처음에는 철도회사의 제도공이 되었다. 조개와 달팽이 등의 연구에 어려서부터 재능을 발휘했던 모스는 19살 때인 1857년에 이미 《보스턴 박물학회지》에 달팽이 신종에 관한 연구논문을 발표할 정도였다. 이런 과정에서 모스는 하버드대학교의 저명한 생물학자 루이 아가씨의 인정을 받아 1859년부터 그의 조수로 일하게 되었고 그 덕택에 그의 지도를 받으며 하버드대학교의 부설 로렌스과학학교에서 3년 동안 공부했던 것이다.

하지만 그는 정식으로 하버드대학교를 다닌 것은 아니었고 박사학위를 받은 것은 1871년 보드윈대학에서였다. 학위를 받고 1874년까지 대학교수로 일하던 그는 그해 봄 샌프란시스코에서 강연을 하다가 일본에 가면 그가 연구하는 그런 종류 조개가 많다는 말을 듣고 갑자기 일본에 가기로 결심했다

동물학 교과서 《동물학의 첫 교본》 간행

일본에 갈 경비를 마련하기 위해 그는 동물학 교과서를 썼다. 1875년 《동물학의 첫 교본(First Book of Zoology)》이란 이름으로 간행된 이 책은 상당히 좋은 반응을 얻었는데, 1877년에는 독일어판이 나왔고 1888년 에는 《동물학 초보》란 제목으로 일본어판도 나왔다. 그는 그림 그리는 재주가 비상했는데 특히 양손을 동시에 써서 그림을 그릴 줄 알았다. 또 그는 능숙한 강의 솜씨까지 함께 갖고 있어서 학위를 받기 전에는 동물학자들에게 그림을 그려 주고 또 동물학 강의를 해가며 살아갈 수 있을 정도였다. 모스의 이러한 재주는 이 책에서도 충분히 발휘되어 190쪽 밖에 안 되는 이 책에는 그가 직접 그린 삽화가 158장이나 들어 있을 정도이다.

사실 하버드대학교에서 당대 최고의 생물학자로 역사에 기록될 정 도인 루이 아가씨의 지도를 받았다고는 하지만, 거의 학벌이랄 것도 없는 그가 유명한 동물학자가 되고 일본 근대 과학의 개척자가 될 수 있었던 것은 그 나름의 재능이 있었던 때문이고, 그 대표적 재능이 바 로 그의 그림 솜씨였다. 게다가 그는 대중강연에 뛰어나서 당시 발달 하기 시작한 과학을 알기 쉽게 여러 사람에게 설명하는 강연으로 생활 비를 벌어가며 박사학위를 할 수 있었다. 그의 강연은 재미있고 쉬웠 으며 두 손으로 그려내는 그림이 또한 큰 도움이 되었다.

모스가 일본에 왔다는 소식을 듣고 도쿄대학교에서는 그에게 강연 을 청하게 되었는데, 그것도 바로 미국에서 그의 강연을 들은 일이 있 던 도쿄제국대학 경제학과 교수의 간청으로 이뤄진 일이었다. 미국에서 공부할 때 모스의 강연을 들은 일이 있는 그 교수는 모스를 찾아가 도쿄대학교에서 대중강연을 한번 해달라고 부탁했다. 모스는 대학생들이 영어를 알아들을 리가 없고 자기는 일본어를 한마디도 못하니 어떻게 강연을 하겠느냐고 사양했다. 그러자 그 일본인 교수는 도쿄제국대학 학생들은 고등학교에서 이미 영어를 습득하고 대학에 들어오기 때문에 강연을 알아들을 수 있을 정도라며 강연을 강청했고 결국 그 강연은 이뤄졌다.

그리고 바로 그 강연이 높은 평가를 받아 그는 당장 도쿄제국대학 동물생리학 교수로 초빙된 것이다. 또 그의 진화론 강연에 감동하여 당시 초대 도쿄제국대학 총장 가토 히로유키[加藤弘之]는 그때까지 믿고 있던 그의 자유민권론(自由民權論)을 포기하고 국권론(國權論)을 주장하기 시작했다는 사실도 일본 역사에는 유명하다. 모스는 그의 의사와는 관계없이 일본 지식층을 점차 국수주의적이고 국가지상주의로 기울게 하는 중요한 기틀을 제공했다고 할 수 있다.

모스는 2년 계약이 끝난 후 미국으로 돌아가 피바디박물관 관장이 되었고, 그런 상태에서 조선의 유길준을 돌봐주었다. 그는 일본에 근대 과학을 가르쳐준 일본의 선생으로 가장 유명한 인물이다. 하지만 모스는 유길준과의 연관으로, 그리고 일본 지식층의 사상적 전향을 이룩함으로써 일본의 조선 침략을 가속시켜 주었다는 부수적 영향을 끼친 것으로도 기억될만하다. 1925년 12월 20일 죽은 모스가 조선에 대해 어떤 생각을 가졌던가, 또 그와 다른 조선인과의 사이에는 어떤 일이 있었는지 앞으로 연구해볼 만한 남아 있는 과제이다.

한국에서 활동한 과학자

조선에 망원경 전한 포르투갈 선교사
요하네스 로드리게스
Johannes Rodriguez 1561~1633

나라 문을 서양에 열고 본격적으로 서양 문명에 물들기 시작한 것은 한국전쟁이 끝난 1953년 이후의 일이다. 생각해보면 겨우 반세기 만에 우리는 서양의 물결 속을 헤엄치며 살고 있다는 생각이 든다. 그런데 역사책을 보면 우리나라 사람들이 처음으로 서양을 알게 된 것은 1631년 명나라에 사신으로 갔다 돌아온 정두원(鄭斗源, 1581~?)이 서양 문물을 전해오면서부터의 일이라고 적혀 있다. 인조 9년 7월 12일의 《인조실록》을 보면 이렇게 씌어 있다.

진주사(陳奏使) 정두원이 명나라에서 돌아와 천리경(千里鏡)·서포(西砲)·자명종(自鳴鐘)·염초화(焰硝花)·자목화(紫木花) 등 물품을 바쳤다. 천리경은 천문을 관측하고 100리 밖의 적군을 탐지할 수 있다고 했으며, 서포는 화승(火繩)을 쓰지 않고 돌로 때리면 불이 저절로 일어나는데 서양 사람 육약한(陸若漢)이 중국에 와서 두원에게 기증한 것이다. 자명종은 매 시간마다 종이 저절로 울고, 염초화는 곧 염초를 굽는 함토(鹹土)이며, 자목화는 곧 색깔이 붉은 목화이다. …… 이어서 8월 3일 임금은 정두원을 불러 다시 중국 방문 결과에 대해 몇 가지 물었는데, 육약한에 대해 질문하자 정두원은 그가 도를 터득한 사람(得道之人)인 듯하다고 대답했다.

정두원이 중국에서 만나 망원경과 서양식 기계시계(자명종) 등 서양 문물을 처음 얻어온 주인공 '육약한(陸若漢)'은 요하네스 로드리게스 (Johannes Rodriguez, 1561~1633)라는 포르투갈 선교사이다. 조선에 처음으로 망원경 같은 서양 문물을 전함으로써 육약한 또는 로드리게스라는 그의 이름은 우리 과학사에서 잊혀질 수 없는 중요한 인물로 남게 되었다.

고아 선교사로 일본에 파견

로드리게스는 어떤 사람일까? 과연 그는 마테오 리치처럼 중국에서 과학자 겸 선교사로 활동하던 그런 인물이었을까? 그는 포르투갈에서 태어난 고아였다. 고아였기 때문에 천주교 고아원에서 자라 1575년에는 인도로, 그리고 1577년에는 일본에 보내게 되었던 것으로 보인다. 성당의 심부름을 하며 자란 로드리게스가 당시 전 세계에서 활약하고 있던 천주교 선교 단체인 예수회에 가입한 것은 1580년으로 밝혀져 있다. 그는 일본에 온 이후 열심히 일본어를 익혀 당대에는 일본어를 가장 잘하는 외국인이었다고 한다.

서양 사람들이 일본에 도착한 것은 1543년의 일이다. 그들은 그때부터 열심히 일본에 포교도 하고 장사도 벌이기 위해 힘쓰고 있었다. 당연히 일본에는 이미 교육기관도 만들고, 선교와 함께 그 수단으로 포르투갈식 병원도 세웠다. 로드리게스는 그 학교 '콜레지오(colegio)'에서 라틴어, 천문학, 신학 등을 공부하게 되었던 것이다. 로드리게스의 일본어가 얼마나 훌륭했던지 1581년 교황의 사절로서 발리니아노 주교가 일본을 방문했을 때에는 그의 통역으로 일하기도 했다. 특히 그해에 발리니아노 주교가 당시 일본의 지배자 도요토미 히데요시[豊臣秀吉]를 만났을 때 로드리게스가 통역을 맡기도 했다. 1592년 임진왜란을 일으키기 11년 전의 일이었다.

일본어에 능통해 도요토미 히데요시 통역

그리고 그는 1594년 가톨릭의 사제가 되기 위해 마카오에 가서 자격을 얻고 1596년 신부가 되어 일본으로 돌아왔다. 그러나 그가 일본에 돌아왔을 때는 이미 일본에서 포르투갈 선교사들의 자리는 점점 위험하게 변해가고 있었다. 기독교 전파를 일본인들이 점차 위협으로 보기 시작했기 때문이다. 기독교 박해가 시작되어 그가 돌아온 이듬해 1597년 2월 5일에는 나가사키에서 26명의 가톨릭교도가 처형당하는 일이 벌어졌다. 그리고 1614년 1월 27일에는 금교령(禁敎令)을 내려 선교사들의 퇴거 명령이 내려졌다. 이에 대비하여 포르투갈 선교사들은 이미 나가사키에 모여 모두 115명이 마카오로 향했다. 로드리게스는 이렇게 일본에서 추방당하여 마카오로 가게 되었다.

대단히 활동적이던 선교사 로드리게스는 중국에서도 그의 선교 활동에 열성이었다. 중국인과도 열심히 사귀었고 그런 가운데 천주교도였던 손원화(孫元化)를 돕기 위해 산둥성의 등주(登州)로 가게 되었던 것이다. 마침 손원화가 그곳 중국(명나라) 군대를 지휘하는 장군이었기 때문이다. 그런데 그해에는 중국을 방문하는 조선 사신들이 보통 때와 달리 바다 길을 택하여 등주를 통과하게 되었다. 보통은 서울을 출발하여 평양, 의주를 거쳐 만주로 들어간 조선사절단은 육로로 베이징으로 들어가게 되어 있었다. 그러나 마침 만주족의 명나라 침략으로 전쟁이 계속되던 중이어서 정두원 등 사신 일행은 해로를 택하여 중국을 왕복했던 것이다. 정두원이 로드리게스를 만나게 된 것은 이런 우연 때문이기도 하다.

그가 정두원에게 어떤 종류의 서양 물품을 주었는지는 확실하지 않다. 책마다 다른 말을 전하고 있기 때문이다. 《인조실록》에는 몇 가지 물건 밖에 없는 것 같지만 로드리게스는 서양 과학을 소개한 책도 여러 가지 주었던 것으로 보인다. 18세기의 실학자 이익(李瀷, 1681~1763)은 그의 백과사전 같은 문집 《성호사설(星湖僿說)》에 '육약한'이란 항목을 두어 로드리게스에 대해 소개하고 있다. 이익에 의하면 육약한(로드리게스)은 당시 나이가 97세로 신선처럼 생겼다고 소개하고 있다. 대포 기술이 뛰어나 중국을 도왔는데 그가 정두원에게 준 것들은 《치력연기(治曆緣起)》 1권, 《천문략(天文略)》 1권, 《원경설(遠鏡說)》 1권, 《직방외기(職方外紀)》 1권 등의 몇 가지 책을 비롯해 천리경[원경(遠鏡)], 자명종, 조총(鳥銃), 약통(藥筒) 등이 있었다고 기록하고 있다. 이 가운데 천리경이란 100리 밖의 적진을 자세하게 관찰할 수 있는 것이고, 조총은 화승을 쓰지 않고도 발화되며 우리 화포가 2발 쏘는 동안이면 4~5발을 쏠 수 있는 것이었다. 또 홍이포(紅夷砲)는 포탄 크기가 말[斗]'만 한데, 80리(약 30킬로미터)를 쏘아 보낼 수 있다고 한다. 육약한은 이마두(利瑪竇, 마테오 리치)와 같이 온 사람으로 그가 기증한 것들은 없어서는 안 될 것들이지만, 자기가 그동안 볼 수 있었던 것은 《천문략》,《직방외기》등 몇 가지 책이고 그 나머지는 남아 있지 않다고도 쓰고 있다.

우리나라의 사신 정두원과 만나

정두원은 함께 중국에 갔던 역관 이영후(李榮後)에게 로드리게스로부터 천문학을 배워오도록 했고, 이영후는 그에게 편지로 질문을 하여 둥근 지구 위에서 중국이 과연 중심을 차지할 수 있느냐는 등의 질문도 던진 기록이 보인다. 이에 대해 로드리게스는 땅덩이가 둥글기 때문에 어느 나라가 꼭 중앙에 있다고는 할 수 없음을 분명하게 말하고, '나라마다 자기 나라가 세계의 중심(國國可以爲中)'이라 주장할 수 있음을 지적했다. 이런 분명한 설명은 그 후 조선 지식층이 중국 중심적인 사고, 즉 중화사상(中華思想)에서 벗어나는 데 힘이 되었을 것이다.

그의 이름 '육약한'은 우리 역사책 여기저기에 기록된 아주 유명한 존재이다. 하지만 불행하게도 아직도 우리나라에서는 로드리게스에 대해 거의 연구된 일도 알려진 것도 없다. 그에 대해서는 그런대로 일본에서 연구 논문이 여럿 나왔고, 최근에는 그의 일생을 추적한 한 권의 책이 나오기도 했다. 마이클 쿠퍼라는 예수회 신부가 1974년 영어로 썼던 그의 전기는 1991년 일본어로 번역되어 나왔는데, 제목이《통역 로드리게스—일본과 중국에서의 초기 예수회 선교사》로 되어 있다. 일본어로 번역한 제목은 더 흥미롭게《통역 로드리게스—남만(南蠻) 모험자와 대탐험시대의 일본과 중국》이라 되어 있다. 이 책을 쓴 사람은 일본에서 활동하는 예수회 선교사인데, 책의 끝 부분에 아주 조금 그가 조선 왕실에 전해준 서양 문물에 대해 소개하고 있다. 그러면서 그가 내린 논평이 재미있다.

56년을 지낸 일본과 중국의 연대기에 그의 이름은 한 줄도 남아 있지 않지만, 한번 방문한 일도 없는 이 나라(한국)에는 이국 정서가 담긴 물품을 선물했기 때문에 그의 이름이 후세에 전해지고 있다.

어찌 보면 참 역설적인 일이다. 그의 이름은 일본이나 중국에서는 그리 유명하진 않다. 당시 중국과 일본에는 포르투갈, 스페인, 그리고 다른 유럽 국가의 선교사들이 대거 들어와 선교와 교육을 하고 있었기 때문에 서양 문물이 전혀 희귀하지 않았기 때문이다. 그리고 그는 어느 모로 보거나 대단한 학자도 아니고 더구나 과학자도 아니었다. 그런대로 그가 남긴 학술적 업적을 들자면, 그는 일본에 있을 때부터 이미 일본어 학습 책을 쓴 일이 있고, 그것을 발전시켜 마카오에서는《일본소문전(日本小文典)》이란 책을 남겼다. 그리고 죽을 때까지《일본교회사》를 쓰고 있었던 것으로 알려졌다. 한국에 대해서는 이렇다 할 관심도 없었던 것으로 보인다. 그런 그의 이름이 엉뚱하게도 한국 역사에 깊은 흔적을 남긴 것이다.

지금도 여기저기 우리 역사책에는 그의 이름이 나오고 그의 국적을 이탈리아라고 잘못 적은 책도 있고, 또 그를 만나 천문학에 관해 편지를 교환한 역관 이름이 이영후 또는 이영준이라고도 나와 있다. 아직 우리는 그의 이름조차 정확하게 밝히지 못한 채이다.

우리나라 학자로 가장 이 문제를 깊이 있게 연구한 사람은 이용범(李龍範)이었다. 이용범은 원래 만주 등 중국의 변두리 지역 역사 연구로 시작했으나 후에는 과학사에 깊은 관심을 가지고 많은 과학사 연구 업적을 남겼다. 이용범은 1989년 1월 68세로 작고했는데 그보다 4개월 전인 1988년 9월에 낸 그의 책《중세 서양 과학의 조선 전래》는 그의 저서 가운데에도 가장 특이하다. 왜냐하면 그의 전공 때문에 그의 논문은 그야말로 한자 투성이인데, 이 책은 제목부터 내용까지 모두 한글이기 때문이다. 아마 그의 제자들의 충고로 한글판으로 책을 낸 것으로 보인다.

그런데 바로 이 책 속에 30페이지에 걸쳐 〈육약한과 이영후〉라는 제목의 작은 글이 들어 있다. 그 내용의 상당 부분은 이영후가 로드리게스에게 보낸 천문학에 관한 질문 내용, 그리고 그 질문에 대한 로드리게스의 대답을 번역하고, 또 보충 설명을 하는 것으로 되어 있다. 실제로 로드리게스나 이영후가 어떤 사람인지에 대한 연구는 거의 없다. 하지만 이 책에는 로드리게스가 1561년 출생이라고 되어 있으니, 그때 겨우 70세였음을 밝히고 있다. 정두원 등이 그의 나이를 97세라 하여 뒷날 이익 같은 우리나라 학자들도 다 그렇게 쓰고 있는 것은 잘못이라는 점을 지적하고 있다. 또 홍이섭의 《조선과학사》에는 로드리게스를 이탈리아 신부라 했지만, 사실은 포르투갈 출신인 것도 밝혀 놓고 있다. 잘 살펴보면 이용범은 로드리게스에 관한 일본 학자의 논문을 참고

마카오의 성바오로 성당
선교사 양성을 위해 1602년 세워진 건물로 지금은
1835년의 화재로 건물의 전면만 남아 있다. 성당 터에
서 발굴한 유해와 가톨릭 회화 및 조각품은 지하의 '종
교예술박물관'에 보관되어 있다.

하고 있다는 사실을 알 수가 있다.

이용범은 로드리게스가 당시 조선 사신과 이영후를 만나서 별로 성실하게 대답도 하지 않고, 어쩌면 조선 사람들에게 더 권위 있게 보이기 위해 나이도 높여 말했을지 모른다고 의심하고 있다. 여러 가지 상상까지 동원하여 로드리게스와 이영후와의 관계를 설명하고 있는 셈이다. 하지만 막상 이영후인지 아니면 이영준인지는 전혀 상관하지 않고 있고, 로드리게스에 대해서도 그 이상의 조사는 하지 않고 있다. 이번에 일본에 가서 내가 조사한 정도로 우선 로드리게스에 대해서는 훨씬 잘 알 수 있게 된 셈이지만 앞으로 이영후에 대해서도 더 조사를 해야 할 것이다.

로드리게스가 이영후인지 이영준인지를 만난 2년 뒤인 1633년 8월 1일 그는 광둥성에서 세상을 떠나 지금은 '성바오로 성당'에 안치되어 있다. 마카오시 한가운데 언덕에 있는 이 성당은 지금은 다 불타 버리고, 그 앞 벽만이 남아 관광 명소가 되어 있다. 마카오에서 '성바오로 성당'을 관광하는 한국인 누구도 1631년의 로드리게스(육약한)를 연상하지는 못할 것 같다. 혹시 그 옆의 다른 공원에 있는 김대건(金大建, 1821~1846) 신부 동상을 생각할 수는 있을지 몰라도……

---

[1] 말[斗]: 부피의 단위, 약 18리터에 해당한다.

구한말 주한 미국의 외교관
퍼시벌 로웰
Percival Lowell 1855~1916

"지금 화성인이 우주선을 타고 지구를 공격하기 시작했습니다. 여러분 화성인의 침공이 시작되고 있습니다.……"

화성인이 지구를 공격한다는 줄거리로 영국작가 웰즈(H.G. Wells, 1866~1946)의 소설 《우주전쟁》은 1897년의 작품이지만, 그것이 라디오로 방송되자 많은 사람들이 그 박진감 때문에 정말로 화성인이 공격을 시작하는 것으로 오해를 하여 혼란이 일어날 지경이었다고 한다.

화성인의 존재, 과학적으로 주장

화성에 사람은커녕 저등식물조차 살지 못한다는 사실은 1976년 6월과

7월 미국의 화성탐사선 바이킹 1호와 2호에 의해 밝혀졌다. 그런데 어떻게 옛날 사람들은 화성에도 지구인 못지않은 지능을 가진 화성인이 살고 있다고 믿게 되었던 것일까? 이 화성인의 존재를 가장 그럴듯하게 과학적으로 주장하고 나서서 세계의 주목을 받았던 인물 한 사람은 미국의 대표적인 천문학자 퍼시벌 로웰(Percival Lowell, 1855~1916)이었다.

하버드대학교 출신으로 굉장한 부자였던 그는 애리조나의 산속에 사설 천문대를 만들고 1894년 화성의 접근을 계기로 화성 촬영을 계속해 수천 장의 사진을 찍어가며 화성연구에 몰두했다. 그 결과 1895년 《화성》이란 책을 발표했는데, 화성에는 물이 부족하고, 그곳에 살고 있는 지능이 아주 높은 인간이 교묘한 수리시설을 해 놓은 것이 화성의 운하라고 주장한 것이다. 화성에 운하 같은 긴 줄이 얽혀 있는 듯이 보인다는 주장은 전에도 있었고, 퍼시벌 로웰은 이를 근거로 그런 운하를 건설할 만한 화성인이 있을 수밖에 없고, 또 그처럼 정교한 운하가 화성 전체를 둘러싸고 있다면 대단한 지능을 가진 화성인일 수밖에 없다고 주장한 것이다. 화성인 이야기는 그 후 과학소설의 단골메뉴가 되어 오늘에 이어지는 셈이다. 그런데 바로 그 주인공 로웰이 우리 역사와도 밀접하게 관련이 있는 인물이라는 사실을 아는 사람은 많지 않다. 1993년 출간된 민영기, 우종옥, 윤홍식의 《교양천문학》에는 외계의 생명체 문제를 다룬 10장에서 "로웰은 한때 외교관으로 구한말 우리나라 주재 외교관으로도 활동했던 인물이다"라고 씌어 있다. 로웰은 정식 외교관으로 활동했다기보다는 우리나라가 고용했던 최초의 국제통역이었고, 그 자격으로 우리나라를 다녀간 후 한국을 서양에 소개하는 책을 영어로 남기기도 했다.

1883년 보빙사 일행.
앞줄에 민영익, 홍영식이 앉아 있고 뒷줄 가운데에 로웰과 유길준이 서 있다.

최초의 국제통역관

1883년 조선정부는 처음으로 미국에 사절단을 파견했다. 단군 이래 우리나라 사람이 태평양을 건너 미국에 간 것은 이것이 처음이다. 이들은 보빙사(報聘使)라고 알려져 있는데, 1882년 미국과 수호통상조약을 맺은 조선정부가 미국의 외교관 파견에 대한 답례로 이들을 보냈기 때문에 붙여진 이름이다.

　민영익(閔泳翊, 1860~1914)을 특명전권공사라 할 보빙사로 하고, 홍영식(洪英植, 1855~1884)이 부단장, 서광범(徐光範, 1859~1897)이 종사관이었던 이 사절단은 8명의 조선인과 중국인·일본인·미국인 통역 한 명씩이 더해져 모두 11명의 일행이 태평양을 건넜다. 이 가운데 바로 미국인 통역이 퍼시벌 로웰이었다. 그는 사절단이 귀국할 때 다시 조선에 왔다가 돌아갔고, 1885년《조용한 아침의 나라, 조선》이라는 책을 써서 영어로 한국을 소개했다. 이때 수행했던 5명의 조선인들은 유길준(兪吉濬), 현홍택(玄興澤), 최경석(崔景錫), 고영철(高永喆), 변수(邊燧) 등인데 이들 가운데 몇몇은 우리 역사 특히 과학사에 중요한 역할을 담당한 인물로 남게 된다.

1883년 미국에 사절단 파견

미국 보스턴의 명문 출신인 로웰은 1876년 하버드대학교를 졸업하고 일본에 와 있던 중이었다. 1883년 7월 14일 고종에게 작별을 고하고 미국으로 떠난 보빙사와 일행은 8명의 조선인에다가 중국인 통역 한 명이 따라갔을 뿐이었다. 이들은 일본에 들렸다가 미국의 주일공사 존 빙햄(John Bingham)의 추천을 받아 영어 통역으로 로웰을 즉석 채용했던 것이다.

그가 언제 천문학에 열을 올리기 시작했는지 아직 연구하지 못했지만, 아마 그는 1890년 이전부터 이미 화성에 운하가 있다는 학설과 화성인의 존재 가능성에 대한 과학적 관심으로 정열을 불태우기 시작한 것으로 보인다. 아마 조선사절단을 미국에 안내하고 돌아다니는 동안에도 그의 머리 속에서는 끊임없이 화성에 대한 관심이 꿈틀대고 있었을지도 모른다. 이미 1877년 이탈리아의 천문학자 스키아파렐리(Schiaparelli, 1835~1910)는 새로운 화성지도를 발표하여 학계의 인정을 받았을 뿐만 아니라, 그해에 지구에 접근했던 화성의 관측결과를 바탕으로 화성에 운하가 있다고 주장하고 나섰다. 원래 스키아파렐리가 발견했다고 발표한 것은 이탈리아어로 '카날리(canali)'였을 뿐이어서 그것이 꼭 지혜를 가진 우주인이 만든 운하라는 뜻을 나타낸 것은 아니었다. 그러나 그의 이 표현은 영어로 번역도 되고, 또 대중적인 글로 옮겨지는 과정에서 인공적인 운하라는 의미의 영어 'canal'로 확정되고 말았다. 그리고 화성인의 존재를 주장하는 소리가 점차 높아지자 스키아파렐리 자신도 그것을 화성인이 만든 운하라고 해석하기 시작했다. 당시 유명해져 있던 무선전신의 발명자 마르코니는 우주 저쪽에서 알 수 없는 무전신호가 오고 있다고 주장하여 화성인이 무전신호를 보내고 있다는 상상을 불러일으키기도 했다. 사람들은 사하라사막에 유럽 크기의 반만한 거대한 직각삼각형을 그려 '피타고라스의 정리'를 보여줌으로써 화성의 천문학자들에게 지구에도 지혜를 갖춘 인간이 살고 있음을 보여주자고 나서기도 했다. 또 돈 많은 사람들은 화성인과 교신에 성공하는 과학자에게 거대한 상금을 주겠다고 나서는 일도 생겼다. 웰즈가 화성인의 지구 침략을 주제로《우주전쟁》을 쓴 것은 바로 이런 유행에 맞춰 일어난 일이었다.

1894년 로웰천문대 세워

1894년 퍼시벌 로웰이 고도 6500피트인 애리조나주 플래그스태프에 로웰천문대를 세운 것은 바로 화성인을 찾으려는 그의 집념 때문이었다. 그가 '화성의 언덕'이라 불렀다는 이 천문대는 지금도 세계 굴지의 천문대로 남아 있다. 화성 관측이 쉬운 때면 하루 100장 이상의 사진을 찍어가며 화성의 운하와 화성인의 존재를 증명하려고 힘쓴 그의 노력은 당시에는 세계적 화제가 되었지만, 결국 잘못된 생각이었음이 밝혀졌다. 또 명왕성의 존재를 예언하고 그 발견을 위해 죽을 때까지 노력한 천문학자였다. 그러나 그의 천문학자로서의 위상은 이것으로도 별로 보상을 받을 수는 없게 되었다. 그의 끈질긴 노력은 계속됐지만, 명왕성을 찾아 확인하지는 못하고 죽어갔기 때문이다. 하지만 지하에서 그가 위로받을 수 있었다면, 그의 제자로 그의 천문대에서 그 발견을 위해 힘쓰던 다른 천문학자 클라이드 윌리엄 톰보(Clyde William Tombaugh)에 의해 그것이 드디어 발견되었다는 사실이다. 1930년 태양계의 마지막 행성이 발견되자 여기에는 영어로 'Pluto'라는 이름이 주어졌다. 이 별에 이런 이름을 주게 된 것은 그 첫 두 글자(P, l)가 바로 퍼시벌 로웰의 이름 첫 글자들이기 때문이라는 설도 있다.

개화기 우리 역사의 산 증인이었던 퍼시벌 로웰은 당시의 우리나라 인사들과도 깊은 교분을 가지고 있었다. 예를 들면 윤치호(尹致昊) 일기에는 그가 1884년 1월 26일(양력 2월 22일) 최경석, 퍼시벌 로웰, 그리고 다른 몇 사람과 함께 기생 4명을 데리고 화계사에 놀러 갔다는 기록도 보인다. 앞으로 로웰의 역할에 대해서는 많은 연구가 필요할 것으로 보인다. 세계적 천문학자로 보다는 개화기의 조선에서 활약한 그의 모습이 오늘의 우리에게는 더 관심사이기 때문이다.

세계에 한국의 측우기 소개한
일본의 기상학자 와다 유지

和田雄治 1859~1918

한국의 측우기가 중국 사람들에 의해 중국의 발명품으로 둔갑해 소개
되는 일이 종종 있다. 서울대학교 교수 김성삼(金聖三)이 이를 반박하
는 논문을 영어로 발표한 일도 있지만 이러한 노력은 별로 호응을 얻지
못한 듯하다. 더욱 기세 좋게 중국 과학사 책에는 측우기가 중국의 발
명품이라 기록되어 있으며 심지어 《중국기상사(中國氣象史)》라는 책에
는 아예 표지에 한국의 측우기 사진이 그림으로 그려져 있을 정도이다.

중국 책만 읽는 서양의 과학사학자들도 덩달아 측우기를 중국의 것
이라고 쓰고 있다. 도대체 측우기는 언제, 어떻게, 우리나라의 대표적
발명품이 되었을까? 그리고 그것은 어떤 과정을 거쳐 이제는 중국 것
으로 둔갑하게 된 것일까? 중국인들의 주장은 근거 있는 사실인가?

측우기, 세계적 발명품이라 평가

1900년대 초에 한국에서 활약한 일본인 기상학자 와다 유지[和田雄治, 1859~1918]야말로 한국의 측우기를 세계적 발명품이라 평가하기 시작한 장본인이다. 그는 한국에 와서 활동한 대표적인 외국 과학자지만, 그가 일본인이라는 이유 때문에 국내에서는 아직 그에 대한 연구나 설명이 시도된 일이 없다. 1910년 그는 프랑스어로 쓴 논문에서 세종 때 발명된 측우기를 자세하게 소개했다. 오늘날 같으면 영어로 썼을 법도 하지만 당시 그는 프랑스에 유학하여 1년 반 동안 공부한 경력이 있어서 영어보다는 프랑스어를 잘했던 때문이다.

그는 서양에서는 이탈리아의 베네데토 카스텔리(Benedetto Castelli)가 1639년 6월 18일 처음으로 강우량 측정을 위한 원통형 장치를 사용했던 것을 강우량 측정의 처음으로 잡지만, 조선시대에는 1442년 세종 24년에 이미 같은 장치가 제작되어 사용되었음을 소개했다. 아마 이 논문이 서양에 처음으로 한국의 측우기를 소개한 논문일 것이다.

이 논문은 당시 조선총독부 기상관측소의 《학술보문(學術報文)》이라는 학술지에 실려 있는데, 1권이라 밝혀져 있는 것으로 보아 그 잡지의 첫 호였던 모양이다. 그가 여기에 하필 프랑스어로 글을 쓴 것은 외국에 이 사실을 알리기 위한 노력이었음이 분명하다. 와다 유지는 1889년 7월부터 1891년 3월까지 프랑스에 유학하여 기상학을 공부한 일도 있으니, 바로 그런 연고로 그의 논문을 프랑스어로 쓰게 되었을 것이다. 물론 같은 내용이 일본어로도 발표되었다.

《영국기상학회지》에도 게재

실제로 그가 원하던 대로 이 논문 때문에 서양 사람들은 한국의 측우기에 주목하기 시작했다. 예를 들면 그의 불어 논문이 쓰인 이듬해에 《영국왕립기상학회지(Quarterly Journal of the Royal Meteorological Society)》(37권, 1911)는 이 논문을 영어로 번역해 실었고, 측우기 사진도 그대로 실었다. 또 보다 대중적인 과학잡지 《네이쳐(Nature)》역시 1911년 1월 12일자에서 측우기에 대한 기사를 비교적 상세하게 같은 측우기 사진과 함께 실었다. 한국의 측우기가 프랑스어와 영어로 전 세계에 알려지기 시작한 것이다. 이런 자료들은 부산에서 측우기와 해양문제, 그리고 우리나라 옛 지도 등을 열심히 연구해온 한상복이 발굴해서 그의 책 《측우기의 발명과 국가관측망》(1996)에 실어 놓았기 때문에 나도 쉽게 찾아 볼 수가 있었다.

당시 제물포에 있던 조선총독부 측후소(測候所: 기상대의 옛 이름) 소장이었던 와다 유지는 원래 일본 후쿠시마현[福島縣]의 니혼마쓰[二本松]란 곳에서 1859년 9월 4일 태어났다. 1870년 11살의 나이로 도쿄[東京]에 올라온 그는 프랑스어를 공부하기 시작했는데, 메이지유신(1868) 전후 일본에서는 외국어를 공부하는 일이 젊은이들 사이에 대단한 인기였다. 막 서양에 문을 활짝 열어 서양 근대문물을 받아들이는 데 바쁜 시절이었기 때문이다. 1879년 7월 와다 유지는 드디어 도쿄제국대학 물리학과를 졸업하게 되었는데, 도쿄제국대학이 정식으로 생겨난 것은 1877년이니까 도쿄제국대학 탄생 2년 뒤의 일이다. 그는 도쿄제국대학 전신이던 학교의 학생이었고, 자연히 도쿄대학교가 문을 열자 그

제물포관측소(1904)

대학 학생이 되었던 것이다.

그는 졸업과 함께 내무성 지리국 조사과에 근무하게 되었는데, 이를 계기로 점점 기상학에 관심을 두게 되었던 것으로 보인다. 1882년 일본에서 처음으로 일기예보가 시작되자 그는 바로 그 업무 개발을 담당하여 일본 기상학의 개척자 가운데 한 사람이 되었고 1885년에는 예보과장이 되었다. 1889년 휴직과 함께 프랑스 유학을 떠났던 그는 1년 반 뒤에 귀국하여 예보과장 자리로 돌아왔다. 유학 중에도 그는 세계 기상학회에 참가하기도 했고 또 일본의 지진에 대한 조사를 발표하기도 했다. 1893년에는 일본 근해의 해류 조사를 발표하여 일본 해양학의 선구자가 되기도 했다.

1904년 러시아와 일본 사이에 전쟁이 일어나자, 일본은 한국과 만주 일대의 날씨에 대해 관심을 더 갖게 되었고, 그에 맞춰 제물포에 기상관측소를 세우게 된 것이다. 그전에 이미 임시 관측부대를 데리고 종군하고 있던 와다 유지는 1904년 7월 제물포관측소가 정식으로 시작되자 소장에 임명되었다. 그는 일제가 이 땅에 세운 최초의 기상관측소 소장이었던 셈이다. 바로 이때부터 그는 한국의 기상학사 연구에 힘을 쏟기 시작했다. 그리고 그 가장 중요한 공헌이 바로 우리나라의 측우기를 국제사회에 소개한 것이었다고 할 수 있다.

제물포관측소 초대 소장으로

와다 유지는 그 밖에도 첨성대를 외국에 소개하는 데에 상당히 공헌한 것으로 보인다. 1917년에 발표된 그의 논문 〈경주 첨성대의 설(說)〉에는 그가 1909년 4월 21일 처음으로 첨성대에 가게 된 과정이 설명되어 있다. 와다 유지 일행은 부산에서 한국 정부의 순찰함 광제호(光濟號)를 타고 울산을 거쳐 저녁 6시에 연일만(延日灣)에 들어갔다. 당시 일행 중에는 조선통감부 부통감 소네 아라스케[曾彌荒助] 등도 있었는데, 와다 유지는 포항에서 하루를 묵은 다음 이튿날 4월 22일 5리를 말을 타고 드디어 그날 저녁 8시 경주에 도착했다고 기록하고 있다.

이 글에는 일행이 첨성대 앞에서 찍은 사진도 들어 있지만, 그 밖에 첨성대가 어떤 모양으로 사용되었을 것이라는 상상도도 그려져 있어 흥미롭다. 이 그림에 의하면 첨성대의 남쪽 창문까지는 땅에서 층계가 달려 있고, 그 창을 통해 들어간 관측자는 그 안에 세워둔 사다리를 올라가 첨성대 위로 오를 수 있다. 그리고 그 위에는 다시 지붕 달린 간단한 건물을 올려 놓았다. 그 안에 천문 관측 장치가 세워졌다는 것이다.

창문까지 층계가 있다거나 가운데에 사다리가 있었다는 주장, 그리고 그 위에 지붕달린 건조물이 있어서 그 안에서 천문을 관측했다는 그림은 모두 와다 유지의 상상에 지나지 않는다. 그런 층계, 사다리, 건조물이 있었다는 확실한 증거는 하나도 없다. 과학자로서 와다 유지가 이런 과학적인 상상을 한 것은 당연한 일이기도 하다. 하지만 오늘날 학자들은 첨성대의 기능에 대해 아주 여러 가지 가능성을 말하고 있어서 꼭 그의 주장에 동조하지는 않는다. 하지만 1910년대의 첨성대에 대한 초기의 과학적 상상은 지금도 흥미 있는 문제라 할만하다.

그는 또 636년에 유학갔던 신라의 승려 자장(慈藏)이 당나라에서 돌아온 것은 647년 첨성대가 세워지기 5년 전이니, 그가 당나라에서 배운 어떤 모양을 본떠 첨성대를 설계했을 것이라고 말했다. 또 실제로 이를 건설한 기술자는 아비지(阿非知)였을 것이라고도 상상했다. 모두 흥미 있는 가설이기는 하지만 증명하기 어려운 일이다.

일본에도 675년에는 점성대(占星臺)가 세워졌다고 《일본서기(日本書紀)》에 기록되어 있는데, 이것에 대해 와다 유지는 틀림없이 신라의 첨성대를 본떠 만든 것이라고 주장하기도 했다. 또한 한국 역사상의 지진에 대해 상당히 철저하게 문헌조사를 해서 그 분포와 강도 등을 조사한 보고서를 쓰기도 했고, 안개에 대해서도 비슷한 연구를 했다. 또 수표(水標)와 강화도 참성단에 대한 글도 발표했다.

이렇게 한국 기상학사 또는 한국 과학사 연구에 상당한 업적을 남긴 와다 유지는 1913년 그의 모교 도쿄제국대학에서 이학박사 학위를 받았다. 그의 학위논문이 무엇인지 아직 조사하지 못했지만, 아마 한국 과학사를 주제로 했을 가능성도 크다. 박사학위를 받은 지 2년 뒤인 1915년 3월 말일자로 은퇴한 그는 한국을 떠나 도쿄로 돌아가 일본의 임업시험장에서 촉탁으로 일하면서 해양조사 등에 몰두했다.

경국전 제작연대 등 트집

앞에서 말한 바와 같이 한편 측우기가 중국의 것이라고 주장하는 중국 학자들의 주장은 전혀 옳지 않은 것이다. 와다 유지가 이미 1910년에 세계에 소개했던 대로 측우기는 분명히 세계 최초로 세종 때 한국에서 발명되었다. 그런데 중국 사람들이 이를 중국 것이라 주장하는 유일한 이유는 그 사진에 그것을 만든 연대가 "乾隆庚寅五月造(건륭 연간의 경인년 5월에 만들다)"라고 새겨져 있기 때문이다. 건륭(乾隆)은 청나라의 연호이고, 경인년(庚寅年)이라면 1770년이 된다. 그러니까 우리나라의 대표적 측우기 사진에

1770년 제작된 영영측우기
와다 유지가 1910년 2월 《한국관측소학술보문》 1권에 소개한 사진이다.

나타나는 이 글자를 본 중국 학자들은 그것이 당연히 중국에서 만들어진 것이라 판단한 것이다.

와다 유지가 처음 프랑스어로 논문을 썼을 때 사용한 측우기 사진도 바로 그것이고, 똑같은 사진이 그 논문을 번역한 《영국기상학회지》에도 있으며 이를 보도한 《네이처》에도 실렸다. 바로 그 유명한 사진 때문에 그 후 줄곧 중국인들은 그것을 중국의 것이라고 주장했던 것이다. 이 잘못을 고치려면 아주 많은 노력과 시간이 걸리겠지만 그것은 물론 와다 유지의 잘못은 아니다. 비록 식민지시대 쓰라린 경험의 한 부분

이기는 하지만, 일본 기상학자 와다 유지는 우리 측우기를 한때 세계 최초의 것으로 소개하는 데 크게 기여한 공으로 기억되어야 할 것이다.

한국 기상학사의 개척자라 할 수도 있는 와다 유지는 1918년 1월 5일 58세로 세상을 떠났다. 1931년 10월 18일 조선총독부 관측소에서는 그의 동상을 만들어둔 적이 있지만, 아마 그것은 해방과 함께 흔적이 없어진 것으로 보인다.

개화기 교과서《사민필지》의 저자
미국의 호머 헐버트
Homer Hulbert 1863~1949

서울 양화진외국인선교사묘원에는 호머 베잘렐 헬버트(Homer Bezaleel
Hulbert, 1863~1949)가 잠들어 있다. 헬버트는 1949년 8월 우리 정부의
초청을 받고 86세의 고령으로 한국을 다시 찾아왔으나, 노년에 무리한
여행이 되어 위생병원에 입원했다가 안타깝게도 6일 후 작고했고 그
후 이곳에 묻혀 있는 것이다. 미국의 선교사로 대학 졸업과 함께 조선
에 건너왔던 그는 원래 조선 정부가 만든 최초의 왕립 영어학교인 '육
영공원(育英公院)'에서 채용한 교사 3명 중 한 사람으로 이 땅을 밟았다.
그 후 그는 조선 청소년의 교사로 활동했을 뿐 아니라, 그 후에는 한
국 문화에 관심을 가져 영어로 한국을 소개하는 책을 쓰기도 하고, 조
선이 일본의 식민지로 전락하게 되자 이를 막아보려고 백방으로 노력

하기도 했다. 해서 우리 역사는 그를 독립운동의 34인이라고 부르기도 했고, 초대 대통령 이승만이 그를 서울에 초청했던 것도 바로 그런 헐버트의 공로를 칭송하려던 계획에서 였다. 바로 그 초청에 따라 한국에 왔다가 유명을 달리하고 말았지만 그에게는 1950년 건국공로훈장 (독립장)을 추서했다. 돌이켜보면 그는 이 땅의 근대 과학 보급과도 깊은 관련이 있다. 그의 무덤에는 이런 글이 적혀있다.

나는 웨스트민스터사원에 묻히기보다 한국에 묻히기를 원하노라

(I would rather be buried in Korea than in Westminster Abbey)

H.B. 헐버트

1889년 순한글 책으로 펴내

그럴 정도로 헐버트는 많은 한국인에게는 이 나라 이 민족을 사랑한 이방인으로 깊이 새겨져 있는 셈이다. 그가 한국의 근대 과학사에 이름을 남길 수 있는 것은 주로 그가 지은 개화기의 교과서 《사민필지(四民必知)》 때문이다. 원래는 《ᄉᆞ민필지》라는 옛 한글투로 1889년에 처음 나온 순한글 책이다.

그러나 곧 이 책은 한문으로 번역되어 한문판이 더 널리 사용되었던 것으로 보인다. 1895년(고종 32)에 학부(學部: 당시의 교육부)에서 백남규(白南奎), 이명상(李明翔) 등에게 명하여 한문판을 내게 했는데 《사민필지》가 바로 그것이다. 한글보다는 한문이 더 읽기 쉬웠던 것이 당시 지식층이었으니 당연한 일이었다. 1895년 한문판이 발간된 이래 1905년

한문판 개정판이 그리고 1909년에 재판이
나왔다. 책이 쓰인 이래 19년 동안 육영공
원뿐만 아니라 이후 설립된 초등학교 수준
의 학교 등에서 교과서로 사용되었다. 우
리나라 사람들의 초등 교육의 기본이 된
셈이다. 이 책은 일제 식민지하인 1911년
까지 사용되었다. 그 후에도 몇차례 더 나
와 개화기 조선의 지식인들을 계몽하는 데
큰 몫을 담당했다.

《사민필지》

사실 《사민필지》는 지리책이지 과학책
은 아니다. 하지만 개화기 초의 조선에는 천문지리에 대한 지식이 원
체 깜깜해서 하늘이 어떻게 생기고, 땅은 또 어떤 것인지 아는 사람이
극히 드물었다. 헐버트의 《사민필지》는 이런 조선의 청소년 또는 식자
층에게 천문지리에 대한 새로운 지식을 전해주는 데 크게 이바지했다.
말하자면 당시의 천문학과 지리학에 대한 지식을 고루 전해준 셈이다.

한글판 《사민필지》는 161쪽으로 한 쪽에 28글자씩 17줄로 구성되어
있다. 한글판은 1장 지구, 2장 유럽주, 3장 아시아주, 4장 아메리카주,
5장 아프리카주로 되어 있다. 2장에서 5장까지의 각 주(洲)를 설명하
는 부분은 지리에 해당하여, 각 주의 대표적인 나라와 그 나라들의 특
징이 설명되어 있다.

각 나라의 위치, 기후, 산물, 인구, 수도, 산업, 군사, 학교, 종교 등이
설명되어 있다. 하지만 과학에 해당하는 부분은 첫 장에 들어 있는데,
태양계와 지구의 모습 등을 설명하고 있다. 당시로서는 아직 땅이 둥

글다는 사실조차 많은 조선인에게는 새로웠다. 지구의 모습을 설명하고, 달의 삭망현상이 일어나는 이치를 해설해준다. 일식과 월식에 대한 과학적 설명도 들어 있다. 그뿐만 아니라 지구상의 기후와 대륙, 그리고 해양과 인종 문제까지 소개하고 있다. 구름, 바람, 서리, 이슬, 천둥과 번개, 그리고 지진과 바닷물의 조석(潮汐) 현상도 설명되어 있다. 지리책이라고 하지만 당시 사람들이 잘 알 수 없었던 지구과학의 지식을 알려주고 있음을 알 수 있다. 이 책 첫머리에는 이런 부분이 보인다.

땅덩이

태허 창명한 즈음에 무수한 별떨기가 있으되 떨기마다 각각 큰 별 하나씩 있어 적은 별들을 거느려 한 떨기를 이루고 적은 별들은 그 큰 별을 돌아 에워 돌아가니 태양이 큰 별이라 …… 여덟 별이 속했으니 하나는 주피터요, 둘은 비너스요, 셋은 새턴이요, 넷은 마스요, 다섯은 이 땅이요, 여섯은 넵춘이요, 일곱은 유레너스요, 여덟은 머큐리요 ……

아직 여러 행성에 해당하는 우리말조차 모른 채 주피터(목성), 비너스(금성), 새턴(토성), 마스(목성), 넵춘(해왕성), 유레너스(명왕성), 머큐리(수성) 등을 영어 그대로 한글로 표현하고 있는 것이 특이하다. 1895년의 한문 번역판은 지은이 이름을 한자로 '흘법(紇法)'이라 표기하고, 김택영(金澤榮) 편찬, 백남규(白南奎) · 이명상(李明翔) 공역으로 밝히고 있다. 2권 1책(27장)인데, 한글판에는 10장의 지도가 수록되어 있는 반면에, 한문판에는 성좌도(星座圖) 및 지구전도, 6대주 각각의 지도가 실려 있지 않다. 유럽(歐羅巴), 아시아(亞細亞), 아메리카(亞美利加), 아프리카

(阿非利加) 등의 한자 표현이 지금 우리들에게는 생소할 정도이다.

특히 나라 이름을 한자로 표기한 경우는 더욱 생소함을 느끼게 된다. 노르웨이(那威), 스웨덴(瑞典), 덴마크(丁抹), 독일(德國), 네덜란드(荷蘭), 벨기에(白耳義), 영국(英吉利), 프랑스(法蘭西), 스페인(西班牙), 포르투갈(葡萄牙), 스위스(瑞西), 이탈리아(意大里), 오스트리아(奧地利亞), 헝가리(凶牙里) 등 유럽 나라들뿐만 아니라 그 밖의 전 세계 여러 나라들이 모두 한자만으로 표기되어 있는 것이다.

영어학교 교사로 우리나라에

헐버트가 조선에 오게 된 것은 당시 최초의 영어학교에서 조선 청소년을 가르치기 위한 것이었다. 1886년(고종 23) 9월 조선에 세운 최초의 신식 학교였다. 조미수호조약이 체결된 다음 해인 1883년 민영익(閔泳翊)을 대표로 하는 이른바 보빙사(報聘使) 일행 9명이 미국을 처음으로 방문한 일이 있다. 이들은 미국의 여러 문물제도를 시찰하고 귀국한 뒤 새로운 개혁에 착수하게 되었는데, 그 하나가 새로운 교육 기관, 즉 육영공원의 설치였다. 이 교육기관에는 처음으로 미국 교사들이 초빙되어 왔는데 이들은 헐버트, 벙커(D. A. Bunker), 길모어(G.W. Gilmore) 등이며, 1886년 9월 23일 개교하게 된다. 그 후 3년 만인 1889년에는 길모어가, 1891년에는 헐버트가 각각 사직하고 1894년에는 벙커마저 사임하고, 육영공원은 설립한 지 8년만인 1894년 폐지되고 말았다.

미국 버몬트 뉴헤이번 출생인 헐버트는 1884년 다트머스대학을 졸업하고 그해 유니언신학교에 들어갔다. 이 신학교를 졸업한 그가 1886년

(고종 23) 조선 정부의 초청을 받고 내한(來韓)하여 육영공원에서 외국어를 가르쳤던 것이다. 이들 미국 교사들은 처음에 미국식 교육을 지향하여 교과목에 과학도 포함시키고 있었다. 말로는 영어를 중심으로 가르친다고 했지만, 이들은 신식 교육기관으로 이를 발전시켜 궁극적으로는 대학을 세우려 했음을 당시 기록은 전해준다. 당시 고관의 아들이나 겨우 입학할 수 있었던 이 귀족학교는 오래가지 않아 흐지부지 사라지고 말았지만, 그래도 여기서 공부를 시작한 사람들이 결국은 개화기에 조선의 개화에 앞장선 지도자가 된 경우가 많다. 이 부분 역시 연구를 깊이 해보아야 할 대목이다.

1905년 을사조약 후 나라를 실제로 일본에 빼앗기게 되자, 고종 임금은 이에 반발하며 세계 열강에 부당한 일본의 침략을 호소하기 위해 1907년에 네덜란드의 헤이그에서 열리는 2차 만국평화회담에 이상설(李相卨), 이준(李儁), 이위종(李瑋鍾) 등과 함께 헐버트를 보내어 조선의 주권 회복을 위해 힘쓰도록 했으나 실패로 끝나고 말았다. 헐버트는 또 조선 독립을 주장하여, 고종의 밀서를 휴대하고 미국에 돌아가 국무장관과 대통령을 면담하려 했으나 이것 역시 실패하고 말았다.

어쩔 수 없이 그는 1908년 미국 매사추세츠 스프링필드에 정착하면서 한국에 관한 글을 썼고, 1919년 3·1운동에는 조선 독립을 지지하는 글을 서재필(徐載弼)이 주관하는 잡지에 발표하기도 했다. 저서에 《한국사(The History of Korea)》(2권), 《대동기년(大東紀年)》(5권), 《한국견문기(The Passing of Korea)》 등이 있어 그가 우리 문화를 영어로 소개하는 데에도 공헌했음을 증언해준다.

'할보(轄甫) 홀법(紇法)'이란 한자 이름도 갖고 있던 헐버트는 1903년

10월 정동에서 열린 국제적 모임에서 결성된 황성기독교청년회의 초대 회장을 맡기도 했다. 서울의 YMCA의 전신이니까 그는 한국 기독청년회 운동의 창시자로도 꼽을 수 있을 것이다.

평양에서 서양 과학 소개한 미국의
칼 루퍼스

Carl Rufus 1876~1946

중국 천문도 연구 논문 가운데 《소주(蘇州) 천문도》라는 제목으로 되어 있는 책이 있다. 24쪽 밖에 되지 않는 아주 작은 책으로 미국의 미시간 대학교 천문학 교수였던 윌 칼 루퍼스(Will Carl Rufus, 1876~1946)가 썼다. 아마 그의 제자로 보이는 중국인 한 사람과 함께 쓴 것으로 보인다. 하지만 루퍼스의 이름은 중국 천문학사보다는 한국 천문학사에 영원히 남을 이름이다. 글을 쓸 때 그는 자신의 첫 이름을 이니셜로 써서 'W. 칼 루퍼스'라고 표기했다. 미국 미시간의 작은 도시 앨비언 출신인 그는 1907년 9월 부인 모드스콰이어와 함께 2살, 3살난 아이를 데리고 한국에 왔다. 평양에 부임한 루퍼스는 그 후 10년 동안 한국에서 기독교 선교에 힘쓰고, 한편으로는 과학 교사로서 조선의 학생들을 가르쳤다.

당시 많은 서양 사람들과는 달리 그는 선교사는 아니었던 것 같다. 선교사보다는 한국 땅에 최초로 서양 과학을 소개하고 가르친 사실로 길이 기억되어야 할 인물이다. 특히 그는 한국 천문학사를 처음으로 연구하여 자그마한 책을 남겼고, 두어 가지 천문학사 논문을 남기기도 했다. 말하자면 루퍼스는 한국 천문학사 연구의 첫 장을 연 과학자라고도 할만하다.

연희전문학교에서 천문학 강의

평양 숭실학교 교사로 과학과 수학을 가르치던 그는 1915년 잠깐 귀국했다 돌아온 것을 빼고는 줄곧 한국에 머물렀던 것으로 보인다. 그리고 미국에서 돌아와서는 곧 새로 생긴 연희전문학교의 교수가 되어 수학과 천문학을 가르치게 되었다. 당시 연희전문학교는 영어로 'Chosen Christian College(조선기독교대학)'이라 했다. 당연히 교수로 활동하는 서양 선교사들이 많았다. 연희전문학교에서 그는 밀러, 베커 등과 함께 과학, 수학을 가르쳤다. 하지만 그의 한국 생활은 그리 오래 가지 못했다. 그는 10년만에 한국을 아주 떠나고 말았다. 게다가 그가 한국을 떠난 것은 꼭 자신의 뜻이었던 것으로는 보이지 않는다. 일본의 압제가 심하여 자신의 교육 목적을 달성하기 불가능하다고 판단하여 한국을 포기하고 떠난 것으로 보이기 때문이다.

한국을 떠나면서 그는 《한국 선교계(Korea Mission Field)》라는 영어 잡지의 편집자(드 캠프 목사)에게 편지를 남겼다. 그 글에서 그는 자신이 조선에서의 과학 교육을 포기하고 귀국하는 이유를 일본의 식민지 교육제도가 과학 시간을 대폭 줄이고 일본어, 도덕, 실업만을 강조하는 바람에 "일본화된 시민을 기를 수 있을지는 모르나, 능동적이고 인격을 갖춘 세계 시민을 기를 수 있기를 기대할 수 없기 때문"이라고 말하고 있다. 1907년부터 꼭 10년 동안 이 땅에 살며 조선의 젊은이들에게 과학과 수학을 가르쳤던 미국인 교수 루퍼스는 고향으로 돌아가 미시간대학교 천문학 교수가 되었다.

루퍼스의 말처럼 일제는 조선을 식민지로 선언하면서부터 조선의 교육을 식민지 정책에 맞춰 일본어를 보급하고, 일본의 식민지 국민으로서 가장 잘 순종하는 인민을 만드는 데 모든 교육의 목표를 두었다. 당연히 조선인에게는 고등 교육 기회는 마련될 태세가 아니었고, 보통 교육에서는 일본어와 수신(修身) 등이 늘어나면서 과학은 줄어들었다. 그런 교육은 일제시대 동안 줄곧 지속되었다. 일제시대 35년과 그전의 통감부 시절까지 조선인으로 일본에 유학하여 일본 대학에서 이공(理工) 분야의 학사학위를 받은 사람은 겨우 204명에 불과했다. 해방 전에 일본에서 이공 분야 전공으로 박사학위를 받은 조선인은 모두 5명밖에 안 된다. 그동안 일본인은 아마 수만 명이 이공계 대학 교육을 받았을 것이다. 실제로 일제가 이 기간 동안 가장 참혹하게 우리 민족에게 끼친 상처가 있다면, 그것은 쌀을 뺏어가고 무엇을 공출해 가져간 경제적 침탈 정도가 아니라, 과학기술의 고등 교육을 전면적으로 박탈한 것에 있다.

《조선천문학사》 책으로 출간

아직도 우리는 걸핏하면 식민지 잔재를 말하고, 일제의 착취를 말하며 식민지시기를 비판하고 있다. 또 일제에 부역했던 지식인들을 비판 없이 해방 후에도 다시 중요한 자리에 기용했다는 것 등을 비난하는 정도이다. 그러나 일제가 철저하게 조선인의 과학기술 능력 개발을 방해하고 있었다는 사실은 주목하지 못하고 있다. 참으로 한심한 역사의식이 우리나라에 퍼져 있는 셈이다. 일제는 루퍼스 같은 서양인들이 조선에서 기독교를 선교하는 것도, 조선인들에게 자유사상을 보급하는 것도 마땅치 않았다. 루퍼스가 올바르게 지적했던 것처럼 그들은 조선인을 일제의 충성스런 신민(臣民)으로 만들 생각이었지, 전혀 조선인의 자주적 정신을 길러줄 생각도 없었고, 또는 능동적 인격을 가진 세계시민으로 교육할 생각은 추호도 없었다. 루퍼스는 당시 식민지 조선의 상황을 아주 올바르게 진단하고 조선을 떠날 수밖에 없었던 것이다.

미국으로 돌아가 그가 어떻게 살아갔는지는 아직 조사 연구해 놓은 자료가 없다. 여하튼 그는 1935년에 1년 동안의 안식년 휴가를 얻어 다시 조선을 찾았다. 그리고 조선에서 그는 연희전문학교 교장인 언더우드 3세의 집에 머물렀다. 언더우드의 부인과 루퍼스 사이는 친척 관계였기 때문이기도 했다. 그리고 이 1년 동안에 그는 《조선천문학사》를 자그마한 책으로 발표했다. 그의 《조선천문학사》는 물론 영어로 쓰였는데 원제목이 Korean Astronomy, Astronomy in Korean 등 두 가지로 되어 있다. 1936년도의 왕립아시아학회 한국지부 잡지 26권에 발표되었다. 그 당시 국내에 살고 있던 외국인들이 학술단체로 만들어 활동한 것이 왕립아시아학회 한국지부였는데, 이 모임에서는 한해에 한두 번씩 논문집을 내고 있었던 것이다. 대개 개론적인 소개가 중심이나 그중에는 지금도 크게 도움될 만한 연구도 있어, 루퍼스의 천문학사는 중요한 논문 가운데 속한다 할 수 있다. 하지만 이것이 그가 우리 천문학사에 남긴 첫 업적은 아니다. 그는 짧은 첨성대 수필도 썼지만, 본격적 논문으로는 우리의 국보 228호 '천상열차분야지도'를 서양에 소개하는 영어 논문을 1913년에 발표한 것이다. 1913년이라면 아직 우리나라 사람으로는 그런 천문도에 대해 전혀 주목조차 하지 못하고 있을 때였다. 사실 그는 이 글을 고쳐 대중적 천문학잡지《대중천문학(Popular Astronomy)》에 발표했고, 또 1944년에는 미국 과학사학회 잡지《아이시스(Isis)》35권에도 〈한국의 천문도〉라는 제목으로 발표했다.

이원철 등 제자 길러

또 그는 한국의 첫 천문학 박사를 길러낸 은인이기도 하다. 연희전문학교에서 그의 제자였던 이원철(李源喆, 1896~1963)이 그 사람이다. 1915년 1회로 수물과에 입학했던 이원철은 루퍼스 아래 2년 동안 공부하고, 미국 미시간의 앨비언대학을 거쳐 루퍼스가 있던 미시간대학교 천문학과에 입학하여 1926년 천문학 박사학위를 받고, 귀국하여 연희전문학교 교수가 된 것이다.

미시간의 앤아버에 있는 미시간대학교는 유명한 대학으로 지금 아마 한국 유학생이 수백 명 있을 것이 분명하다. 바로 근처에 있는 앨비언대학은 1843년 기독교 학교로 시작되어 지금도 자그마한 대학으로 건재하다. 그 지역을 한번 답사하면 1900년대 초에 한국 과학교육에 절대적인 공헌을 했던 미국인들보다 상세한 조사를 할 수 있을 터이지만 유감스럽게도 내게 그럴 기회가 없었다.

한국 과학 교육 초기 기틀 마련한
미국의 아서 베커

Arthur Becker 1879~1979

한국 미술사를 쓴 선구적 서양 학자에 에블린 베커 맥큔(Evelyn Becker McCune, 1907~)이란 여성이 있다. 그녀가 영어로 쓴 《한국미술사》와 《한국의 병풍》 등은 국내에 번역되어 있기도 하다. 바로 그녀가 연희전문학교의 첫 외국인 물리학 교수인 아서 린 베커[Arthur Lynn Becker, 백아덕(白雅惠), 1879~1979]의 딸이다

그런데 맥큔은 한국 미술사에 관한 책 말고도 자신의 아버지 베커에 대한 책도 냈다. 미국 샌프란시스코에서 1977년에 발행된 이 책은 160쪽의 자그마한 책인데, 제목이 《미시간과 조선》이다. 아직 국내에 번역된 적이 없는 이 책은 아버지의 일기와 그 밖의 자료들을 모아 정리해낸 것이라고 머리말에 밝히고 있다. 나는 이 책을 아주 재미있고

도 감동적으로 읽었다. 이 책은 미국 미시간의 시골 출신이었던 자신의 아버지 베커가 어떻게 한국에 선교사로 와서 활동했던가를 소개하고 있다.

'교육' 선교사로 발탁, 조선에 파견

연세대학교의 시작은 1917년으로 거슬러 올라간다. 그리고 바로 이 초창기의 연세대학교(당시 이름은 연희전문학교)에서 첫 물리학 교수가 된 사람이 바로 베커였다. 그는 그 후 이 대학에서 부학장, 지금으로 치면 부총장을 지내기도 했다. 그는 이 땅에서 물리학을 제대로 가르칠 수 있었던 최초의 서양 사람이라 할 수 있다. 일제는 이 나라를 식민지로 만든 다음 조선에는 대학 교육까지는 필요하지 않다고 판단하여 대학 설립을 억제했다. 그런 가운데 선교사들 사이에 대학 교육의 필요성이 강조되고 있었다. 조선인의 교육을 통해 그들의 본래 목표인 선교 사업이나 복음 전파가 제대로 될 수 있다고 판단했기 때문이다.

실제로 그의 조선에서의 일생을 기록한 《미시간과 조선》을 보면 베커는 대학 4학년 때 '교육' 선교사로 발탁되어 조선에 파견되었다. 그때까지 종교적인 목적으로 선교사들이 조선에 들어오기는 했으나, 본격적으로 조선에서 학교를 시작하고 교육을 전담하는 전문가는 베커가 처음이었다. 물론 여기에도 단서가 붙어야 할 것이다. 사실은 그에 앞서 이미 헐버트 등 미국인 교사 3명이 조선에 들어와 육영공원을 운영해 학생들에게 주로 영어를 가르친 일도 있고, 그 밖에도 여러 선교사들이 이미 배재, 이화 등의 학교를 시작하고 있었다. 따라서 베커가 첫 교육 선교사라는 설명을 그대로 믿기는 어려울지 모른다. 하지만 그가 처음 자연과학을 제대로 공부한 과학 교사로 조선에 온 것만은 분명하다.

특히 그는 연희전문학교에서 물리학을 가르치기 시작하면서 미국에 들어간 뒤에는 박사학위까지 받은 학구파였다. 원래 그는 미시간의 남쪽 끝에 있는 작은 마을 '리딩'에서 1879년 농부 엘머 베커와 매기 사이에서 태어났다. 4남매 중 장남이었던 그는 고향에서 고등학교 졸업 후 그대로 눌러 앉아 아버지를 따라 농사일을 할 생각이었으나 교회 목사의 권고로 지금도 있는 앨비언대학에 들어가게 된다. 사실 그는 대학에 갈 형편이 안 될 정도로 집이 가난했다. 그러나 학장은 목사의 소개로 찾아간 소년 베커에게 학교 청소를 맡겨주면서 입학을 허가했다. 대학 3학년 때 그가 외국 선교와 교육에 관심을 갖게 되자 감리교 본부는 그에게 외국 진출의 길을 열어주었던 것이다.

처음 그는 중국 광둥기독교대학의 교사로 추천받은 상태였다. 하지만 4학년 때인 어느 날 앨비언대학을 방문한 감리교 본부의 무어 감독이 학생들에게 중국보다는 조선에 교육자가 더 필요하다는 설교를 했다. 이 말을 들은 베커는 조선에 가기를 자원한다.

아마도 이는 이미 미국에 제법 알려져 있던 중국보다는 거의 알려지지 않았던 조선에 나가는 것이 개척자로서 더 보람 있을 것이라는 기대 때문이었을 것이다. 그런데 당시 외국에 파견 보내는 미국 기독교 사회의 열정은 대단했던 것으로 보인다. 한번 이 결정이 내려지자 무어 감독은 당장 1903년 3월에 자신과 함께 조선에 갈 것을 요구했다. 대학은 회의를 열어 4학년생이던 그에게 특별 졸업을 허락하여 3개월 일찍 졸업을 시키면서까지 그의 조선 파견을 지원했다 그의 특별 졸업에는 학장의 졸업선물이 있었음은 물론이고, 고향의 교회에서는 그에게 기념으로 카메라를 선물하기도 했다.

또 그는 이제 겨우 사귀기 시작했던 여학생 루이스 앤 스미스에게 정식으로 청혼하여 허락을 받기도 한다. 이 여성이 2년 뒤인 1905년 조선에 와서 결혼하여 그의 아내가 되었고, 앨비언대학에서 음악을 공부한 그녀는 자신의 피아노를 가지고 베커와 함께 조선에 들어왔다. 서울에는 이미 피아노를 가져온 사람이 먼저 있었을 테지만 그것이 평양의 첫 피아노였다. 또 바로 이 여성이 연세대학교에서 음악을 가르치고, 후에 연세대학교 음악학과를 창설한 주인공이기도하다.

수학, 화학, 물리학 등 공부하며 가르쳐

베커는 처음에는 평양에서 교육사업을 제대로 하기 어려웠다. 장로교가 세운 숭실학교가 제법 잘하고 있었지만, 아직 그를 파견한 감리교 측에서는 교회의 소규모 학교밖에 없었기 때문이다. 교회에서 조선 아이들에게 영어와 산수를 가르치는 것으로 그의 조선에서의 교육 사업은 시작되었다. 그러는 한편 그는 조선에 처음으로 체육 또는 운동을 보급하는 데에도 한몫을 했다. 약 180센티미터 키의 건장한 시골 청년이던 그는 대학에서 인기 있는 농구 선수였고 여러 가지 운동에도 능한 편이어서 틈나는 대로 여러 가지 운동을 가르쳤던 것이다.

평양의 감리교 학교에서 주로 가르치던 그는 1910년에는 안식년 휴가를 얻어 가족과 함께 만주에서 시베리아, 그리고 유럽을 거쳐 영국에든버러에서 열린 세계복음선교회 회의에 참석하고 대서양을 건너 고향을 찾았다. 7년만의 첫나들이였다. 그가 대학에서 석사학위를 받게 된 것은 이 외출 덕분이기도 하다. 그는 이를 기회로 이듬해 여름까지 머물며 모교 앨비언대학에서 화학으로 석사학위를 받았다. 〈동양의 고등학교에서 사용할 화학의 기초〉라는 그의 학위 논문에서도 그가 조선 학생들에게 화학을 어떻게 가르쳐야 할까를 고민하고 있었음을 알수가 있다. 그는 대학에서 주로 수학을 공부했는데 대학원에서는 화학을 공부했다. 아마 그는 철저히 교육자로서 필요한 공부를 따라다닌 것으로 보인다. 당시 평양에서는 화학을 가르칠 실력을 가진 사람이 없었기 때문이다. 그는 꼭 10년 뒤인 1921년에는 미시간대학교에서 물리학을 공부하여 박사학위를 받았는데 이로써 베커는 수학, 화학에 물리학까지 두루 공부를 했음을 알 수 있다.

베커의 일생을 말하면서 빼놓을 수 없는 또 한 사람이 칼 루퍼스이다. 루퍼스는 베커의 동급생으로 앨비언대학을 다녔을 뿐 아니라, 3학년 때 같은 집에서 하숙한 친한 관계이기도 하다. 그리고 조선에 와서 베커와 함께 연세대학교 수학, 물리학과의 교수로 활동했다. 베커가 물리학자라면, 루퍼스는 천문학자로 성공했다. 루퍼스는 뒤에 베커를 통해 조선의 학생 17명에게 장학금을 보내기도 했는데, 17명에게 각각 15달러씩이었다. 지금 우리가 보기에 하찮은 돈으로 여겨질 수 있겠으나 그때는 큰돈이었다. 당시 루퍼스와 베커가 하숙하던 집에서는 한 달에 10달러로 자고 먹고 할 수 있었으니까 말이다.

98세 때에도 하루 6시간 일하며, 열정적 삶 살아

루퍼스는 1907년 한국에 와서 평양에서 근무하다가 연희전문학교 교수로 물리학과에서 베커와 함께 근무했다. 그는 베커보다 한국 천문학의 유산을 세계에 소개하는 데 더 크게 이바지한 일도 있고, 그가 쓴 한국의 옛 천문도에 대한 논문 등은 지금까지도 한국 과학사에서 인용되고 있을 정도이다. 그리고 루퍼스는 뒤에 미시간대학교 천문학 교수가 되어 한국의 제자 이원철이 그 학교에서 1926년에 한국 최초의 박사학위를 받게 하기도 했다. 반면 베커는 물리학 교수로서만 주로 활약했고, 루퍼스처럼 한국 문화에 대한 연구 분야를 개척한 일은 없다. 하지만 루퍼스가 뒤에 미시간대학교에 돌아가 천문학으로 박사학위를 받았던 것처럼 베커도 뒤에 모교 앨비언대학으로 돌아가 석사학위를 받고, 또 미시간대학교에 가서 물리학으로 1921년 박사학위를 받기도 했다. 당시 조선에 와 있던 선교사나 교사들 가운데 상당히 학구적인 사람들이었음을 알게 해준다.

베커의 딸이 쓴 글에 의하면 1977년 《미시간과 조선》을 쓸 때 베커는 이미 98세였지만 하루 6시간씩 일했다고 기록하고 있다. 그가 정확히 언제 작고했는지 확인하지 못했지만 1979년에 작고했으니 꼭 100년을 이 세상에 살았던 것이다. 베커는 우리나라의 과학교육 초기에 가장 큰 공헌자 중 하나다. 1930~1931년에는 배재고등학교 교장을 맡았던 적도 있는 그는 1939년 5월에는 언더우드 교장 집에서 그의 환갑잔치를 열어준 일도 있다. 하지만 이때는 이미 일제가 미국인 등을 거의 추방하고 있는 단계였고, 그 역시 1940년 11월에 조선을 떠났다. 베커는 한국 물리학 내지 한국 과학사에 아주 중요한 인물이건만, 오늘날 그를 추억하게 해주는 대목은 연세대학교 과학관 벽에 붙여 놓은 그의 흉판이 전부인 듯하다.

한국에 리기다 소나무 보급한
일본의 임학자 우에키 호미키

植木秀幹 1882~1976

'리기다 소나무'는 이미 널리 알려진 나무이다. '리기다'란 이름은 학명 'pinus rigida'에서 나온 것으로 '단단한 소나무'를 뜻한다. 미국 동부가 원산지로 알려져 있는 리기다 소나무는 미국에서는 보통 '피치파인', '하드파인', '불 파인'이란 이름으로 불리기도 한다. 보통 한국의 전통 소나무보다 척박한 땅에서도 잘 자라는 강인함을 가졌다 하여 붙여진 이름이다. 그런데 1907년 이 소나무를 한국에 보급한 공로자는 우에키 호미키[植木秀幹, 1882~1976]라는 일본인 농학자로 밝혀져 있다. 성이 바로 '식목(植木)'이니 그는 타고난 임학자라 할만도 하다. 물론 일본에 더러 있는 성일 따름이지만 하필 성을 '식목(植木)'으로 한 그가 일제시대에 한국 임학의 개척자로 크게 활약했던 것이다.

우리나라 삼림녹화 사업의 실질적인 출발점

우에키 호미키는 한국 임학계의 선구자이며 한국인으로는 처음으로 일본에서 임학박사학위를 받은 현신규의 수원고등농림학교 시절의 은사였다. 1904년 도쿄제국대학을 졸업한 우에키 호미키는 1907년 조선에 부임해왔고, 그 후 줄곧 조선에서 임학자로 살다가 해방과 함께 일본으로 돌아갔다. 그의 고향에서 만들어 놓은 홈페이지에는 우에키 호미키를 '조선 녹화의 아버지'라 부른다고 기록되어 있다.

해방 이후 한참 동안 우리나라의 산은 붉은 민둥산 천지였다. 개화기 서양 사람들이 처음 들어와 찍은 사진을 보아도 조선시대 말기에 이미 한국의 산에는 나무를 구경하기 어려웠음을 알 수 있다. 이런 산에 토양에 맞는 나무를 선택해 육종하고, 널리 심어 보급하여 산을 점점 울창하게 덮게 된 것은 이런 임학자들의 덕택이 아닐 수 없다.

물론 일제시대에 이미 산이 푸르게 바뀌지는 못한 채였다. 아직 거국적이고도 체계적인 조림 운동이 벌어지지 않았기 때문일 것이다. 또한 척박한 토양에 대한 기초 조사도 부족하고, 거기 알맞은 나무 종류가 어떤 것일지에 대한 지식도 턱없이 부족했던 시대였기 때문일 것이다. 그래서 실제로 1960년대 말부터 시작된 리기다 소나무 등의 식목 활동은 1970년대 들어 열매를 맺었다.

1942년 남한의 나무총량(입목축적)은 6500만 세제곱미터였는데 한국전쟁을 거치면서 산은 더욱 헐벗게 되어 1952년에는 3600만 세제곱미터로 줄어들었다. 전쟁을 치르면서 전기나 석탄이 절대적으로 부족하여 산의 나무를 마구 베어다 연료로 사용했기 때문이다. 말로는 나무를 함부로 베어가지 못하게 엄금하고 있었지만, 산림을 보호할 치안력이 크게 모자라던 시절이었다. 1955년 한 해 동안 국내 산림의 17퍼센트가 아궁이 속 땔감으로 사라졌다고 어느 보고서에 기록하고 있을 정도이다. 전문가들은 그런 상황이 10년만 계속되었다면 전국은 민둥산이 되고 산림녹화란 꿈도 꿀 수 없었을 것이라고 지적하기도 한다.

우리의 산이 푸르게 되기 시작한 전환점으로는 아무래도 1962년 시작된 1차 경제개발 5개년 계획을 들어야 할 것이다. 1964년부터 35개 도시에 민수용 석탄을 공급하면서 나무를 땔감으로 쓰는 것을 금지했다. 그리고 이듬해부터 정부 차원의 대대적인 산림녹화 사업이 진행됐다. 화전을 정리하고 4월 5일 식목일마다 대통령이 직접 나서서 나무를 심는 행사를 했다. 전국의 공무원과 학생들도 식목행사에 참가하게 할 정도였다. 그런 노력의 결과 1973년 새마을운동과 산림녹화를 연결해 시작된 '치산녹화 10개년 계획'은 6년만에 달성되었다. 1980년대 이후 우리나라의 산은 푸르름을 거듭하여 세계의 모범 녹화 성공국이 되었다. 2006년부터는 아예 식목일을 공휴일에서 제외시킬 정도가 되었다.

이렇게 한국의 실질적인 녹화는 1970년대에 완성되었지만, 그 시작은 바로 일제시기의 우에키 호미키 같은 임학자에 의해 시작되었다고 할 수 있고, 그 전통이 해방 후 우리 임학자들과 정치력이 결합하여 크게 성과를 올린 것으로 평가할 수 있다.

38년 동안 한국에 머물며 임학자·교육자로 활약

우에키 호미키는 1882년(메이지 15) 7월 26일 일본 시코쿠의 에히메현

리기다 소나무

의 오즈에서 태어났다. 일본은 큰 섬 4개로 구성되어 있는데, 시코쿠란 규슈의 동쪽, 혼슈의 남쪽섬을 말한다. 에히메현은 그 섬의 서쪽에 있는데 1954년 그의 고향 오즈는 정(町)에서 시(市)로 승격되어 있다. 1904년 도쿄제국대학 임학실과를 졸업한 그는 미야기현립농학교의 교사로 일하다가 1907년 조선에 부임했다. 바로 그해에 체결된 한일신협약(정미7조약)에 따라 일본은 모든 분야에 일본인 관리를 조선 정부 모든 부서에 배치하기 시작했고, 그 역시 조선 정부의 농림학교 교사 겸 임업기술자로 초청되었던 것으로 보인다.

1945년까지 38년 동안 한국에 살면서 그는 임학자 그리고 교육자로서 많은 일을 했다. 지금도 수원에 있는 서울대학교 농학캠퍼스의 중앙길 일대에는 미루나무, 이팝나무, 섬잣나무, 꽃개오동나무 등이 있는데 이 가운데에는 몇몇은 우에키 호미키가 직접 심었거나 그가 부임해온 후 심었던 것들로 알려져 있다. 특히 그는 1926년 당시 교정에서 자라는 나무 170종을 골라 수록한《수목원 안내서》를 발표했다.

이 책은 우리나라에서는 처음 나온 수목원 소개 책자로 수원캠퍼스에 있는 나무들의 이력서를 알려주어 한국에 어떤 종류의 나무가 언제 들어왔는지 조사하는 데 참고가 되고 있는 자료이다. 지금도 서울대학교 농학캠퍼스의 나무들에 대해서는 모두 47과 101속 185종류의 나무가 '수목등록 카드'에 기록되고 그 배치도가 그려져 있어서 참고할 수 있다고 한다.

우에키 호미키는 1907년 조선에 건너와서 1945년 일제 패망 때까지 살았던 것이 분명하지만, 그의 이력을 보면 1921년부터 약 2년 동안은 미국에서 유학한 기록도 있다. 또 일본 규슈제국대학의 강사를 지낸 것으로도 나온다. 특히 그는 하버드대학교의 버지 인스티튜션을 졸업하여 임학으로 농학박사학위를 받은 것으로 되어 있다. 그의 학위 취득은 1928년 3월이라 밝혀져 있다.

일본 식물분류학회의 학회지에는 그의 논문이 5편 정도 실려 있다. 이 학회는 초기에 이름이 '식물분류지리학회'였으며 학회지에 발표한 논문을 보면 〈조선의 삼림식물대〉, 〈조선 상록 활엽수의 북한대에 대하여〉, 〈조선 서해안의 상록활엽수 분포한계〉 같은 제목들이 보인다. 또 그는 《리기다 소나무의 일반》과 《조선의 적송과 그 개량에 관한 조림(造林) 상의 처리》(1928)라는 책도 저술했다.

1933년 그는 캐나다에서 열린 태평양학술회의에 참석한 일도 있다. 그는 학술회의에 다녀온 후 서울에서 강연한 일이 있는데, 1933년 12월 9일자 《동아일보》에 조선박물학회 학술강연회에서 "'태평양 학술회의를 통해 본 학술의 진보'라는 제목으로 강연했다"는 보도가 있다. 식민지 조선의 여러 잡지에도 그의 글이 남아 있다. 《조선과 만주》, 《조선휘보》, 《조선》 등의 잡지에 쓴 그의 글은 대중 계몽적인 것들이다.

1930년대 수원고등농림학교의 교수로 생도과장을 담당하고 있던 그는 학교 관사에서 살았다. 그리고 당시 그는 같은 고향에서 여학교를 졸업한 부인과의 사이에 5남 1녀를 두고 있었다.

리기다 소나무 도입 100년, 천덕꾸러기로 전락

전쟁이 끝난 다음 그는 바로 귀국하여 고향에 있는 에히메대학교 농학부에서 교수로 일하면서 식물과 나무에 관한 논문을 발표하기도 했고, 또 지역의 문화재 전문위원으로 활동하기도 했다. 또 '나무를 사랑하는 모임'을 만들어 1976년 1월 12일 세상을 떠날 때까지 회장으로 일하기도 했다.

전국 방방곡곡에 리기다 소나무가 많이 자라고 있는데, 국토를 푸르게 하는 데 일등공신이었던 리기다 소나무가 이제는 천덕꾸러기가 되었다. 척박한 땅과 가뭄에도 잘 자라는 특성 때문에 전국 37만 헥타르에 리기다 소나무가 심어져 있는데, 30년 이상 된 상태에서 더 자라지도 않고 베어버리고 다른 나무를 심으려 해도 쓸모가 없는 나무여서 벌채 비용도 제대로 나오지 않는다는 것이다. 그런가 하면 리기다 소나무를 관상용으로 개발해 사용하는 조경가도 있다. 원산지 미국 동북부에서 지름 1미터에 키가 25미터로 자라는 것을 보면 우리나라에서도 조건만 맞으면 훌륭한 조경수로 이용될 수도 있을 것이다. 한국의 소나무는 잎이 둘씩 달리지만 리기다 소나무는 셋, 때로는 넷씩 달린다. 그래서 북한에서는 '세잎소나무'라고 부르기도 한다. 한자 이름으로 '미국삼엽송', '강엽송', '경엽송' 등으로도 불린다.

경성제대 마지막 총장 지낸 화공학자
일본의 야마가 신지

山家信次 1887~1954

경성제국대학의 마지막 총장을 지낸 사람은 일본의 화학공학자 야마가 신지[山家信次, 1887~1954]였다. 1944년 봄 경성제국대학 총장이 된 그는 일본이 전쟁에 지고, 조선이 해방된 1945년 8월까지 1년 반 정도 이 나라 최고 학부의 책임자였던 셈이다. 그는 특히 일본 해군 중장으로 화약기술 전문가였는데, 평생을 일본 해군 기술 장교로 근무했지만, 또 한편으로는 도쿄제국대학을 나온 기술자로 도쿄제국대학 교수를 지내기도 했다.

흔히 '경성제대' 또는 '성대'라 부른 '경성제국대학'이라면 지금의 서울대학교의 전신인 듯한 느낌을 주는 것도 사실이지만, 꼭 이 두 학교의 끈이 이어졌다고 말하기도 어렵다. 일제가 세운 경성제국대학은 해방과 함께 완전히 해체되어 전혀 새로운 모양의 대학으로 세워졌기 때문이다. 하지만 경성제국대학에서 배운 일부 조선인들이 해방 후 서울대학교를 이끌었고 또 그 건물들을 상당 부분 그대로 사용했으니, 어느 의미에서는 계승된 측면도 적지 않다.

해군 화약공장장과 도쿄제국대학 교수 겸직

경성제국대학 설립은 1924년 4월로 거슬러 오른다. 조선총독부는 조선인들의 끓어오르는 교육 자치의 열망을 더 이상 억압하기 어렵게 되자 조선 최초의 근대식 고등교육기관으로 경성제국대학을 세웠다. 조선인들이 3·1운동 이후 자발적으로 세우려던 대학설립을 막는 대신 일제 스스로 이 정도의 양보를 한 셈이었다. 그전에 이미 전문학교들이 몇 개 있기는 했지만, 말하자면 '초급' 대학만 있던 이 땅에 처음 대학교를 세운 격이라고도 할 수 있다. 하지만 처음 경성제국대학을 세운 일제는 여기에 법문학부와 의학부만을 만들고, 이공계 학과는 전혀 만들지 않았다. 법학과 의학을 공부할 수 있는 길을 열어서 법관과 공무원, 그리고 의사들을 조선인 사이에서 길러낼 필요성은 인정했지만, 과학자와 기술자를 조선인 가운데에서 적극 길러야 할 필요성을 느끼고 있지는 않았기 때문이다.

실제로 조선인들에게 이공계에 대한 관심이 그리 높지 않았던 것도 사실이다. 그러다가 1941년에서야 경성제국대학에 이공학부가 생겨났다. 그리고 바로 이 과정에서 주역을 맡았던 인물이 당시 일본 해군 중장으로 제대하여 도쿄제국대학 교수로 있던 야마가 신지였다.

1887년 5월 사카이[堺]시의 기누노초[錦之町]에서 태어난 야마가 신지는 1908년 도쿄제국대학 공과대학 화약과에 입학한다. 사카이시는 지금 오사카 근처를 가리키며 그의 고향에서는 그를 그 고장 출신의 명사로 기념하고 있기도 하다. 그런데 그의 고향 기록에는 그의 이름을 '야마가 신지'가 아니라 '야마가 노부지'라 발음한 것으로 되어 있다. 이는 그의 이름 '신차(信次)'를 이렇게 두 가지로 발음할 수 있기 때문이다. 여하간 그는 도쿄제국대학 3학년 때 해군의 군사 병기 기술 학생으로 선발되었고, 1911년 대학을 졸업하자 바로 그해 여름부터 해군 병기창을 돌아다니며 기술 장교로 근무하게 되었다.

　　야마가 신지는 1914년부터 얼마 동안 독일과 영국에서 근무하기도 했다. 당시 유럽의 앞선 화약기술을 배워오는 것이 목적이었다. 그리고 1919년 초 도쿄제국대학 강사가 되었고, 같은 해 4월 도쿄제국대학 공학부의 조교수가 되었으며, 1922년에는 교수로 승진한 것으로 기록되어 있다. 그동안에도 그는 계속 해군 소령으로 근무하고 있어서, 대학과 군대에 동시 복무했던 것을 알 수 있다.

　　야마가 신지는 1933년 대령에서 소장으로 진급하면서 장군이 되었는데, 그 사이에도 계속 도쿄제국대학 교수는 겸했던 것으로 보이지만, 실제로 대학과는 거리를 두고 주로 군에서 근무한 것으로 보인다. 특히 해군의 화약공장장으로 일했던 그는 1937년 12월 1일 중장으로 진급했고, 20일 뒤에는 예비역으로 편입되어 제대를 했다.

경성제국대학

경성제국대학 이공학부 설립 주역

야마가 신지가 언제부터 서울에 와서 경성제국대학에 근무했는지는 아직 밝혀지지 않았다. 그러나 기록상 1941년 1월부터 경성제국대학 교수로 근무한 것이 드러난다. 이를 볼 때 1937년 12월 21일에 제대한 다음, 1938년과 1939년을 도쿄제국대학에서 근무하고 늦어도 1940년에는 서울에 와서 일하기 시작한 것이 분명해보인다. 1937년 7월 일본은 중일전쟁을 일으켜 전쟁이 급격하게 확대되고 있었다. 이미 1931년 만주사변으로 일본의 대륙 침략이 노골화되어 갔지만, 이제 전쟁은 국제전으로 대폭 확대되고 있었고, 머지않아 세계대전으로 퍼질 것이 분명해보일 시점이었다. 일본으로서는 조선에 중국 진출의 거점을 확실하게 마련할 필요가 있었고, 그를 위해서도 경성제국대학의 이공학부를 만들어 그 과학기술적 배경을 튼튼히 할 필요성을 느끼게 되었다.

이런 절대적 요청에서 비롯한 것이기는 하지만, 경성제국대학의 이공학부 설립은 우리 역사에도 상당한 의미를 갖는다. 무슨 이유에서건 처음으로 이 땅에 제대로 된 이공계 대학이 시작되었기 때문이다. 그 사이 일본이나 서양에 유학하지 않고서는 이공계 대학 공부를 할 수 없었던 식민지 조선 청소년들이 이제는 서울에서 그 공부를 할 수도 있었으니 말이다. 물론 경성제국대학은 당시 꼭 '조선인을 위한' 대학은 아니었다. 조선에 사는 일본인 학생들의 교육기회를 주려는 데에 더 큰 목적이 있었다고도 할 수 있고, 실제로 더 많은 일본인들이 경성제국대학에 다녔다. 게다가 경성제국대학이 서울에 존재했던 1924년부터 1945년까지 21년 동안 교수로 조선인은 단 한 명도 채용된 일이 없다. 하물며 1941년 예과로 시작되어 1943년에 본과가 시작된 이공계에 조선인 교수가 없었던 것은 너무나 분명한 일이었다.

이런 뜻에서 일본 해군 장성 출신이며 도쿄제국대학 화약과 교수이기도 한 야마가 신지가 이공학부 교수로 와서 일하고, 결국 경성제국대학 마지막 총장까지 맡았던 것은 당연한 귀결이라 하겠다. 경성제국대학이 일본의 대륙진출을 위한 병참기지로서의 중요성을 상징하는 인사라고 할 수도 있으니 말이다. 그는 이미 1937년에 도쿄제국대학에 '경성제국대학 이공학부 창설위원회'를 세워 그 계획을 만들어갔다. 그리고 그 계획에 따라 그는 서울에 부임하자 경성제국대학에 이공학부를 설치했는데, 물리학·화학·토목공학·기계공학·전기공학·응용화학·채광야금의 7개 학과를 두게 된다. 그리고 그는 초대 이공학부장을 맡았다. 이것이 한국에 최초로 이공계 대학 교육이 시작되었음을 뜻한다.

경성제국대학 이공학부는 1942년까지 교수 27명과 조교수 21명을 충원했으니, 겨우 40명 규모의 신입생을 뽑는 대학으로서는 대단히 많은 교수 요원을 가지게 된 것을 알 수 있다. 이공학부에는 7개 학과와 공통과학(교양담당)을 합쳐 39개 강좌를 65명의 전임교수가 맡고 있었다. 그리고 학생의 총수는 320명이었다. 물론 일본 학생과 조선 학생을 함께 선발했는데, 해방 전 졸업한 조선인은 모두 37명이었으니 아주 적은 수에 불과했다. 어느 의미에서는 경성제국대학은 한국의 이공계 교육에 별로 이바지하지 못한 셈이라 하겠다. 너무 늦게 이공계를 만들었고, 거기서 교육받은 조선인이 너무 적었으니 말이다.

이런 제한적인 역사적 의미밖에 없는 경성제국대학 이공학부였지만, 그래도 그것이 한국의 빈약한 근대 과학기술 수용의 역사에서는 상당한 위치를 차지하고 있었다고도 말할 수 있다. 우선 그것은 국내 최초의 본격적 이공계 대학 교육이었고, 거기서 교육받은 인재들이 외국에서 돌아온 과학기술자와 함께 해방 후 이 나라의 남과 북에서 과학기술을 건설해 간 주인공이 되었던 것이 사실이기 때문이다. 그리고 야마가 신지는 바로 그런 중요한 대학의 산파 노릇을 한 화약기술자였고, 초대 이공학부장을 거쳐 경성제국대학의 마지막 총장까지 했던 인물이었다.

해방 후 일본으로 돌아가 한국학 연구

그런 중요한 위치에도 불구하고 야마가 신지에 대해서는 국내에 거의 알려진 것이 없다. 그의 고향에서는 그의 이름을 일본 역사상 중요한 인물로 쳐서 '사카이의 역사 인물(堺의 歷史人物)'의 한 사람으로 포함하고 있으나, 고향에서도 이렇다 할 행사 같은 것은 없는 듯하다. 또 1940년 이후 조선에 와서 근무하면서 그에게서 교육받은 조선 학생들도 여럿 있었을 듯하지만, 한국인 제자들이 기록을 남긴 것은 보이지 않는다.

우리는 해방 후 지금까지 일본과 관련됐던 일을 '없었던 일'로 하려는 경향이 강했기 때문일 것이다. 그에게서 교육받은 조선 학생들이 있을 터이지만, 그런 사실을 밝히는 것 자체를 꺼리는 경향이 강했으니 당연한 일일 것이다. 1945년 해방이 되자 일본인들은 이 땅을 떠났다. 당연히 경성제국대학의 마지막 총장 야마가 신지도 조선을 떠나 일본으로 돌아갔다.

그는 조선에 있던 동안 '응용물리', '과학주의 공업' 등의 전문지를 통해 몇 편의 논문이나 글을 발표했는데, 모두 전문적인 화약 문제를 다룬 글이었다. 또 1930년에 나온 일본의 근대화에 공헌한 공학 박사 520명의 명단에도 그의 이름이 포함돼 있다. 그는 일본으로 돌아가자마자 바로 귀국한 일본인들의 모임인 '동화협회'에서 간부(평의원)로 일했으며, 1950년 9월 나라[奈良]시의 덴리[天理]대학에서 한국학 연구자들이 모여 처음으로 '조선학회'를 결성하자, 거기에서 31명의 임원 중 하나로 참여하기도 했다. 조선학회는 지금까지 일본에서 한국에 관해 연구하는 학자들의 대표적 모임으로《조선학보》를 내면서 활동하고 있다.

야마가 신지는 한국전쟁이 끝난 다음해인 1954년 11월 세상을 떠났다. 1986년에서야 그에 관한 기록들이《산가신차선생유방록(山家信次先生遺芳錄)》으로 발행되었는데, 아직 그 내용을 확인할 기회를 얻지 못했다. 제목으로만 보면 추모의 글들을 모은 정도인 것 같고, 경성제국대학의 관계 자료는 별로 없을 듯하다.

벽안의 과학사학자
호러스 언더우드
Horace Underwood 1890~1951

호러스 호튼 언더우드[Horace Horton Underwood, 원한경(元漢慶), 1890~1951]는 처음으로 한국 배의 역사를 한 권의 책으로 쓴 과학사학자로 기억될만하다. 1934년 나온 그의 《한국의 배와 선박(Korean Boats and Ships)》은 본문 99쪽에 51개의 사진과 그림이 있는 그다지 분량이 많지 않은 책이다. 지금이야 우리 배의 역사에 대해 훨씬 많은 것을 알게 되었지만, 그것은 그 후 역사가들의 연구 덕택이다.

서울대학교 조선공학과 교수였던 김재근(金在瑾, 1920~1999)은 평생 우리 배의 역사에 많은 연구를 거듭하여 상당한 성과를 올리기도 했다. 하지만 1934년이란 시점에서 보자면 언더우드의 이 연구가 가장 첨단 지식이었던 셈이다. 게다가 그는 영어가 자기 모국어이기 때문에 영어로 이 책을 썼는데, 그렇게 따지자면 영어로 쓴 책으로는 지금도 이 책을 뛰어 넘는 한국 선박의 역사책은 없는 셈이다.

아버지 원두우와 아들 원한경

그의 원래 이름은 언더우드이다. 그는 오늘의 연세대학교를 설립한 선교사 언더우드의 첫째 아들로 언더우드 2세인 셈이다. 한국에서 살았던 4대에 걸친 언더우드의 이름을 모두 소개하자면 1대 원두우(元杜尤, 1859~1916), 2대 원한경(元漢慶, 1890~1951), 3대 원일한(元一漢, ?~2004), 4대 원

한광(元漢光, 1943~)이다. 원한경의 이름(Horace Horton Underwood)에는 가운데에 그의 어머니의 성이 들어 있다. 이 집안의 이름 짓기는 아주 특이하다. 영어 이름을 보면 4대가 똑같은 첫 이름 호러스(Horace)와 성 언더우드(Underwood)를 갖고 있고, 가운데 이름도 1대와 3대는 그랜드(Grant), 2대와 4대는 호튼(Horton)으로 똑같다. 이들 4대에 걸친 언더우드 일가가 한국을 떠난다 하여 몇 년 전 화제가 되기도 했다. 이제 한국에서의 할 일이 없게 되었다는 4대 언더우드의 설명은 당연하기도 하지만, 서운한 느낌을 준다.

오늘의 주인공 2대 언더우드, 즉 원한경은 1890년 9월 6일 서울 정동에서 태어났다. 그에게는 동생도 있었으나 21세에 죽었고, 그 다음 동생은 태어나자 바로 죽었다. 그리고 얼마되지 않아 어머니가 사망했

다. 말하자면 그는 언더우드 1세의 외아들인 셈이다. 그의 어머니 릴리아스 호튼은 1888년 선교 의사로 조선에 입국했다가 다음해 언더우드와 결혼했는데, 명성황후의 주치의로 활동을 한 것으로 알려져 있다.

2대 언더우드로 태어나 한국과 인연

16세 때 언더우드는 프랑스와 스위스 등에 유학하여 1년 동안 공부하고, 바로 미국으로 건너가 뉴욕대학교에서 교육학과 심리학을 공부했다. 그가 대학을 졸업한 날에는 한국에 있던 아버지가 미국을 방문해 그의 졸업식에 참석했다고 한다. 대학을 졸업한 언더우드는 1912년 9월 장로교 선교사로서 한국에 돌아왔다. 돌아온 그는 아버지 언더우드가 세운 경신학교에서 영어와 역사를 가르쳤다.

이때만해도 그는 아직 한국의 과학사와는 관련이 없었던 것 같다. 오히려 그의 아버지인 언더우드 1세야말로 조선 최초의 과학 선생이었다. 장로교 선교사로 1885년 4월 조선에 온 1세 언더우드는 이미 미국에서 의학 교육을 조금 받았기 때문에 조선 최초의 서양 의사 알렌의 조수를 했다. 그는 이후 알렌이 열었던 조선 최초의 서양식 병원 제중원(濟衆院)에서 물리학과 화학을 가르쳤다. 보기에 따라서는 언더우드 1세야말로 한국 최초의 물리 및 화학 교사였다 할 수 있는 셈이다. 또 이 집안의 내력 역시 기술의 역사에도 약간 관련이 있다. 바로 1세 언더우드의 형은 미국의 유명한 타자기회사 주인이어서 커다란 부자가 되었고, 뒤에 자신의 동생을 도와 연희전문학교 설립에 든든한 재정적 뒷받침을 해주기도 한다.

이런 배경을 가진 그였지만, 막상 그 자신이 과학기술자가 된 것은 아니었다. 다만 그는 아버지도 이미 관심 있었던 한국의 배에 대해 나름의 관심을 갖고 연구했을 뿐이다. 그의 책《한국의 배와 선박》에는 그의 아들 원일한(3세)의 머리말이 있는데, 그는 이 글에서 자기가 어렸을 때 아버지(2세)와 함께 서해안을 항해한 기억이 있으며, 그럴 때 원한경은 조선의 배에 큰 관심을 보이며, 뱃사람들과 대화하며 정보를 수집했다고 회고하고 있다. 또 이런 기회에 그는 사진도 찍고 자료를 수집했다는 것이다. 자연히 이런 과정에서 그는 또 한국사에서 가장 중요한 배와 관련된 대목인 이순신(李舜臣)과 거북선에 대해 큰 관심을 갖게 되었다는 회고이다.

《한국의 배와 선박》 저술

이 책은 원래 영국왕립아시아학회 조선지부(Korea Branch) 보고서로 1934년 출간되었다. 1979년 연세대에서 다시 복사판을 냈는데, 이 머리말은 1979년 복사판에 실려 있다. 이 책을 출간한 영국왕립아시아학회는 중국지부, 한국지부 등이 따로 있었는데, 당시 중국이나 한국에 살던 서양인들에게 대단한 학술기관 역할을 했던 기구였다. 지금도 그 명맥은 유지되고 있지만, 옛날 같이 큰 몫을 담당한다고 하기는 어렵다.

원한경은 이 책의 첫머리에 당시까지 서양 사람들이 조선의 배에 대해 잘못 기록한 것이 많다면서 몇 가지 예를 들고 있다. 어떤 사람은 한국 해안에 조석(潮汐)이 하루 세 번 있다고 잘못 써 놓기도 했다는 것이다. 그는 어느 책에 그런 잘못이 있는지는 밝히지 않았다. 또 어떤 사람은 조선의 바다 배는 강배의 확대판에 불과하다고 쓰기도 했다는 것이다. 또 심지어 그리피스(Griffis)는 이순신을 중국 사람으로 기록했다고도 지적한다.

그는 이 책에서 한국의 배를 강 배와 바다 배로 나눠 설명을 시작한다. 또 그는 이 책을 쓰면서 함께 연희전문학교에 있던 정인보(鄭寅普), 백낙준(白樂濬), 백남운(白南雲) 등에게서 많은 정보를 얻었음을 인정하고 있다. 특히 그는 당시《이순신》이란 소설을 쓴 이광수(李光洙)에 대해서도 두어 차례 말하고 있는데, 오히려 이광수의 소설이 더 정확한 곳이 많다고 지적한다. 이광수는 그의 작품을 쓰면서《충무공전서(忠武公全書)》를 많이 이용하고 있는데, 1796년에 나온 이 책은 시문(時文)투성이일 뿐 실제로 중요한 정보는 들어 있지 않다고 지적하기도 한다.

그는 조선의 배에 대해 그 종류도 소개하고, 만드는 과정도 설명한다. 또한 배에 얽힌 민속과 제사 등도 소개했다. 배의 역사는 삼국시대부터 문헌 기록을 잘 정리해주고 있는데, 특히 고려 초 우리나라를 찾아왔던 중국 송나라의 사신 서긍(徐兢)의 여행 기록《고려도경(高麗圖經)》에서 배와 항해술에 관한 부분은 전문을 영어로 번역해 책 뒤에 붙여 놓았다. 1124년 고려에 사신으로 왔던 서긍은 이 책에서 그가 고려를 방문하러 황해를 항해할 때 나침반을 사용했다고 기록하고 있다. 중국 역사상 나침반 사용이 처음으로 기록에 남게 된 경우이다. 그런데 그 전후의 전통 시대 우리 역사에서는 이 밖에는 전혀 나침반 사용에 대한 기록이 보이지 않는다. 바로 이 점을 원한경도 지적하고 있다.

그는 이 책에서 나침반 사용에 대해 깊은 관심을 보이는데, 특히 중국과 일본은 나침반 사용 기록이 분명한데, 조선에서는 그런 기록이 왜 없느냐는 의문을 갖고 있다. 그러면서 그는 이순신의 일기 가운데 보이는 침로(針路)란 말이 바로 "나침반이 가리키는 길"이란 뜻일 수도 있음을 지적한다. 또한 자신의 아들(J. T. Underwood)을 시켜 영어로 번역한 한국의 뱃노래를 한 편 실어 놓았는데, 그 마지막 부분에는 분명히 나침반을 사용하는 듯한 내용이 보인다. 사실 창피한 일이지만, 아직도 우리는 한국 역사에서 나침반이 얼마나 사용되었는지에 대한 연구를 하지 못하고 있다.

거북선의 '철갑선' 여부에 큰 관심 보여

특히 그는 거북선과 이순신을 깊은 애정을 갖고 소개한다. 거북선은 이미 1414년에 기록이 보이므로 이순신의 순수한 발명은 아니지만, 임진왜란 때 거북선은 위대한 성과를 올린 것으로 그는 평가한다. 원한경은 거북선이 잠수함이라 오해하는 기록도 있음을 소개하고, 그것이 잠수함은 아니었음을 말한다. 하지만 거북선은 속도와 크기가 당시 다른 배보다 출중했고, 게다가 배 위를 덮어 적군의 접근을 차단했다는 점을 주목한다. 거북선이 철갑선이었는지 아닌지에 대해서는 확실한 주장을 하지 않았다. 많은 사람들이 거북선은 쇠로 덮여 있었다고 주장하지만, 그렇다는 확실한 증거는 누구도 발견하지 못했다고 소개한다.

특히 당시 연희전문학교 교수로 함께 있었던 한국학의 권위 정인보가 그런 기록을 본 일이 없다고 증언했다는 점을 기록해 놓고 있다. 또 흥미로운 다른 기록으로는 대원군이 서양 배처럼 철갑선을 만들라고 지시해서 고종 때 이미 그런 배를 만들어낸 일이 있지만, 그 배는 무거워서 물 위에 뜨지 않았다는 증언도 소개하고 있다. 원한경은 이 책에서 거북선이 철갑선이었는지 아니었는지 확실하지 않다면서도, 그 가능성을 의심하는 태도를 보였다고 하겠다. 이 문제는 지금도 확실하게 밝혀져 있지는 않다.

미국에서 대학을 졸업하고 1912년 귀국, 경신학교에서 영어와 역사를 가르치던 그는 경신학교에 대학부가 생기고 그것이 곧 연희전문학교로 탈바꿈하면서 연희로 자리를 옮긴다. 1933년 원한경은 연희전문학교 3대 교장이 되었고, 이 무렵 왕립아시아학회에 적극 참여하여 한국학 발전에 크게 이바지했다. 바로 이 시기에 그의 배에 대한 연구가 이 학회지 한 권을 차지하며 1934년에 발표된 것이다.

거의 평생을 한국에서 살았던 그는 일제 말기인 1943년 6월 억지로 미국에 돌아갔지만, 전쟁이 끝나자 바로 1945년 10월 조선에 돌아왔다. 미군정청의 문교 고문을 맡고, 연희전문학교의 명예 총장으로서 이 학교를 정식 대학교로 만들기 위해 힘썼다. 또 왕립아시아학회를 다시 시작하기도 했던 그에게 1949년 3월 뜻밖의 비극이 찾아오기도 했으니, 그의 아내 엘터 여사가 폭도의 흉탄에 쓰러진 것이다. 그로부터 2년이 지난 1951년 2월 20일 원한경은 심장 질환으로 피난지 부산 초량의 집에서 작고했다.

|부록|

1. 연표

연도	한국의 과학자들	세계의 과학자들	주요 사건
B.C.3000 B.C.		피타고라스(B.C.580?~B.C.500?) 편작(B.C.401~B.C.310) 아리스토텔레스(B.C.384~B.C.322) 아르키메데스(B.C.287?~B.C.212)	3000년 경 메소포타미아 　　　황하, 이집트, 문명 시작 2333 고조선 건국 492 페르시아 전쟁 334 알렉산더 대왕의 동방원정 57 박혁거세, 신라 건국 37 고주몽, 고구려 건국 16 온조, 백제 건국
A.D. 1000	부도(?~?) 도선(827~898) 최지몽(907~987)	장형(78~139) 장중경(150~219) 일행(683~727)	 476 서로마 제국 멸망 589 수의 중국 통일 676 신라 삼국 통일 918 왕건의 고려 건국 962 신성로마제국의 성립
	권경중(?~?) 오윤부(?~1304) 백문보(?~1374) 류방택(1320~1402) 최무선(1328~1395) 박자청(1357~1423) 이천(1376~1451) 장영실(1390?~1440?) 세종 이도(1397~1450) 이순지(1406~1465) 문종 이향(1414~1452) 김담(1416~1464) 유순도(?~?)	소송(1020~1101) 심괄(1031~1095) 곽수경(1231~1316)	1096 십자군 전쟁 1206 칭기즈칸 즉위, 몽골 건국 1234 상정고급예문 간행 1339 백년전쟁 1368 명나라 건국 1392 조선 건국 1405 정화의 남해 원정 1443 훈민정음 창제 1450 구텐베르크 활판인쇄술 발명

1500	서경덕(1488~1546)	니콜라스 코페르니쿠스(1473~1543)	1492 콜럼버스 아메리카대륙 발견
	남사고(1509~1571)		
	이지함(1517~1578)		1517 루터의 종교개혁
	정평구(?~?)		
	변이중(1546~1611)		
	허준(1546~1615)	조르다노 브루노(1548~1600)	
	장현광(1554~1637)	마테오 리치(1552~1610)	
		요하네스 로드리게스(1561~1633)	
		서광계(1562~1633)	
	전유형(1566~1624)	갈릴레오 갈릴레이(1564~1642)	
		요하네스 테렌츠(1576~1630)	
	김육	율리우스 알레니(1582~1649)	
	(1580~1658)	송응성(1587~1666)	
		아담 샬(1591~1666)	1592 임진왜란, 한산도대첩
1600		르네 데카르트(1596~1650)	
	박안기(1608~?)	방이지(1611~1671)	1600 영국 동인도회사 설치
	김시진(1618~1667)		
	박율(1621~1668)		
	이민철(1631~1715)		
	유흥발(?~?)	시부카와 하루미(1639~1715)	
	최석정(1646~1715)	아이작 뉴턴(1642~1727)	1642 영국 청교도 혁명
			1644 명나라 멸망, 청나라 건국
	김지남(1654~1718)		
	김석문(1658~1735)		
	허원(1662~?)		
	송이영(?~?)		
	이익(1681~1763)		
	남극관(1689~1714)		
1700	이중환(1690~1756)		
	서명응(1716~1787)		
	김영(1721~1803)		
	황윤석(1729~1791)		
	정철조(1730~1781)		
	홍대용(1731~1738)		
	서호수(1736~1799)	제임스 와트(1736~1819)	
	박지원(1737~1805)	윌리엄 허셜(1738~1822)	
	박제가(1750~1805)	알레산드로 볼타(1745~1827)	
	정약전(1758~1816)	에드워드 제너(1749~1823)	
	성주덕(1759~?)		
	정약용(1762~1836)		
	서유구(1764~1845)		
	하백원(1781~1845)		1776 미국 독립선언
	이규경(1788~1856)		1785 프랑스 대혁명 인권선언
	최경석(?~1886)	위원(1794~1857)	

1800	상운(?~?)	필립 시볼트(1796~1866)	
	최한기(1803~1877)		
	김정호(1804?~1866?)	찰스 다윈(1809~1882)	
	남병철(1817~1883)	벤자민 홉슨(1816~1873)	
	남병길(1820~1889)	서수(1818~1884)	
	이제마(1837~1900)	윌리엄 마틴(1827~1916)	
		니시 아마네(1829~1897)	
		알프레드 노벨(1833~1896)	
		쓰다 센(1837~1908)	1840 아편전쟁
	김용원(1842~?)	에드워드 모스(1838~1925)	
		토마스 에디슨(1847~1931)	1850 태평천국운동
	지석영(1855~1935)	야마카와 겐지로(1854~1931)	
		퍼시벌 로웰(1855~1916)	
		헨리 뮐렌스테트(1855~1915)	
		호러스 알렌(1858~1932)	
	안종수(1859~1895)	와다 유지(1859~1918)	
	변수(1861~1891)	올리버 에비슨(1860~1956)	1861 미국 남북전쟁
	김학우(1862~1894)	호머 헐버트(1863~1949)	1863 미국 링컨 노예해방 선언
	서재필(1864~1951)	로제타 홀(1865~1951)	1868 일본 메이지 유신
	이상설(1870~1917)	리하르트 분쉬(1869~1911)	
		시가 기요시(1870~1957)	
		에드워드 밀러(1873~1966)	
	김점동(1877?~1910)	굴리엘모 마르코니(1874~1937)	1876 강화도 조약
	오긍선(1878~1963)	칼 루퍼스(1876~1946)	
	상운(?~?)	알베르트 아인슈타인(1879~1955)	
	상호(1879?~?)	아서 베커(1879~1979)	
	최규동(1882~1950)	우에키 호미키(1882~1976)	
		야먀가 신지(1887~1954)	
	이태준(1883~1921)		1884 갑신정변
	함석태(1889~?)		
	나경석(1890~1959)	호러스 언더우드(1890~1951)	1894 동학농민운동, 갑오개혁
		주커전(1890~1974)	청일전쟁
	이원철(1896~1963)		
	김용관(1897~1967)		1897 대한제국 성립
	박길룡(1898~1943)		1898 청 무술정변
	우장춘(1898~1959)		
	최규남(1898~1992)		
	이미륵(1899~1950)		1899 청 의화단 운동
1900	조백현(1900~1994)	조지프 니덤(1900~1995)	
	이태규(1902~1992)	미키 사카에(1903~1992)	
	장기원(1903~1966)	야지마 스케도시(1903~1995)	
	리승기(1905~1996)		
	박철재(1905~1970)		
	안동혁(1907~2004)	야부우치 기요시(1906~2000)	

1900	권영대(1908~1985)	첸쉐썬(1911~2009)	1912 중화민국 탄생
	석주명(1908~1950)		1914 1차 세계대전
	장기려(1911~1995)		1919 3·1운동,
	현신규(1911~1986)		대한민국 임시정부 수립
	김봉한(1916~1967?)		1926 6·10 만세운동
	최형섭(1920~2004)		1939 2차 세계대전
	기창덕(1924~2000)		1945 8·15 광복

2. 인명 순

심괄(沈括, 1031~1095)

쓰다 셴[津田仙, 1837~1908]

아르키메데스(Archimedes, B.C. 287?~B.C. 212)

아리스토텔레스(Aristoteles, B.C. 384~B.C. 322)

아인슈타인, 알베르트(Einstein, Albert, 1879~1955)

알레니, 율리우스(Aleni, Julius/Aleni, Giulio, 1582~1649)

알렌, 호러스(Allen, Horace, 1858~1932)

야마가 신지[山家信次, 1887~1954]

야마카와 겐지로[山川健次郎, 1854~1931]

야부우치 기요시[藪內淸, 1906~2000]

야지마 스케도시[矢島祐利, 1903~1995]

언더우드, 호러스 호튼(Underwood, Horace Horton, 1890~1951)

에디슨, 토마스 알바(Edison, Thomas Alva, 1847~1931)

에비슨, 올리버(Avison, Oliver, 1860~1956)

와다 유지[和田雄治, 1859~1918]

와트, 제임스(Watt, James, 1736~1819)

요한 아담 샬 폰벨(Johann Adam Schall von Bell, 1591~1666)

우에키 호미키[植木秀幹, 1882~1976]

위원(魏源, 1794~1857)

일행(一行, 683~727)

장중경(張仲景, 150~219)

장형(張衡, 78~139)

제너, 에드워드(Jenner, Edward, 1749~1823)

주커전[竺可楨, 1890~1974]

첸쉐썬[錢學森, 1912~2009]

코페르니쿠스, 니콜라스(Copernicus, Nicolas, 1473~1543)

테렌츠, 요하네스(Terrenz, Joannes, 1576~1630)

편작(扁鵲, B.C. 401~B.C. 310)

피타고라스(Pythagoras, B.C. 580?~B.C. 500?)

허셀, 윌리엄 프레더릭(Herschel, William Frederick, 1738~1822)

헐버트, 호머 베잘렐(Hulbert, Homer Bezaleel, 1863~1949)

홀, 로제타 셔우드(Hall, Rosetta Sherwood, 1865~1951)

홉슨, 벤자민(Hobson, Benjamin, 1816~1873)

3. 나라순

그리스
아르키메데스(Archimedes, B.C. 287?~B.C. 212)
아리스토텔레스(Aristoteles, B.C. 384~B.C. 322)
피타고라스(Pythagoras, B.C. 580?~B.C. 500?)

덴마크
뮐렌스테트, 헨리 옌센(Muehlensteth, Henry Jessene, 1855~1915)

독일
분쉬, 리하르트(Wüsch, Richard, 1869~1911)
시볼트, 필립 프란츠 폰(Siebolt, Phillip Franz von, 1796~1866)
아인슈타인, 알베르트(Einstein, Albert, 1879~1955)
요한 아담 샬 폰벨(Johann Adam Schall von Bell, 1591~1666)

미국
로웰, 퍼시벌(Lowell, Percival, 1855~1916)
루퍼스, 윌 칼(Rufus, Will Carl, 1876~1946)
마틴, 윌리엄(Martin, William, 1827~1916)
모스, 에드워드 실베스터(Morse, Edward Sylvester, 1838~1925)
밀러, 에드워드 휴스(Miller, Edward Hughes, 1873~1966)
베커, 아서 린(Becker, Arthur Lynn, 1879~1979)
알렌, 호러스(Allen, Horace, 1858~1932)
언더우드, 호러스 호튼(Underwood, Horace Horton, 1890~1951)
에디슨, 토마스 알바(Edison, Thomas Alva, 1847~1931)
헐버트, 호머 베잘렐(Hulbert, Homer Bezaleel, 1863~1949)
홀, 로제타 셔우드(Hall, Rosetta Sherwood, 1865~1951)

스웨덴
노벨, 알프레드베르나르드(Nobel, Alfred Bernhard, 1833~1896)

영국

뉴턴, 아이작(Newton, Sir Isaac, 1642~1727)

니덤, 조지프(Needham, Joseph, 1900~1995)

다윈, 찰스 로버트(Darwin, Charles Robert, 1809~1882)

와트, 제임스(Watt, James, 1736~1819)

제너, 에드워드(Jenner, Edward, 1749~1823)

허셜, 윌리엄 프레더릭(Herschel, William Frederick, 1738~1822)

홉슨, 벤자민(Hobson, Benjamin, 1816~1873)

이탈리아

갈릴레이, 갈릴레오(Galilei, Galileo, 1564~1642)

리치, 마테오(Ricci, Matteo, 1552~1610)

마르코니, 굴리엘모(Marconi, Guglielmo, 1874~1937)

볼타, 알레산드로(Volta, Alessandro, 1745~1827)

브루노, 조르다노(Bruno, Giordano, 1548~1600)

알레니, 율리우스(Aleni, Julius/Aleni, Giulio, 1582~1649)

일본

니시 아마네[西周, 1829~1897]

미키 사카에[三木榮, 1903~1992]

시가 기요시[志賀潔, 1870~1957]

시부카와 하루미[澁川春海, 1639~1715]

쓰다 센[津田仙, 1837~1908]

야마가 신지[山家信次, 1887~1954]

야마카와 겐지로[山川健次郎, 1854~1931]

야부우치 기요시[藪內淸, 1906~2000]

야지마 스케도시[矢島祐利, 1903~1995]

와다 유지[和田雄治, 1859~1918]

우에키 호미키[植木秀幹, 1882~1976]

중국

곽수경(郭守敬, 1231~1316)

방이지(方以智, 1611~1671)

서광계(徐光啓, 1562~1633)

서수(徐壽, 1818~1884)

소송(蘇頌, 1020~1101)

송응성(宋應星, 1587~1666)

심괄(沈括, 1031~1095)

위원(魏源, 1794~1857)

일행(一行, 683~727)

· 장중경(張仲景, 150~219)

장형(張衡, 78~139)

주커전[쓰可楨, 1890~1974]

첸쉐썬[錢學森, 1912~2009]

편작(扁鵲, B.C. 401~B.C. 310)

캐나다

에비슨, 올리버(Avison, Oliver, 1860~1956)

포르투갈

로드리게스, 요하네스(Rodriges, Joannes, 1561~1633)

폴란드

코페르니쿠스, 니콜라스(Copernicus, Nicolas, 1473~1543)

프랑스

데카르트, 르네(Descartes, René, 1596~1650)

테렌츠, 요하네스(Terrenz, Joannes, 1576~1630)

인물 과학사 2
세계의 과학자들

1판 1쇄 2011년 11월 30일

지은이 | 박성래

펴 낸 이 | 류종필
편　　　집 | 강창훈, 이조운, 이보람
마 케 팅 | 김연일, 이혜지
경영관리 | 장지영

디자인 | 석운디자인

펴 낸 곳 | 도서출판 책과함께
주　　　소 | 서울시 마포구 서교동 395-178 영산빌딩 201호
전　　　화 | 335-1982~3
팩　　　스 | 335-1316
전자우편 | prpub@hanmail.net
블 로 그 | blog.naver.com/prpub
등　　　록 | 2003년 4월 3일 제25100-2003-392호

ISBN 978-89-91221-91-8 04900
ISBN 978-89-91221-92-5 (세트)

이 도서의 국립중앙도서관 출판시도서목록(CIP)은 e-CIP홈페이지(http://www.nl.go.kr/ecip)와
국가자료공동목록시스템(http://www.nl.go.kr/kolisnet)에서 이용하실 수 있습니다.
(CIP제어번호: CIP2011004866)